G O Y A

un regard
libre

Cette exposition a été co-organisée par
la Réunion des musées nationaux,
la ville de Lille – palais des Beaux-Arts
et le Philadelphia Museum of Art

Sa muséographie à Lille a été conçue par
Jean-François Bodin, architecte,
et réalisée avec le concours des équipes techniques
du palais des Beaux-Arts de Lille

À Paris, le projet a été coordonné
au département des Expositions de la Réunion des musées nationaux
par Marie-France Cocheteux

À Lille, Nancy Hérrault a assumé la Régie des œuvres

Service de Presse de la Réunion des musées nationaux, Unité partenaire :
Sylvie Poujade et Aude du Ché
et au palais des Beaux-Arts de Lille, Elisabeth De Jonckeere

Les traductions ont été réalisées par Olivier Le Goff pour les textes de Bodo Vischer
et Pierre-Emmanuel Dauzat pour le texte de Janis Tomlinson,
les traductions des textes de Manuela Mena et de Juliet Wilson-Bareau
ont été réalisées par Véronique Gerard Powell

Couverture : *Don Manuel Osorio Manrique de Zuñiga*, 1788
Huile sur toile ; 127 x 101
New York, The Metropolitan Museum of Art, The Jules Bache Collection, 1949 (49.7.41)
(cat. 19)

G O Y A

un regard
libre

PALAIS DES
BEAUX–ARTS
LILLE

Lille
Palais des Beaux-Arts
12 décembre 1998
14 mars 1999

Philadelphie
The Philadelphia Museum of Art
17 avril 1999
11 juillet 1999

Réunion
des Musées
Nationaux

Cette exposition est placée sous le haut patronage de

Leurs Majestés le roi et la reine d'Espagne

et de

Monsieur Jacques Chirac

Président de la République française

Comité d'honneur Espagne

Excma. Sra. Da Esperanza Aguirre Gil de Biedma
Ministra de Educación y Cultura

Excmo. Sr. D. Miguel Angel Cortés
Secretario de Estado de Cultura

Excmo. Sr. D. Antonio de Oyarcabal
Embajador de Espana en los Estados Unidos

Excmo. Sr. D. Carlos de Benavides
Embajador de Espana en Francia

Ilmo. Sr. D. Benigno Pendas Garcia
Director General de Bellas Artes y Bienes Culturales

Sr. D. José Antonio Fernandez Ordonez
Presidente del Réal Patronato del Museo Nacional del Prado

Ilmo. Sr. D. Fernando Checa Cremades
Director del Museo Nacional del Prado

Excmo. Sr. D. José Maria Iparraguirre
Consejero Cultural de la Embajada de Espana en Paris

Comité d'honneur France

Monsieur Pierre Mauroy
Ancien premier ministre
Sénateur-maire de Lille
Président de la communauté urbaine de Lille

Madame Martine Aubry
Ministre de la Solidarité et de l'Emploi
Premier adjoint au maire de Lille

Madame Catherine Trautmann
Ministre de la Culture et de la Communication

Monsieur Alain Ohrel
Préfet de la Région Nord – Pas-de-Calais, préfet du Nord

Son Excellence Monsieur Patrick Leclercq
Ambassadeur de France en Espagne

Monsieur Michel Delebarre
Ancien ministre d'État
Président du Conseil régional Nord – Pas-de-Calais

Monsieur Bernard Derosier
Député du Nord
Président du Conseil général du Nord

Madame Françoise Cachin
Directeur des Musées de France
Président de la Réunion des musées nationaux

Monsieur Claude Kupfer
Secrétaire général pour les Affaires régionales

Monsieur Richard Martineau
Directeur régional des Affaires culturelles

Madame Nathalie Thieuleux
Déléguée régionale au Tourisme

Monsieur Antoine Grassin
Conseiller culturel
près l'ambassade de France en Espagne

Comité d'organisation

Irène Bizot
Administrateur général de la Réunion des musées nationaux

Jacquie Buffin
Adjoint au maire de Lille
Délégué au développement culturel

Anne d'Harnoncourt
Directeur du Philadelphia Museum of Art

Commissariat

Arnauld Brejon de Lavergnée
Conservateur général du Patrimoine chargé du palais des Beaux-Arts de Lille

assisté d'Amandine Jeanson et Isabelle Rodriguez Marco

Joseph J. Rishel
Conservateur du département des Peintures et Sculptures européennes du Philadelphia Museum of Art

assisté de Lauren K. Chang

avec la participation de Manuela Mena Marqués
chef du département des Peintures espagnoles du XVIIIᵉ siècle et de Goya au Museo del Prado

Que toutes les personnes qui ont permis, par leur généreux concours,
la réalisation de cette exposition trouvent ici l'expression de notre gratitude
et tout particulièrement :

M. Jésus Castelo
M. et Mmes Fernández de Araoz
M. et Mme Abello
Mme Maria Gloria García del Carrizo San Millán
Mme Esther Koplowitz
M. March Censcillo
M. le duc de Fernán Núñez
M. et Mme Carrera de Pérez Simón
M. Nathaniel de Rothschild
ainsi que toutes celles qui ont préféré garder l'anonymat

Nos remerciements s'adressent également aux
responsables des collections suivantes :

Allemagne
Munich, Alte Pinakothek

Espagne
Madrid, Fundación Colección Thyssen-Bornemisza
Madrid, Museo del Prado
Madrid, Museo Lázaro Galdiano
Madrid, Museo Romántico
Saragosse, Caja de Ahorros de Zaragoza Aragón y Rioja
Valence, Museo San Pío V
Valladolid, Convento de San Joaquín y Santa Ana

États-Unis d'Amérique
Boston, The Museum of Fine Arts
Chicago, The Art Institute of Chicago
Cleveland, The Cleveland Museum of Art
Dallas, Meadows Museum, Southern Methodist
University
Houston, The Museum of Fine Arts
Los Angeles, The Armand Hammer Collection,
Ucla at the Armand Hammer Museum of Art
and Cultural Center
Los Angeles, The J. Paul Getty Museum
Michigan, The Flint Institute of Arts
New York, The Metropolitan Museum of Art
Philadelphie, The Philadelphia Museum of Art
Toledo, The Toledo Museum of Art

Washington, The National Gallery of Art
Williamstown, Sterling and Francine Clark
Art Institute

France
Besançon, musée des Beaux-Arts et d'Archéologie
Castres, musée Goya
Paris, musée du Louvre, département des Peintures
Strasbourg, musée des Beaux-Arts

Grande-Bretagne
Barnard Castle, The Bowes Museum
Édimbourg, The National Gallery of Scotland
Londres, The National Gallery

Hongrie
Budapest, Szépmüvészeti Múzeum

Irlande
Dublin, The National Gallery of Ireland

Suède
Stockholm, Nationalmuseum

Remerciements

La préparation de l'exposition Goya aura été pour nous tous une grande aventure. C'est avec beaucoup d'audace et de témérité que nous avons accepté de relever ce formidable défi qui consistait, au départ, à rassembler une soixantaine de toiles de l'artiste. Et si nous sommes fiers aujourd'hui d'avoir atteint cet objectif, qui a pu nous paraître hors de portée à certains moments, nous en sommes également redevables à toutes les personnes dont la persévérance et le dévouement n'ont jamais faibli.

Commençons par remercier la ville de Lille, et plus particulièrement Monsieur le Maire, Pierre Mauroy, auteur de décisions importantes qui rythment désormais de manière forte la vie culturelle de la métropole : la rénovation du musée, l'organisation de l'exposition Goya, la candidature de la ville en tant que capitale européenne de la culture en 2004, autant d'événements qui ancrent le patrimoine muséal dans la ville. Citons également Jacquie Buffin, adjoint au maire délégué aux affaires culturelles, grâce à qui l'idée même de l'exposition a vu le jour, et qui a porté ce projet avec un immense dévouement. Qu'elle trouve ici l'expression de notre reconnaissance. Remercions aussi très vivement Jeannine Baticle, auteur de la première liste de tableaux, dont le nom est une référence en ce qui concerne la vie et l'œuvre de Goya, qui a contribué de manière significative à l'émergence du concept de l'exposition. Autour de ce noyau s'est rapidement formé un cercle de compétences, dont la plupart étaient déjà réunies au sein de la Réunion des musées nationaux, organisme reconnu pour le nombre et la qualité des expositions qu'il organise à Paris et en province. Nous adressons nos vifs remerciements à Françoise Cachin, président de la Réunion des musées nationaux, et à Irène Bizot, administrateur général, qui dès le début se sont totalement investies dans le projet. Le résultat positif de la négociation sans doute la plus importante – le prêt des tableaux du Museo del Prado – leur incombe. C'est au cours de discussions passionnantes entre ces différents acteurs et partenaires qu'a pu évoluer le contenu de l'exposition que nous présentons aujourd'hui.

Puis, il a fallu élargir ce réseau pour recueillir les précieux conseils d'autres spécialistes, comme Manuela Mena, conservateur des peintures espagnoles du XVIIIᵉ siècle au Museo del Prado, qui a manifesté d'emblée un vif intérêt à l'égard de ce projet d'exposition et qui nous a permis, de ce fait, de nouer des relations très positives avec Fernando Checa, directeur du Prado. Les commissaires de l'exposition tiennent ici à saluer ces deux grandes personnalités de la scène culturelle espagnole et à les remercier pour leur indispensable soutien. Outre cet important partenariat franco-espagnol, il faut aussi insister sur les liens qui unissent désormais deux musées, l'un européen, l'autre américain, c'est-à-dire le palais des Beaux-Arts de Lille et le Philadelphia Museum of Art, puisque l'exposition Goya est une coproduction des deux institutions.

Nos plus vifs remerciements sont bien sûr adressés à tous les prêteurs, directeurs de musée ou collectionneurs privés, dont la générosité a contribué à faire de cette exposition une réussite. Pour être nous-mêmes responsables de musée, nous savons combien il est parfois douloureux de se séparer d'un tableau. Qu'ils reçoivent l'expression de notre profonde gratitude, et nous regrettons de ne pouvoir les citer nommément.

Au-delà de la question du choix, l'élaboration de liste des œuvres est un travail qui requiert beaucoup de précision et de certitude, en plus d'une connaissance pointue de la production de l'artiste. C'est pourquoi ce travail a été confié à des spécialistes : Jeannine Baticle, Manuela Mena, précédemment citées, et Juliet Wilson-Bareau, dont la connaissance prodigieuse de l'œuvre peint, dessiné et gravé de Goya, ainsi que les précieux conseils nous ont fréquemment éclairés. Qu'elle reçoive l'expression de notre sincère reconnaissance pour son dévouement inconditionnel.

Les commissaires souhaitent également remercier leurs assistants, à savoir Amandine Jeanson pour le palais des Beaux-Arts de Lille et Lauren K. Chang pour le Philadelphia Museum of Art, pour avoir contribué à l'aboutissement des nombreuses négociations de prêt, sous la responsabilité du département des Expositions de la Réunion des musées nationaux, représentée notamment par Bénédicte Boissonnas et Marie-France Cocheteux. Nous tenons également à remercier au sein de ce même département, Juliette Armand, Jean Naudin et Katia Touitou. Certaines négociations s'étant révélées particulièrement délicates, les commissaires ont fait appel à la généreuse collaboration de personnes extérieures au projet, dont la gentillesse et la disponibilité méritent également d'être saluées. Il s'agit plus précisément de :

M. et Mᵐᵉ Alvarez-Alvarez, Plácido Arango, Erik de Bourbon-Parme, Christina Burrus, Casilda Fernandez de Vilaverde, Claude Forestier, Eloisa Garcia de Wattenberg, C. Lamothe, Olivier Le Fuel, Mᵐᵉ de Leusse, Marie-Thérèse Levert, Carmen Maranon de Urquijo, Alain Miailhe, Gloria Moure, Christian Papet-Vauban, Alfonso Pérez Sánchez, le marquis de Périnat, Claudie Ressort, Pierre Rosenberg, la baronne Élie de Rothschild, Pascal Torrès, Antonio Urbina, Jesus Urrea, et l'équipe des conservateurs du musée de Valladolid, Roxana Velasquez del Campo, Daniel Wildenstein, la comtesse de Yebes, Isabelle Rodriguez Marco, l'équipe administrative :

J.-P. Guffroy, administrateur, I. Poupard et J. Glowacki; l'équipe des conservateurs B. Brejon, A. Castier, A. Scottez-de Wambrechies, et le secrétariat, P. Defraumont, F. Peirs, et le service culturel : A. Castier, I. Reux.

N'oublions pas non plus d'exprimer notre profonde gratitude à l'ambassade de France, qui a compté parmi nos alliés les plus solides, et ce, à tous les instants. Citons son excellence Patrick Leclercq, ambassadeur, et Antoine Grassin, conseiller culturel.

Toute exposition nécessite un budget. Les soutiens dans ce domaine ont été précieux : à l'impulsion donnée par la ville se sont ajoutées les participations du Conseil régional, du Conseil général et de la banque Scalbert-Dupont.

La rédaction du catalogue a été une tâche complexe en raison de la dispersion géographique des auteurs. Il n'aurait pas vu le jour sans l'inlassable dévouement de quatre personnes : Marie-Dominique de Teneuille, Véronique Gerard Powell, Juliet Wilson-Bareau et Katia Lièvre. Jour après jour, pendant plus de deux mois, elles ont relu, corrigé, amélioré, uniformisé les divers manuscrits, qui tombaient sur les télécopieurs.

Remercions tout particulièrement Alain Madeleine-Perdrillat, responsable du département de la Communication de la RMN, qui a participé pleinement à l'élaboration de ce catalogue, Anne de Margerie, responsable du département éditorial de la RMN, et Bruno Pfäffli, qui l'a magnifiquement mis en pages. Nous adressons aussi nos chaleureux remerciements à tous ceux qui ont accepté d'écrire dans ce catalogue et de s'atteler à cette tâche avec tant de disponibilité et de talent : Jeannine Baticle, Jean-Louis Augé, Janis A. Tomlinson, Bodo Vischer, Xavier Bray, ainsi qu'Yves Bonnefoy et Henri Cartier-Bresson.

En résumé, une grande aventure intellectuelle et humaine. Ce projet n'aurait pas abouti sans l'aide permanente de Jeannine Baticle, Véronique Gerard Powell et Juliet Wilson-Bareau.

Cette exposition a mobilisé tant de personnes et d'énergie que la liste pourrait se prolonger encore longuement. Les commissaires souhaitent remercier plus particulièrement : Elizabeth Martin et Jean-Pierre Mohen, du Laboratoire du Louvre, Jean-François Bodin et ses collaborateurs pour la scénographie et la signalétique de l'exposition.

Que tous ceux qui ont contribué à faire de ce projet une si belle réussite trouvent ici l'expression de notre sincère reconnaissance.

Arnauld Brejon de Lavergnée
Joseph J.Rishel

Si la France s'honore de conserver quelques chefs-d'œuvre de Goya, notamment au palais des Beaux-Arts de Lille – dont une part de la renommée tient à deux célèbres tableaux du maître –, mais aussi au musée qui porte son nom à Castres, et bien sûr au musée du Louvre, elle n'offre aux visiteurs aucun ensemble assez complet pour donner une idée exacte du génie d'un peintre qui mourut dans notre pays et fut magnifiquement célébré par de grands écrivains français, depuis Théophile Gautier et Baudelaire jusqu'à Malraux. On pourrait observer également que les expositions Goya sont très rares en France.

Goya est d'une remarquable actualité, ce qui explique sans doute sa gloire universelle aujourd'hui, comme si le XXe siècle, avec son cortège de guerres et de violences de toutes sortes, n'avait aucune peine à se reconnaître dans les œuvres du maître du *Trois Mai 1808*. Le regard sarcastique et précis qu'il porte sur les mœurs et les grands personnages de son temps nous paraît aussi d'une étonnante modernité, et l'on s'étonne que ses contemporains ne s'en soient pas inquiétés davantage…

L'exposition que la ville de Lille est fière de présenter en son palais des Beaux-Arts, récemment rénové, ne prétend pas à l'exhaustivité, mais à faire mieux sentir et comprendre aux visiteurs cette modernité et cette actualité de Goya. Elle vise aussi à leur faire découvrir certains aspects moins connus ou méconnus de son œuvre, comme les scènes religieuses ou les admirables natures mortes. Toutes les œuvres de l'exposition ont été scrupuleusement choisies, pour leur qualité, par les commissaires, Arnauld Brejon de Lavergnée, directeur du palais des Beaux-Arts de Lille, et Joseph J. Rishel, conservateur du département des Peintures et Sculptures européennes du Philadelphia Museum of Art, avec l'aide éclairée de Manuela Mena, chef du département des Peintures espagnoles du XVIIIe siècle et de Goya au Museo del Prado ; je les remercie chaleureusement tous trois d'avoir réussi à mener à bien un projet qui pouvait d'abord passer pour irréalisable.

Je tiens à remercier de même tous les musées européens et américains – et, en premier lieu, bien sûr, le Museo del Prado – qui ont généreusement accepté de nous prêter des œuvres qui comptent parmi leurs trésors. J'y associe les co-organisateurs, avec la ville de Lille, de l'exposition : le Philadelphia Museum of Art et, tout particulièrement, la Réunion des musées nationaux, qui a démontré une fois de plus la maîtrise qu'elle possède dans la réalisation des grandes expositions d'art à caractère international. Mais je suis sûr que toutes les personnes qui ont été associées à cette manifestation exceptionnelle seront encore davantage remerciées de leurs efforts par le succès que le public ne manquera pas de lui accorder.

Pierre Mauroy
sénateur-maire de Lille

cat. 52, détail

Sommaire

Goya, un regard libre

À Jeannine Baticle
conservateur général honoraire au musée du Louvre
et qui est à l'origine de ce projet

Étant donné l'extraordinaire regain d'intérêt suscité par Goya ces dernières années, illustré par plusieurs grandes expositions internationales,
la pression exercée sur les collectionneurs privés ainsi que sur les musées
ayant la chance de posséder des œuvres de l'artiste a atteint aujourd'hui
des proportions extrêmes. C'est pourquoi nous tenons à exprimer notre
profonde gratitude à tous ceux dont la générosité a été une fois de plus
sollicitée et qui ont rendu possible cette exposition par le prêt de leurs
tableaux.

Dans l'histoire de la peinture moderne, peu d'artistes occupent une
place aussi difficile à définir que celle de Francisco Goya. Dès le milieu du
XIXᵉ siècle, il fut considéré comme un maître et un précurseur. Puis
chaque génération s'est appliquée à redéfinir son œuvre, à réévaluer sa
contribution à l'art, selon des critères variables. Avec la Seconde Guerre
mondiale, le maître des *Peintures noires* acquiert une grande renommée : la
dimension universelle de son génie est reconnue en même temps que
l'on détache son œuvre de son contexte espagnol.

Par la suite, et notamment au cours des dix dernières années, beaucoup a été fait pour mieux comprendre la spécificité de son travail, tant
d'un point de vue proprement artistique que politique. Si ces recherches
ont abouti à de véritables révélations, elles n'ont guère éclairci le mystère
qui entoure les véritables raisons de l'influence de Goya.

Notre projet d'exposition est à la fois modeste et ambitieux, resserré
autour de quelques sujets spécifiques. Le musée de Lille possède deux
des plus remarquables scènes de genre peintes par Goya : *les Vieilles* ou *le
Temps* (cat. 52) et *les Jeunes* ou *la Lettre* (cat. 53). La première apparaît dans
un inventaire effectué en octobre 1812, quelques mois après le décès de
l'épouse de l'artiste, à son domicile, Calle de Valverde. Une partie des
biens de Goya devient alors la propriété de son fils, don Francisco Javier.
Dans ce remarquable document figure la liste des œuvres conservées par

cat. 2, détail

l'artiste, celles qu'il désirait garder auprès de lui tandis qu'il travaillait à des projets destinés à être montrés au public. Une telle incursion dans l'intimité du peintre est chose rare. Le tableau de Lille, *les Vieilles,* apparaît dans l'inventaire sous le titre *le Temps,* avec d'autres œuvres dont la dimension narrative est l'une des principales caractéristiques. Toutes ces œuvres sont aujourd'hui célèbres, mais leur signification reste inexpliquée. Au cœur de l'exposition, nous avons voulu donner une idée de cet ensemble. Il eût été merveilleux de regrouper le plus grand nombre possible des soixante-dix-huit toiles qui étaient en possession de l'artiste au moment du décès de son épouse, mais la tâche était impossible : certaines n'ont pas pu être localisées, d'autres ne peuvent être prêtées (Winterthur, collection Reinhart), d'autres enfin ont déjà trop voyagé au cours des années précédentes. Quoi qu'il en soit, l'exposition de Lille présente douze tableaux mentionnés dans l'inventaire de 1812 : six natures mortes (cat. 42 à 47), *la Porteuse d'eau* et son pendant *le Rémouleur* (cat. 49 et 48), *Maja et Célestine* (cat. 51), *les Vieilles* ou *le Temps* (cat. 52) et *Lazarillo de Tormes* (cat. 50).

Sur les douze natures mortes mentionnées dans l'inventaire, dix sont actuellement localisées, deux d'entre elles ne pouvant quitter la célèbre collection Reinhart, déjà citée. Depuis quelques années, ces tableaux peu conventionnels et méconnus suscitent un nouvel intérêt. On a pu en voir six différents répartis entre deux expositions récentes (*Goya* à Stockholm, au Nationalmuseum, en 1994, *Spanish Still Life* à Londres, National Gallery, en 1995). Pour notre part, nous exposons six de ces natures mortes, qui constituent la deuxième section de l'exposition.

La troisième section est composée de scènes de genre, qui nous rappellent que Goya s'est aussi consacré à la réalisation de cartons de tapisserie, au début de sa carrière. Ce sont des œuvres aux dimensions modestes, mais dont l'intensité est grande. Ces cartons ou leurs esquisses appartiennent à plusieurs séries destinées à la résidence royale du Pardo. On peut ainsi admirer côte à côte l'esquisse et le carton de *l'Automne* (cat. 12 et 13). Une esquisse rayonne entre toutes, *la Prairie de Saint-Isidore* (cat. 20), réalisée pour la chambre à coucher des infantes au palais du Pardo. Véritable apothéose de Madrid, de son peuple, de sa lumière, la représentation de cette fête de la Saint-Isidore donna des soucis à l'artiste : « En plus de cela, les sujets sont si difficiles à traiter, en particulier *la Prairie de saint Isidore,* le jour de la fête du saint avec toute l'agitation qui est de tradition en ce jour ; je t'assure que je ne puis dormir ni me reposer jusqu'à ce que j'aie terminé ce travail », écrivit Goya à un ami le 31 mai 1788. D'autres œuvres ont un caractère tragique et l'on y trouve pour la première fois abordés des thèmes (incendie, naufrage, maison de fous…) qui hanteront l'artiste. Avec *le Préau des fous* du Meadows Museum, à Dallas, *Intérieur de prison* (cat. 25) est l'un des tableaux de la célèbre série peinte sur fer-blanc, après la terrible maladie dont l'artiste faillit mourir à la fin de 1792, et qui le laissa à jamais sourd. L'exposition présente aussi les deux panneaux, rarement prêtés, du musée de Besançon : *Cannibales préparant leurs victimes* (cat. 38) et *Cannibales contemplant leurs victimes* (cat. 39). Il s'agit de deux petits chefs-d'œuvre qui semblent annoncer les horreurs de la guerre contre Napoléon, qui éclate en 1808.

Notre objectif étant de poser de nouvelles questions, nous avons décidé d'exposer, dans une quatrième section, un ensemble de peintures religieuses afin de mieux saisir la place qu'elles occupent dans la carrière de l'artiste. L'importance des sujets religieux, souvent rattachés à ce que l'on appelle la peinture de genre, a été sous-estimée jusqu'ici. Nous présentons donc à Lille et à Philadelphie surtout des œuvres de jeunesse (vers 1775-1780), dont deux Apparition de la Vierge du Pilar (cat. 6 et 7), qui doivent peut-être plus qu'on ne l'a dit à Corrado Giaquinto, la belle esquisse pour l'*Annonciation* (cat. 10) pour San Antonio del Prado de 1785, et surtout deux tableaux d'autel, *la Mort de saint Joseph* (cat. 18) et *Saint Bernard* (cat. 16), peints par Goya en 1787 pour l'église du monastère de San Joaquín y Santa Ana, à Valladolid. Le visiteur peut admirer *Saint Bernard* en songeant à Pierre Subleyras, dont Goya a dû voir des œuvres à Rome. La comparaison de l'esquisse de *la Mort de Joseph* avec le tableau d'autel (cat. 17 et 18) permet de voir que Goya s'efforce de se conformer à ce qu'il appelle le style « architectonique » ou néoclassique, qui était à la mode à cette époque. L'esquisse de *Saint Herménégilde en prison* (cat. 28), légèrement plus tardive (vers 1800) et préparatoire à l'un des trois tableaux d'autel de l'église de San Fernando de Monte Torrero (Saragosse), évoque les commentaires de Gaspar Melchior de Jovellanos – admirateur inconditionnel de Goya – sur ces œuvres, avant leur disparition, pendant la guerre d'Indépendance : « […] la force du clair-obscur, la beauté inimitable des coloris et une certaine magie des lumières et des tons à laquelle il me semble qu'aucun autre pinceau ne peut parvenir ».

Enfin, puisque le projet de cette exposition est de faire découvrir Goya public et privé, la présentation d'une série de portraits s'imposait. Car c'est dans le portrait plus que dans tout autre genre que s'expriment à la fois le caractère ironique et la profondeur de la vision de Goya. Nous avons pu réunir un grand nombre de portraits échelonnés dans la carrière de Goya, depuis l'*Autoportrait,* vers 1771 (cat. 1), de la collection Ibercaja, jusqu'à celui de *Tiburcio Pérez y Cuervo* (cat. 57), daté 1820, du

Metropolitan Museum of Art, à New York. Autant de portraits, autant d'approches différentes du modèle : la personnalité de celui-ci commande l'artiste, et non l'inverse. Admirons la maîtrise absolue de l'artiste dans ce genre. Les portraits réalisés par Goya, qui doivent beaucoup à la spontanéité car ils sont sans préparation ni étude, ont toujours quelque chose d'envoûtant. Et si nous avons ajouté dans l'exposition de Lille une très belle copie de *la Duchesse d'Albe* (cat. 58) due au pinceau d'Agustín Esteve, qui collabora étroitement avec Goya dans les dernières années du siècle, c'est parce que cette œuvre – dont l'original est conservé à Madrid, au palais Liria – révèle toute une part profonde de l'existence de l'artiste.

Les conservateurs de musée sont peut-être plus sensibles que d'autres aux problèmes de reconstitution de séries et d'ensembles : outre celle de l'inventaire de 1812 dont nous avons déjà parlé, il nous a paru important de tenter de regrouper la série des *Pères de l'Église,* probablement peinte par Goya durant son second séjour en Andalousie, entre 1796 et 1797. Dans le même ordre d'idées, il nous a paru intéressant de montrer la genèse de la création chez Goya : ainsi seront accrochées côte à côte *la Mort de saint Joseph* (cat. 18) et son esquisse préparatoire (cat. 17), l'esquisse et le carton de *l'Automne,* également appelé *les Vendanges* (cat. 12 et 13), ces confrontations étant bien plus éloquentes que de longues gloses.

La présentation d'une cinquantaine de toiles de Goya s'accompagne de celle de quatre-vingts gravures des *Caprices,* pour rappeler qu'il aura obéi toute sa vie au seul caprice de son imagination et de sa fantaisie. Comme il l'a écrit en 1794, il a voulu «faire des observations qui généralement n'ont pas leur place dans les œuvres de commande où le caprice et l'invention ne peuvent se donner libre cours». Le génie capricieux de Goya existe aussi dans la peinture, comme en témoignent plusieurs tableaux de l'exposition : *Cannibales préparant leurs victimes, les Vieilles* se prêtent ainsi à des rapprochements avec certaines gravures de la célèbre série.

Joseph J. Rishel
conservateur du département
des Peintures et Sculptures européennes avant 1900
au Philadelphia Museum of Art

Arnauld Brejon de Lavergnée
conservateur général du Patrimoine
chargé du palais des Beaux-Arts de Lille

MANUELA MENA MARQUÉS

Goya :
la question n'est pas résolue

Une nouvelle exposition sur Goya intéresse toujours les spécialistes et, tout comme Beethoven dans le domaine de la musique, attire également un large public d'amateurs. Goya appartient à cette catégorie de maîtres anciens dont les œuvres, par leur force expressive, continuent de résonner en nous et conservent une signification actuelle ; d'une technique prodigieuse, celles de Goya touchent aisément notre sensibilité contemporaine et répondent à nos inquiétudes et à nos aspirations.

Mais quelle est la véritable manière de Goya ? Qui est Goya en réalité ? Ces questions sont loin d'être résolues parce que la connaissance du peintre et de son œuvre reste encombrée par de multiples attributions erronées et une chronologie souvent absurde. Pour cet artiste, l'un des plus grands de l'histoire de l'art occidental, la confusion remonte malheureusement très loin. Déjà, à l'époque de sa mort, en 1828, des œuvres qu'il n'avait pas peintes passaient pour être de sa main. Elles ont très tôt composé un style « pseudo-goyesque », accepté sans discussion et même considéré parfois comme plus représentatif de Goya que le véritable Goya, et qui reste l'image de l'artiste la plus populaire et la plus répandue, même chez certains historiens de l'art.

Tout aussi grave pour une véritable appréciation de son talent est la disparition de quelques œuvres importantes et significatives. Alors qu'ils venaient à peine d'être peints, la guerre d'Indépendance (1808-1812) détruisit des ensembles aussi ambitieux que les trois grandes toiles de l'église de Monte Torrero, à la sortie de Saragosse. Pour nous donner une idée approximative de leur beauté, il nous reste aujourd'hui les trois esquisses préparatoires[1] et le commentaire de Jovellanos qui, s'étant arrêté à Monte Torrero en 1801, écrivit dans son journal : « Il y a trois autels avec trois magnifiques tableaux de la main de Don Francisco Goya [...] Œuvres admirables, non seulement par leur composition mais surtout par la force du clair-obscur, la beauté inimitable des coloris et une certaine magie des lumières et des tons à laquelle il me semble qu'aucun autre pinceau ne peut parvenir[2]. » Les quatre tableaux du Colegio de l'ordre de Calatrava à Salamanque disparurent aussi pendant la guerre d'Indépendance. Seul l'un d'entre eux, *l'Immaculée Conception,* peut être « reconstruit » grâce à l'esquisse conservée au Museo del Prado.

La guerre civile (1936-1939) causa la destruction de quelques-unes des premières œuvres documentées de Goya, comme le reliquaire de l'église de Fuendetodos, connu seulement aujourd'hui par des photographies de mauvaise qualité, ou les tableaux de *Saint Joachim et sainte Anne* et *la Vision de saint Antoine,* de la cathédrale de Valence, qui nous auraient aidé à mieux connaître le style du jeune artiste. Non moins grave, la disparition des esquisses de ses premières commandes, dont les cartons de tapisserie des années 1770, auxquelles le peintre lui-même fait allusion dans sa correspondance avec son ami Martín Zapater et qu'il offrit, pour certaines, à l'architecte Sabatini et à d'autres amis ; ou encore, celle des seize esquisses de carton citées dans l'inventaire de ses biens, rédigé lors de sa mort, en 1828.

Il nous manque également d'autres tableaux connus au XIXe siècle, plusieurs appartenant au splendide ensemble que possèdent encore les descendants du marquis de la Romana, deux des « scènes de sorcières » achetées en 1798 par les ducs d'Osuna pour La Alameda, leur maison de campagne proche de Madrid ; nous ignorons le sort du *Convive de pierre,* mettant en scène Don Juan, depuis la vente des biens de la maison ducale d'Osuna à la fin du XIXe siècle ; la piste de la *Cuisine des sorcières* se perd avec la guerre civile. À cause du caractère très vague des descriptions, il est encore impossible d'identifier nombre des tableaux mentionnés dans l'inventaire de 1812, dressé à la mort de l'épouse de Goya, telles les « douze des Horreurs de la guerre (n° 12) » ou dans celui de 1828, déjà cité.

Ajoutons à tout cela le mauvais état de conservation d'œuvres aussi importantes, pour définir le style tardif de Goya, que les *Peintures noires,* qu'il peignit entre 1821 et 1823, pour sa dernière demeure madrilène. Cet ensemble tellement admiré aujourd'hui, source inépuisable d'inspiration pour tant d'artistes contemporains et de mouvements d'avant-garde, qui a fait couler beaucoup d'encre aux historiens de l'art et à de célèbres hommes de lettres enthousiasmés par la modernité de la technique et l'incompréhensible audace formelle de quelques scènes, est encore une énigme pour les spécialistes.

Cette énigme ne tient pas tant à la difficile interprétation de scènes dont nous ne connaissons ni les allusions historiques et politiques ni les références à la vie de Goya que du fait que ce que nous voyons à ce jour est bien différent de ce que l'artiste a peint. Révélées par les analyses techniques et radiographiques, de nombreuses modifications, qui remontent pour certaines à Goya lui-même, ont altéré l'apparence, la texture originale de la surface peinte ainsi que les scènes elles-mêmes[3]. D'autres altérations viennent d'ajouts tardifs recouvrant les lacunes de la couche picturale provoquées par l'humidité des murs de la maison, et du fait que ces peintures murales aient été transposées sur des toiles qui ont été vernies et revernies jusqu'à des dates très récentes. L'affaiblissement des coloris originaux et, dans certains cas, l'usure des figures ont rendu incompréhensibles certaines scènes. Les changements de dimensions et la destruction inévitable de leur disposition originale dans la maison de l'artiste ont entraîné la rupture, certainement définitive, des relations thématiques entre les unes et les autres, faisant d'une des œuvres les plus importantes de Goya un véritable casse-tête.

À la méconnaissance de l'œuvre de Goya s'ajoute celle de sa vie ; de nombreuses légendes courent toujours sur ses amours, son caractère, ses maladies, ses opinions politiques, et l'on voit parfois encore dans la folie et les troubles mentaux, dans des hallucinations, la source de ses compositions les plus hermétiques. La rigueur de l'historien de l'art est une arme bien faible face à des images considérées depuis longtemps comme des œuvres originales et désormais bien enracinées dans la « connaissance » collective de Goya. Même quand on démontre, en s'appuyant, comme pour l'œuvre de n'importe quel maître ancien, sur une méthodologie sûre, sur des données techniques et des comparaisons très claires, que telle peinture ne peut être de Goya, le fait qu'elle soit répétée infiniment sur des couvertures de livre, des fascicules, des affiches publicitaires et même des timbres l'attache de manière indissoluble au nom de Goya. Ainsi, le mélange entre une approche historique et artistique peu rigoureuse, des légendes tenaces et certains intérêts économiques rend bien difficile une compréhension claire de l'œuvre. De plus, tout ce qui est « goyesque » attire un certain type de littérateurs, dont des figures aussi célèbres que Malraux, qui créent un mythe à partir de légendes romantiques et populaires, et flatte le côté le plus vulgaire et superficiel de l'Espagnol, attaché à ce monde dévergondé et folklorique de *majos* et de *majas,* de corridas et de carnavals, de messes dans des églises sombres et de condamnés à mort…

Il peut certes sembler naïf d'affirmer ici qu'il faut étudier Goya avec les critères rigoureux que l'histoire de l'art applique à d'autres artistes et commencer par établir la liste des tableaux parfaitement documentés, commandes officielles, peintures de provenance sûre accompagnées de factures du peintre, œuvres auxquelles celui-ci fait référence dans sa correspondance ou que citent des sources contemporaines fiables. Les tableaux eux-mêmes restent, pour Goya comme pour les autres artistes, le témoignage le plus sûr pour la connaissance de son art.

Pour étudier sa manière très personnelle de composer, il faut considérer ses œuvres documentées et ses gravures, dont la nature même rend impossible l'altération ou la falsification, ce qui en fait un guide essentiel pour pénétrer son style et sa pensée. On doit aussi se fonder sur les dessins dont l'attribution à Goya est certaine, ceux qui firent partie des différents albums qu'il prépara sa vie durant et dont il numérota les feuilles, aujourd'hui isolées, les accompagnant parfois de commentaires autographes. Ces dessins, réalisés sur des papiers aux filigranes clairs, précis et datables, parfaitement documentés, aident à identifier l'ensemble de l'œuvre dessiné de Goya, qui, plus que ses peintures, pose des problèmes très anciens d'attribution dont la solution est réservée à l'œil expert des véritables spécialistes dans ce domaine.

C'est seulement ainsi que l'on pourra parvenir à la seconde étape de la recherche et définir les bases de la peinture de Goya. Elle évolua certes avec le temps mais, comme chez tout grand artiste, elle présentait dès l'origine des caractéristiques bien précises dans la technique, le style et la manière de représenter l'être humain, qui se révèlent autant dans ses portraits les plus fidèles que dans ses satires les plus féroces.

Certaines attributions faites à Goya sont incompréhensibles pour le spécialiste, le «connaisseur», qui, selon l'acception française du terme, est celui qui, grâce à sa connaissance de la technique, à sa sensibilité et à son œil, «comprend» la peinture, tandis que l'historien de l'art, chargé généralement de connaissances surtout théoriques, étudiant à partir de photographies et de reproductions, suit souvent, sans critère vraiment personnel, l'opinion d'autrui, bonne ou mauvaise. On comprend mal comment tant de scènes «goyesques» sont encore classées comme des Goya : processions de flagellants, sorcières et scènes d'inquisition, messes de relevailles, fêtes populaires et carnavals, violences de la guerre, prisonniers torturés, incendies et autres catastrophes, rapts et viols, corridas et matadors, *majas* et *manolas* à l'air hautain, avec leurs mantilles noires «espagnolissimes»...

Toutes ces œuvres mettent l'accent soit sur les côtés les plus dramatiques, désagréables et effrayants de ce que l'on a fini par appeler l'«Espagne noire», soit sur les aspects les plus populaires et les plus typiques de la vie espagnole. Ce phénomène a d'ailleurs été encouragé par la critique romantique et par la fascination, au milieu du XIXᵉ siècle, de pays comme la France ou l'Angleterre pour tout ce qui était espagnol, à quoi s'est ajoutée la vision «noire» qu'avaient les intellectuels espagnols de la fin du siècle, principalement ceux de la «génération de 98 », de leur propre pays.

Ces étranges œuvres « goyesques » sont, en outre, peintes selon une technique rapide, «moderne » – qualifiée, dans un curieux parallèle avec le vocabulaire taurin, de *brava* par certains auteurs –, une technique qui est faite d'épais coups de brosse et d'empâtements, où l'usage extensif de la spatule est la signature automatique d'un faux Goya. Dans ces peintures noircies et sales, le plus souvent de petit format, prédominent en général des coloris obscurs, rouges denses, bruns opaques, avec des éclairs de blanc et de nombreux coups de brosse d'un noir qui envahit tout. On ne peut être plus éloigné de la technique claire, précise, énergique, mais aussi délicate et exquise du vrai Goya, un artiste né et formé au XVIIIe siècle.

Dans cette question des attributions, un autre chapitre touche à deux groupes de peintures, celles du «jeune Goya» et celles du «vieux Goya». Sous le nom du premier s'entassent des tableautins religieux, d'une exécution pauvre et grossière, des fresques dans des églises d'Aragon attribuées par des érudits locaux voulant honorer leur compatriote et «découvrir» ses premières créations, et d'autres œuvres de meilleure qualité où l'on trouve des scènes mythologiques et historiques données à Goya alors que l'on pourrait les imputer à des artistes espagnols, italiens ou français de la fin du XVIIIe siècle. Quant au «vieux Goya», on lui a donné d'obscures scènes religieuses, des têtes de religieuse et de moine, des figures caricaturales, d'une technique qui semble une imitation tardive de celle des *Peintures noires,* mais très confuse, où un noir intense tend à tout recouvrir, seul expédient capable de cacher la pauvreté de l'invention et le manque de précision du pinceau de l'imitateur.

Si l'on peut maintenant écarter assez facilement ce type d'œuvre du *corpus* de Goya, il n'en est pas de même pour les portraits. Dès 1786, assez tôt donc, alors qu'il venait d'être nommé peintre du roi, il écrivait à Martín Zapater, l'ami d'enfance de Saragosse avec lequel il entretint une correspondance pleine d'intérêt: «J'étais déjà parvenu à un type de vie enviable, je n'avais plus à faire antichambre nulle part, celui qui voulait quelque chose de moi me cherchait, je me faisais davantage désirer et si ce n'était pas quelqu'un d'un rang élevé, ou recommandé par quelque ami, je ne faisais rien pour personne mais à cause de cette fermeté même, ils ne me laissaient pas (et ne me laissent toujours pas) et je ne sais comment y arriver[4]… » Dès 1786, Goya ne peignait donc plus que pour les «élevés», selon ses propres termes, c'est-à-dire pour la grande noblesse, ou pour ses amis. Ce sont ces portraits qui révèlent toute la qualité que l'on peut attendre de son art.

Il faut revoir les attributions d'un grand nombre de portraits que l'on croit de la main de Goya, œuvres de bonne qualité certes, mais qui ne répondent ni à sa technique, brillante et précise, ni à sa manière de présenter le modèle, ni à son remarquable don de pénétration de l'âme humaine, servi par rien d'autre que les purs moyens de l'expression picturale.

À la fin du XVIIIe siècle et au début du XIXe siècle, l'Espagne comptait beaucoup de bons portraitistes qui pratiquèrent rapidement le nouveau style de portrait imposé par Goya et loué par tous. C'est parmi ces portraitistes qu'il faut chercher les auteurs de tel portrait digne mais ennuyeux, qui ne s'écarte pas d'un cheveu des conventions en usage ou qui suit à la lettre les modèles fournis par les gravures anglaises contemporaines.

Si leur technique d'exécution est bonne, correcte d'un point de vue académique, ces portraits n'ont pas l'éclat immédiat et «essentiel» de ceux de Goya comme *la Marquise de Pontijos* (Washington, National Gallery), *la Famille des ducs d'Osuna* (Madrid, Museo del Prado), *la Duchesse d'Albe en blanc* (Madrid, collection particulière), *le Comte de Fernán Núñez* (cat. 33) ou *la Duchesse d'Abrantes* (cat. 56), pour n'en citer que quelques-uns. On peut voir dans l'exposition un bon portrait de *la Duchesse d'Albe* (cat. 58), dont l'original, dans la collection d'Albe, date de 1795. Attribué à un excellent collaborateur de Goya à l'époque, Agustín Esteve, il illustre bien ce que nous venons de dire : si l'original sûr et documenté de la collection d'Albe n'était pas connu, ce tableau passerait peut-être pour un Goya. Nous sommes là en présence d'une preuve de l'aide que l'artiste reçut de bons collaborateurs, dont il s'entourait quand il fallait, par exemple, répéter un portrait à la demande des intéressés, ce qui était fréquent à l'époque, ou mener à bien les nombreux portraits officiels des souverains.

On peut comprendre ces confusions d'attribution puisque ces copies, bien que peintes par des aides, sortaient de l'atelier de Goya et reprenaient ses modèles. La question est alors de distinguer la main du maître de celle de ses assistants. Mais on trouve d'autres confusions moins excusables comme ces attributions, fondées sur une «tradition familiale», de portraits qui portent même parfois des signatures et des inscriptions, lesquelles ne résistent pas à l'étude. Ce sont ces portraits que quelques historiens peu rigoureux inclurent dans les expositions consacrées au début du siècle à Goya et qui «s'incrustèrent» jusqu'à notre époque dans son *corpus*.

Le spécialiste doit aussi s'interroger sur l'attribution d'autres œuvres de Goya, des compositions à plusieurs personnages cette fois, qui ont été données très tôt au peintre dans les inventaires établis de son vivant ou immédiatement après sa mort. De plus, le fait que des membres de la famille de Goya – Javier, son fils unique, ou Mariano, son seul petit-fils – intervinrent dans la vente de ces œuvres, favorisa leur achat par de grands collectionneurs désireux d'acquérir des tableaux d'un artiste devenu très célèbre, non seulement en Espagne, mais dans d'autres pays européens. Javier donc, peintre dont on ne connaît aucune œuvre, Mariano et certains de leurs amis, dont plusieurs membres de la puissante dynastie des Madrazo, mirent en circulation, à côté d'œuvres sûres et documentées de Goya, d'autres tableaux qu'ils authentifièrent et dont il faut aujourd'hui revoir l'attribution. La commémoration du génie paternel s'était transformée en commerce lucratif, comme il arrive parfois quand les héritiers d'artiste doivent faire face à des difficultés financières, ce qui fut précisément le cas pour le fils et le petit-fils de Goya. À l'instar des *Majas au balcon* du Metropolitan Museum[5], à New York, œuvre étudiée en profondeur et rejetée du catalogue Goya, ces œuvres présentent des caractères si proches de la manière du maître que l'on a pu sans mal les lui attribuer. Cela s'explique par le fait que l'imitateur utilisait comme modèles des œuvres sûres de Goya, tableaux ou dessins auxquels seuls ses héritiers eurent longtemps accès.

C'est ainsi que furent « inventées » des compositions « à la manière de Goya », dans un style certes appris de lui, mais qui révèle des dissonances par rapport à la clarté et à l'efficacité des compositions du maître du *Trois Mai 1808* (Madrid, Museo del Prado). On ne retrouve dans ces scènes ni la vérité des modèles ni la perfection de leurs attitudes. Il leur manque le sens profond de la réalité ou le contenu allégorique plein d'humour de compositions comme *les Vieilles* ou *le Temps* (cat. 52). La relative qualité de ces compositions a permis de maintenir l'équivoque, tout comme leur exécution rapide et brillante a masqué ce qui leur manquait : la technique si subtile, et impossible à confondre, de Goya. Ces tableaux imitent ceux du maître, mais une analyse attentive révèle qu'ils aboutissent à l'opposé de ce qu'il cherchait : la composition et les scènes sont superficielles ; leur signification profonde ne vient pas d'un regard personnel porté sur la vie de l'homme ou de la femme, comme celui de Goya, mais d'une pensée pédante et confuse, issue d'une littérature de feuilletons. Tel est le cas de la *Forteresse sur une montagne* (New York, Metropolitan Museum of Art), œuvre écartée depuis longtemps du catalogue du maître. S'y ajoute parfois un folklore superficiel comme dans *l'Arène partagée* (New York, Metropolitan Museum of Art), si différente dans son propos et sa technique de l'étonnante et géniale *Corrida de taureaux* de l'académie San Fernando à Madrid[6].

La technique picturale de ces tableaux aide évidemment le spécialiste à s'y reconnaître. Un œil averti y distingue celle de copistes qui prétendent imiter la légèreté, la rapidité et l'abstraction du pinceau de Goya, mais ne parviennent jamais à égaler sa touche riche et sûre, ni la pureté de ses couleurs, ni la justesse de ses relations tonales, ni, et c'est le point décisif, cette capacité à suggérer magistralement la lumière et à rendre la perspective aérienne que Goya avait tirée de l'étude des œuvres de Veláz-quez conservées dans la collection royale. Les amateurs de la fin du XVIIIᵉ siècle louaient précisément chez ce dernier la faculté de rendre «l'atmosphère ambiante» et c'est certainement à cause de cette technique rapide de la touche et de la couleur que l'on a parfois vu dans Goya l'annonce de l'impressionnisme.

Parmi tous les musées qui conservent des Goya, celui du Prado a assurément le fonds le plus riche. Ce fonds s'est formé au cours des années, surtout depuis le début du XXᵉ siècle, grâce à des acquisitions de toutes sortes : tantôt par des donations et des legs qui, sur le moment, n'ont guère été passés au crible en raison de la reconnaissance bien naturelle de l'institution envers ses donateurs ; tantôt par des achats. Jusqu'à une époque récente, les recherches sur Goya n'étaient pas assez avancées pour pouvoir remettre en question certaines attributions traditionnelles.

En se développant rapidement dès le XIXᵉ siècle, la renommée de Goya, à l'intérieur comme à l'extérieur de l'Espagne, poussa les musées à rechercher fébrilement ses œuvres. Si l'on rassemblait aujourd'hui leurs fonds, sans même parler des collections privées, le nombre de tableaux qu'il aurait peints serait immense. Goya apparaîtrait comme un artiste extrêmement prolifique, jusqu'à l'absurde : son œuvre se rapprocherait en quantité de celui de Rubens et de son atelier, ou de celui que l'on attribuait à Rembrandt avant les récents travaux qui ont permis aux historiens, grâce aux analyses techniques et au patient travail d'archives, de séparer ce qui revient au maître et ce que l'on doit à ses collaborateurs ou à des copistes ou autres imitateurs tardifs. Goya n'a pas eu la chance de Rembrandt ou de Watteau. Sa véritable dimension artistique reste cachée derrière trop d'œuvres qui ne sont pas autographes. La méconnaissance de sa peinture et la confusion de son *corpus* avec celui de peintres médiocres, d'esprit peu inventif, sont bien la pire chose qui lui soit arrivée après sa mort.

L'étude technique systématique de ses tableaux – radiographies, analyse des matières utilisées, observation et classification des préparations – est également essentielle pour avancer dans la connaissance de son art. Des travaux de ce type ont bien été réalisés sur des œuvres sûres ou attribuées dans des musées et des instituts de conservation et de restauration, en Espagne, en France et aux États-Unis. Entrepris depuis peu, ces travaux restent dispersés et sont menés, sans souci d'unité, avec des critères qui varient selon les lieux ; aussi sont-ils encore très incomplets. En outre, il arrive que des analyses n'ayant pas donné les résultats attendus, leurs résultats ne soient pas publiés, par une peur sans fondement de la perte de prestige que pourrait entraîner, pour une institution, le déclassement de tableaux donnés jusque-là à l'artiste.

Une autre documentation « technique » abonde cependant : celle qui, liée à certaines œuvres douteuses, provient de laboratoires privés et qui a été établie dans l'intention de justifier une attribution. Une grande confusion règne dans ce domaine ; la présentation de pigments employés au XVIIIe siècle ou au XIXe siècle ou d'une toile ancienne, à côté de radiographies qui montrent de grandes tâches de blanc ou des changements de composition, sert de démonstration de l'« authenticité » d'une œuvre devant un public profane en la matière. Ces « dossiers techniques » sont généralement accompagnés de « certificats » signés par des « experts » qui concluent toujours à une attribution certaine. Ils trompent aussi ceux qui ignorent les intérêts économiques qui se cachent derrière ces « certificats » et ces signatures d'« experts ».

À côté d'une étude technique systématique de son œuvre, il faudrait étudier et exposer les tableaux d'autres peintres, surtout espagnols, contemporains et postérieurs à Goya, en premier lieu ceux avec qui il est le plus souvent confondu, Agustín Esteve pour le XVIIIe siècle et, pour le XIXe siècle, Eugenio Lucas et Leonardo Alenza[7]. Les spécialistes et le grand public pourraient alors comparer les tableaux de Goya avec ceux de ses contemporains, bons ou mauvais, et comprendre clairement les caractéristiques de son style et de sa technique, les différences et les analogies, comment il a pu être absolument personnel et comment il a pu suivre les conventions et les modes de son temps. Une fois ce travail accompli, une vision définitive de Goya commencera à se dessiner.

En 1993 et 1994, le Museo del Prado, à Madrid, la Royal Academy de Londres et l'Art Institute de Chicago présentèrent une exposition qui marquait l'aboutissement de cinq ans de recherches, essentiellement menées au Prado[8]. *Goya : le caprice et l'invention. Peintures de cabinet, esquisses et miniatures* partait d'une idée intéressante : montrer une sélection d'œuvres de petit format que Goya peignit tout au long de sa vie, composant une sorte de leitmotiv. Ces œuvres ont leurs caractéristiques propres par rapport à celles de grand format et semblent révéler quelque chose de très profond et de continu dans le travail de l'artiste. L'ensemble se divisait entre les esquisses préparatoires, destinées clairement à un usage pratique, les peintures de cabinet, très révélatrices de la liberté créatrice du peintre, et les portraits de petites dimensions, parmi lesquels quelques miniatures.

Le nombre d'œuvres prises en compte au départ, en fonction de la bibliographie et des peintures attribuées à Goya dans les collections et les archives photographiques, s'élevait à plus de trois cents. Mais la recherche donna peu à peu des résultats surprenants : l'examen direct et l'analyse technique des œuvres débarrassées des vieux vernis oxydés révélèrent aux chercheurs la technique de Goya, mirent en évidence la beauté et la délicatesse de ses œuvres sûres, même des simples esquisses, l'attention avec laquelle il choisissait ses supports, qu'il s'agît d'une toile, d'un panneau de bois ou d'une plaque de fer-blanc. On comprit plus clairement sa manière d'utiliser le pinceau et d'appliquer les couleurs, et sa façon si caractéristique de modeler figures, objets ou tissus. Tout cela se retrouvait dans les œuvres autographes de Goya, de même que ses «graphismes» personnels dans le traitement des mains, des visages ou des étoffes, ou dans l'art de suggérer la lumière, l'atmosphère et la perspective.

Les radiographies et les analyses permirent aussi d'étudier l'évolution de sa technique, l'emploi de la pierre noire pour organiser la composition sur la surface préparée et la réalisation brillante, une fois l'œuvre presque achevée, des effets de lumière. Toutes ces observations aidèrent à distinguer clairement les œuvres sûres de Goya de celles qui ne sont que des imitations ou des pastiches de son style.

Le catalogue reprit l'essentiel de ces découvertes. Le plus difficile pour les organisateurs fut peut-être d'accepter de renoncer à tant d'œuvres parmi les trois cents sélectionnées au départ, et d'aboutir à grand-peine à un nombre suffisant pour pouvoir faire une exposition. Ils durent également renoncer à leur intention de publier le *corpus* définitif des petits formats, jugeant que si leur travail représentait une étape capitale dans la compréhension de l'œuvre de Goya, sa divulgation pouvait créer inutilement certains problèmes : quelques voix s'étaient déjà élevées pour s'inquiéter de l'absence de certaines œuvres dans l'exposition... Sur un peu plus de trois cents œuvres considérées comme autographes, le *corpus,* presque complet, n'en retenait que cent douze[9].

La volonté d'arriver au terme de la recherche incitait à la prudence dans les révélations, et l'emploi d'autres moyens. Cette divulgation se fit donc peu à peu, dans des congrès, des conférences, des publications scientifiques, des conversations avec des collègues, historiens de l'art ou «connaisseurs», ou des conservateurs et des antiquaires qui voient souvent passer des œuvres douteuses. Cette méthode a commencé à porter ses fruits : de plus en plus nombreux sont ceux qui ont conscience du problème et des résultats de ces recherches.

Pour le moment cependant, seul le Metropolitan Museum of Art, à New York, a réalisé le travail qui s'imposait en décidant d'étudier systématiquement son fonds de Goya, en utilisant les bonnes sources d'archives, en cherchant à élucider la provenance des œuvres, en réunissant une documentation scientifique et en consultant les spécialistes. Voulant ainsi séparer ce qui est véritablement de Goya et ce qui n'est que copies ou imitations tardives, le musée américain a courageusement publié, avec une grande clarté et une grande honnêteté intellectuelle, les résultats de ses recherches dans une remarquable exposition, intéressante pour les spécialistes et le public, dont l'exemple n'a pourtant pas encore été suivi par d'autres musées.

Par ailleurs, qu'elle soit scientifiquement rigoureuse ou qu'elle soit faite à la hâte, l'organisation d'une exposition sur Goya pose aujourd'hui des problèmes presque insolubles. Les expositions ont été si nombreuses ces dernières années que les musées et les collectionneurs rechignent, parfois avec raison et toujours avec force, à prêter leurs œuvres, sans faire toujours la différence entre les types d'exposition. Celle du palais des Beaux-Arts de Lille est donc presque un miracle, dû à l'ardeur et à l'enthousiasme de ses organisateurs, au soutien inconditionnel de la ville de Lille et aux capacités d'organisation de la Réunion des musées nationaux. Mais avant d'accepter de collaborer à ce projet, j'ai posé une condition : que toute œuvre douteuse soit écartée de l'exposition afin que le caractère scientifique de celle-ci soit indiscutable.

L'étude directe des œuvres de l'exposition portera sans nul doute ses fruits, après la fermeture, quand il sera possible de procéder à des comparaisons devant les originaux. Mais, pour le public, ce sera assurément l'occasion de contempler quelques-unes des peintures absolument autographes de Goya, de pouvoir admirer la précision de son pinceau et de sa pensée, la subtilité de ses coloris, la force étonnante de sa lumière et la vérité éclatante de ses scènes, jamais banales. Chaque portrait devient une étude de la nature humaine, chaque «sauvage», chaque sorcière une allégorie des vices, des peurs et des cruautés de l'être humain.

Cette exposition réunit quelques-unes des créations de Goya qui sont devenues les paradigmes d'une époque, telles *les Vendanges* (cat. 13), appartenant à la série des cartons de tapisserie. Si les portraits reflètent bien une personnalité, Goya a su en faire, avec celui de *Fernán Núñez* (cat. 33), par exemple, la définition d'un siècle et d'un pays. Certaines scènes révèlent l'importance de la religion pour Goya : il faut signaler ainsi la présence d'un tableau remarquable, peu cité et jamais exposé, presque inconnu donc, l'*Apparition de la Vierge du Pilar* (cat. 6), patronne de Saragosse, chère à l'artiste. D'autres toiles le montrent méditant sur les mystères de la foi, ainsi *la Mort de saint Joseph* (cat. 17), où le Christ donne l'exemple de l'aide compatissante et sereine à apporter aux mourants. On trouve aussi des scènes où Goya souffre avec la victime innocente et sans défense, comme le *Lazarillo de Tormes* (cat. 50), qui était dans sa propre maison ; de féroces satires des vanités humaines, comme *les Vieilles* ou *le Temps* (cat. 52) ; des évocations du travail, comme *la Porteuse d'eau* (cat. 49) ou *le Rémouleur* (cat. 48), qui représentent des héros anonymes de la guerre d'Indépendance ; ou encore des méditations sur la cruauté humaine, avec les célèbres *Cannibales* (cat. 38 et 39).

Notons deux nouveautés parmi les portraits : celui, peu connu, de *Doña María Teresa de Vallabriga y Rozas* (cat. 8), peint pour son mari, l'infant don Luis de Borbón, et celui, que refusaient même les ouvrages spécialisés, de *la Reine Marie-Louise* (cat. 22). Oubliés par la critique ou cités avec des jugements inégaux, ils montrent à quel point Goya peut être méconnu par ses propres spécialistes. Même si la provenance de ces deux tableaux était inconnue, ce qui n'est pas le cas, leur technique et leur exécution suffiraient à révéler l'autorité de Goya et en feraient des documents notables sur son art. Le portrait de *Doña Maria Teresa Vallabriga* met en lumière la force des premiers portraits de l'artiste, quand il n'était pas encore célèbre et recherché. Le portrait de *la Reine Marie-Louise* reste un témoignage unique sur les procédés picturaux utilisés par Goya, sur la flexibilité de son esprit créatif : d'une composition primitive datant de 1789 – le premier portrait officiel de la souveraine –, il fait une œuvre intime, conforme à la mode d'une décennie plus tard, traitée avec une liberté expressive qui évoque les anges de la voûte de San Antonio de la Florida, d'autres portraits de la même reine exécutés en 1799 et même *la Famille de Charles IV* (1800).

Grâce au professionnalisme et au sens des responsabilités de ses organisateurs, l'exposition de Lille pourra contribuer à une meilleure connaissance de l'œuvre de Goya. Il faut donc remercier doublement les propriétaires, privés et publics, qui ont compris le sens de cette exposition et qui ont généreusement contribué à sa réalisation en se séparant d'œuvres pour une période toujours trop longue quand le mur où elles sont habituellement accrochées reste vide.

Distinguer l'autographe de l'imitation n'est pas aussi difficile pour Goya que pour Rembrandt. Goya est plus proche de nous, les clés de son art sont aisées à reconnaître, de sorte que les directions que la recherche doit emprunter sont claires et acceptées par tous. La conscience que la question Goya n'est pourtant pas résolue aidera à poursuivre la reconstruction de la véritable image d'un artiste génial.

*

1. Deux d'entre elles, *Saint Herménégilde en prison* (cat. 28) et *Sainte Isabelle de Hongrie soignant une malade* sont conservées à Madrid, au Museo Lázaro Galdiano. La troisième, l'*Apparition de saint Isidore de Séville à saint Ferdinand* est à Buenos Aires, Museo Nacional de Bellas Artes. Voir Madrid-Londres-Chicago, 1993-1994, pour leurs repr. coul. (fig. 56-58).

2. Jovellanos, *Diarios,* 7 avril 1801 : «Hay tres altares con tres bellisimos cuadros originales de D. Francisco Goya [...] Obras admirables, no tanto por la composición, cuanto por la fuerza del claro-obscuro, la belleza inimitable del colorido, y una cierta magia de luces y tintas, a donde parece no puede llegar otro pincel.»

3. Garrido, 1984, p. 4-39.

4. *Cartas a Zapater,* 1982 : «Me abía ya establecido un modo de vida envidiable, ya no acía antesala ninguna, el que me quería algo mio me buscaba, yo me acía desear mas y si no era personage muy elebado, o con empeño de algun amigo no trabajaba nada para nadie, y por lo mismo que yo me acía tan preciso no me dejaban (ni aun me dejan) que ne se como he de cumplir...»

5. Ives et Stein, 1995.

6. Wilson-Bareau (1996a) a commencé à clarifier les problèmes relatifs au fils de Goya et la question des premières transmissions d'œuvres attribuées à Goya. Pour la relation entre *l'Arène partagée* et *la Corrida de taureaux,* voir p. 168.

7. Il y a eu peu d'études sérieuses sur ces artistes. Loin d'être exhaustif, le catalogue d'Arnáiz (1980) a le mérite de rendre à Eugenio Lucas de nombreuses œuvres qui continuent cependant à figurer dans des livres et des expositions sous le nom de Goya. Wilson-Bareau (1996a, p. 172, note 40) cite l'inventaire des biens de García de la Huerta (1840), où des œuvres d'Alenza sont correctement citées comme des «copies», des «imitations», des «dans le style de», à côté de véritables toiles de Goya.

8. Juliet Wilson-Bareau était le commissaire de l'exposition ; les recherches furent menées au Museo del Prado, où j'eus la chance et le plaisir de collaborer avec elle, dans un travail passionnant et très enrichissant.

9. Madrid-Londres-Chicago, 1993-1994.

Goya
pour la fin du siècle

En peu de pages quand il s'agit de Goya – l'un des grands, l'un des plus grands – que vouloir dire sinon ce que l'on croit l'essentiel ? Et même si c'est au prix de redire, ou de s'en tenir à des évidences. Tant d'évidences demeurent si méconnues, alors que c'est sur leurs voies que notre condition se décide.

La preuve : que de générations il aura fallu en Europe depuis la philosophie des Lumières pour reconnaître ce fait pourtant perceptible de toutes parts : le retrait de Dieu des phénomènes de la nature, l'athéisme qui peut en naître, et le risque qu'encourent comportements et valeurs quand ainsi il n'y a plus rien sous les pas de beaucoup dans la société nouvelle que l'indifférence de la matière ! Tout un siècle avant que Nietzsche ne s'écrie que tout est permis, du moment que Dieu n'est pas. Et c'est vrai qu'il est difficile de se résigner à ce syllogisme, puisqu'à tout le moins il démontre qu'on ne pourra désormais concevoir un bien ou s'y conformer que sans la moindre espérance d'une rétribution, avant la mort ou après. L'être moral ne devra plus croire qu'il peut accéder à de l'absolu. Il aura beau avoir désiré être humanité, quelque chose de plus que la matière, il n'en mourra pas moins comme meurent les bêtes, dans un retombement de cette boue qui ne sait rien de son ambition. De quoi assurément éprouver devant les constellations qui ne parlent plus, ne signifient plus, le sentiment d'extase et horreur mêlées qu'a fini par dire Georges Bataille.

Oui, il aura fallu bien du temps, en notre Occident pourtant si soucieux de connaissance, si épris de pensée spéculative, pour poser à fond la question de l'être. Dans la peinture du XVIIIᵉ siècle la lumière du ciel, depuis longtemps supposée le signe d'une promesse divine, continue d'habiter la couleur des choses représentées, comme si le lieu terrestre était encore et toujours dans les mains d'une transcendance. À peine si des frémissements, peu marqués, parcourent la belle image. *Caprices* qui, évoquant un bout de paysage, un pont en dos d'âne, des paysans, le font de façon si conventionnelle que la lumière du soir qui baigne la scène ne semble plus elle aussi que lambeau d'un rêve, dont peut-être le sens inquiétant va importer désormais. *Vedute* fascinées par le Vésuve, cette épiphanie de rien que du feu. Frissons nouveaux, certes, commencement d'une réflexion nécessaire, mais, même si la lithographie va mettre bientôt à la disposition des artistes une qualité de noir qui se refuse au discours de la couleur lumineuse, il y aura bien des jours encore pour celle-ci, du romantisme aux impressionnistes. Delacroix, par exemple, a beau entrevoir les fonds ténébreux d'un « lac de sang » dans ses accords de rouge et de vert, sa couleur n'en est pas moins un cri de l'espérance qui veut survivre, une affirmation de l'autonomie de l'esprit, une attestation du divin. Sous le manteau de la beauté et du sens dans son travail de peintre ou même de lithographe, le noir reste simplement ce pied fourchu d'un démon qui ne parvient donc pas à leurrer la foi séculaire dans l'être.

Goya a mis fin à cette illusion. Au terme du long chemin qui dévale des fonds d'or médiévaux, crêtes d'un absolu au-dessus de la chose humaine, passe par la *pittura chiara,* expérience optimiste de Dieu sur terre, puis se fait au XVIIe siècle français clarté, belle couleur franche à l'époque pourtant des pestes et de la persécution des sorcières, ce peintre déchire la représentation ontologiquement heureuse, il accède à ce qu'on pourrait dire un *fond noir* – noir absolument, noir comme le gouffre entre les étoiles – qui remonte dans ses tableaux de l'intérieur de la scène peinte pour faire de la signification de celle-ci du non-sens et de ses couleurs une totale extériorité, aussi étrangère qu'un bloc de houille à tout signe ou symbole qui diraient l'être, à toute voie vers la transcendance. Ce furent ainsi, et d'abord, ses cartons de tapisserie, œuvres extraordinaires. On devrait être là tout à la sécurité de la tradition pastorale, dans la belle clarté des saisons changeantes, mais une raideur prend les corps, un rictus défait les visages, un épouvantable dedans de la figure des choses en tétanise les apparences, le rêve qu'avait été la peinture pour l'édification du fidèle ou le divertissement des princes est subverti aussi fortement – bien que par-dessous le dire apparent de ces heures de l'existence ordinaire – qu'auparavant s'était affirmée dans des représentations solennelles la parole des religions.

Et toute une œuvre, après cette première grande intuition, pour soumettre à l'épreuve du fond noir – du fond de houille, de sang séché – nombre des situations, des objets que léguait à Goya le vieux monde métaphysique. Le dedans abyssal paraît dans la signification pour en exposer le non-sens, dans l'illusion pour en dire la vanité, dans le charme même des jeunes femmes pour le rabattre sur la beauté rien que minérale des pierres. Tels sont entre autres ces deux tableaux du musée de Lille : *les Vieilles,* qui prennent la vie par son bord de pourrissement, avec une couleur qui elle-même se décompose, *les Jeunes,* qui en montrent la jeune chair claquante dans le vent comme du linge qui sèche, dans une lumière d'avant la présence humaine sur terre. Et vers le soir de cette recherche hardie, autant que de plus en plus angoissée, s'élèveront dans notre ciel de modernes les terribles *Peintures noires,* ainsi *le Chien dans le gouffre* (fig. 1) ou cette lutte de deux hommes à coups de trique, jusqu'à la mort ; sans doute les plus extrêmes des avancées que peintre ait jamais tentées dans la perception du néant. Littéralement sous notre regard, l'être, cette synthèse de rêves, se désagrège. Un art qui se veut vérité se fait la critique de l'Occident la plus radicale, le déni dans la rigueur duquel s'ef-fondre avec un bruit de pierres tombant toujours plus bas dans la nuit toute espérance métaphysique, la parole-limite qui dissipe même cette mélancolie par quoi tant d'artistes et de poètes gardaient vive l'idée de l'être, du simple fait qu'ils n'en finissaient pas d'en porter le deuil. Chez Goya c'est «l'absolument moderne» que réclamera Rimbaud dans *Une saison en enfer,* mais lui sans rien pouvoir contre ses rechutes dans l'espé-rance, ce pour quoi il se sent «damné».

Goya, la lucidité, une lucidité si violente que l'on peut la dire cruelle. Mais remarquons ceci, toutefois, on pourrait imaginer qu'à se savoir ainsi désengagé de tout absolu, délivré du regard du ciel, l'esprit qui s'est aventuré si avant serait voué à un nihilisme qui autoriserait les pulsions sans frein, les rapacités, les comportements les plus sombres. Pas ce qu'on trouve chez Sade, démesure si exaltée par sa nostalgie de Dieu, mais la jouissance cynique et froide, féroce quand le désir le demande, que l'on pressent chez beaucoup des libertins de l'époque. Et pourtant, non ; et là même où Goya consent aux pires spectacles – dans *les Désastres de la guerre,* disons –, tout à fait évident est-il que c'est sans la moindre délectation, sans complaisance ; au contraire, une compassion, une vraie compassion se marque. Or, c'est là quelque chose, me semble-t-il, de tout à fait essentiel, c'est ce qui achève de faire de l'œuvre de Goya, qui a affronté le néant et qui en remonte donc, mais avec ce regard encore, le témoignage qu'il faut sur le fait humain. Maintenant qu'il n'y a plus de Dieu pour la rétribuer, de croyances pour la garder à certains objets et non d'autres, de dogmes pour encombrer d'exigences le rapport de qui a pitié et de ce qu'il voit souffrir ou mourir, on peut dire que cette com-passion qui paraît dans *le Chien dans le gouffre,* dans *les Désastres,* celle, d'ailleurs aussi, qui tient le pinceau de tant d'admirables portraits est – sans illusions, sans leçons à donner, sans réclamations à faire valoir –

Fig. 1
Le Chien, vers 1820-1823
peinture murale
transposée sur toile
131,5 x 79,3
Madrid, Museo del Prado

la première *vraie,* dans l'histoire. Mais on doit constater aussi que c'est, au lendemain de la catastrophe, une compassion *qui survit.* Plus de salaire à la charité, de chimères pour bâtir le comportement altruiste, cependant la pitié, l'élan d'une solidarité existent encore. Et en cette évidence inattendue mais irréfutable est le témoignage, d'autant plus probant que le peintre n'a pas songé à en donner un, étant simplement resté tout auprès de soi. Ce témoignage, cette assurance pour l'avenir, il y a donc, chez quelques êtres au moins, une aptitude à transcender l'élan premier de la vie, aveugle comme il peut être, par un sentiment qui ne naît pas de la donnée biologique simple. Et on va donc pouvoir tenir compte de ce fait, un véritable mystère, au moment où résonne – en fait aujourd'hui de plus en plus fort – l'exclamation nietzschéenne. Penser avec Goya, ce sera la voie, on voudrait qu'elle soit suivie davantage.

L'art la délaisse, pourtant. En témoignant de l'étonnante ambiguïté de la condition humaine, Goya a montré autre chose encore, et ce sont les pouvoirs d'intuition et de vérité de la peinture et même, incidemment, leur capacité de révéler, les premiers, les changements dans la civilisation. Si ce peintre-ci dit le non-être, c'est avec près d'un siècle d'avance sur *Igitur* et *le Coup de dés;* s'il a montré la pérennité du sentiment altruiste dans la conscience prise de ce néon, c'est cinquante ans avant les « Tableaux parisiens » chez Baudelaire, ou le grand poème « Une martyre ». La peinture a devancé chez Goya la philosophie et même la poésie, pour ne rien dire des musiciens qui furent si longtemps les derniers – non sans quelques bonnes raisons – à capter les reflets de l'« heure nouvelle » ; et, en vérité, c'est souvent qu'il en avait été ainsi dans l'histoire de l'Occident, à quelque niveau que ce soit de l'écoute du devenir. Aussi capable de promptitude que d'aptitude à la profondeur, la peinture est décidément l'avant-garde de la vigilance spirituelle, ce qui n'a rien d'étonnant puisqu'elle est l'expression directe du corps vivant, où tant d'intuitions ont leur naissance ou se vérifient. Au miroir de la toile l'autoportrait peut saisir les expressions les plus fugitives du visage, cette immédiateté du rapport de la personne à soi-même. Dans la main qui tient le pinceau court le frisson de toutes les fièvres.

Mais s'il en est ainsi ne faut-il pas s'inquiéter de voir qu'en cette fin du XXe siècle on fait si peu de place à cet art majeur dans le champ de la création artistique? Ou que même on le vilipende, comme s'il était responsable des idéalités factices et des mensonges qui se logent chez lui, mais comme ils le font dans tout acte humain? L'anti-art d'aujourd'hui a certainement une authentique valeur critique. Mais à se refuser de regarder le visage, le corps, l'événement, à manquer d'y entendre le cri, d'y reconnaître un appel, d'en lever les yeux vers l'horizon qui s'embrase, que gagne-t-on? À nouveau, on ne voit plus l'évidence, on se met au service, si même on ne le sait pas, des paresses d'esprit qui veulent qu'on la censure.

Que Goya puisse rappeler que toute la grandeur dont l'esprit humain est capable peut déboucher de ce l'on appelle la peinture de chevalet.

XAVIER BRAY

Goya :
les peintures religieuses

Les admirateurs des *Caprices* et des *Peintures noires* de Goya sont en droit de se demander comment le même artiste a pu produire des œuvres religieuses empreintes d'une si profonde dévotion, comme ses peintures pour la chapelle de saint François Borgia à la cathédrale de Valence, en 1788, ou son *Arrestation du Christ* à la cathédrale de Tolède, en 1798, alors qu'il était certainement anticlérical. Rien ne prouve cependant que Goya fut hostile à la religion ou qu'il ait jamais manqué à ses obligations religieuses. Une étude de ses œuvres religieuses montre qu'il était aussi doué en ce domaine que dans l'art du portrait ou la peinture de tableaux sur des thèmes sociaux ou politiques. Comme ses cartons de tapisserie, la peinture religieuse lui offrit à divers stades de sa carrière une source de revenus raisonnables auprès d'un large éventail de mécènes, dont le roi et des aristocrates espagnols, mais aussi des confréries formées depuis peu comme l'Oratoire de la Santa Cueva à Cadix.

Avant d'entamer une étude détaillée de l'œuvre religieux de Goya, il est utile de brosser un tableau du contexte politique et culturel dans lequel il travaillait. Charles III quitta Naples pour Madrid en 1759, succédant sur le trône d'Espagne à son demi-frère, Ferdinand VI, qui venait de mourir. On voit souvent en lui l'archétype du despote éclairé, qui transforma de fond en comble le pays sur lequel il régnait en réformant la société, la vie politique et l'économie. Un aspect de son règne est cependant souvent passé sous silence : son effort pour réformer l'Église tout en affirmant sa position de monarque de droit divin. Dans la poursuite de ce double objectif, Charles III fut amené à expulser les jésuites d'Espagne en 1767 et à prendre le contrôle de domaines jusque-là dominés par cet ordre, tels que l'administration de l'Église et l'éducation des nobles. Dans son œuvre réformiste, il fut épaulé par des ministres libéraux comme les comtes de Floridablanca et d'Aranda et par des intellectuels comme Antonio Ponz, qui imputaient la dégradation spirituelle de l'Espagne à une éducation déficitaire et au manque général de *buen gusto* en art et en architecture.

L'art, et notamment l'art religieux, joua un rôle significatif à l'appui des réformes de Charles III. Au lieu des décors d'autel élaborés et des sculptures polychromes très vivantes de l'époque baroque, Ponz et d'autres prônèrent pour l'art ecclésiastique un style néoclassique fondé sur la vérité, l'exactitude historique et une bonne interprétation de la Bible. Les églises furent alors dépouillées de leurs décorations populaires, remplacées par de sobres retables néoclassiques. En tant que peintres du roi et de l'aristocratie, Goya et ses contemporains furent invités à créer des œuvres d'art répondant à une double fin – didactique et décorative –, en harmonie avec le cadre architectural auquel elles étaient destinées.

Dans l'accomplissement de telles commandes, Goya, comme d'autres peintres de l'époque, devait se conformer aux vues strictes de ses mécènes en matière de décorum artistique et d'iconographie. Que cela contraignît parfois sa créativité et son exubérance artistique ressort clairement des révisions de ses idées initiales pour quelques-unes de ses toiles. Ses contemporains n'en prisaient pas moins vivement le sens d'immédiateté et la modernité de ses tableaux. Ainsi que l'observait Ceán Bermúdez, «il cherche ses effets dans les choses quotidiennes de la nature et produit un sentiment inimitable d'illusion, de suspense et de véracité[1]».

Quand il le fallait, Goya savait se plier aux diktats du goût académique. Son *Christ en croix,* le tableau de présentation pour l'académie royale San Fernando qui lui valut d'être élu académicien en 1780, est peint avec tout le poli et les détails académiques léchés que réclamait Anton Raphael Mengs, artiste né à Aussig, en Bohême, et qui avait été le premier peintre de cour de Charles III à Dresde. Mais, plutôt que de simplement copier Mengs, il associa sa froideur à la luminosité de la texture plus lâche de Velázquez, à qui Goya devait une bonne partie de sa technique et de son langage pictural et dont il se considérait à bien des égards comme le successeur.

La carrière professionnelle de Goya commença vraiment en 1781, lorsqu'il fut chargé de peindre l'un des sept retables de San Francisco el Grande à Madrid, église édifiée par Charles III pour les franciscains. Jusque-là, ses commandes religieuses les plus notables depuis son retour d'Italie, en 1771, avaient été pour des églises et des monastères divers de l'Aragon. Parmi celles-ci, il faut mentionner les fresques pour le *coreto* («petit chœur») de la basilique de Saragosse, en 1771-1772, un cycle de peintures murales sur la vie de la Vierge pour le monastère chartreux voisin d'Aula Dei en 1774 et, à nouveau, une fresque pour une des coupoles de la basilique de Saragosse en 1780. Cette commande, que Goya partagea avec ses beaux-frères, Francisco et Ramón Bayeu, devait se révéler particulièrement frustrante : les chanoines jugèrent en effet que son travail manquait de fini et de précision, mais aussi que la dignité de sa figure de la Charité, dans les pendentifs, laissait à désirer[2]. La commande pour San Francisco el Grande, qui lui fut passée peu après, lui donna l'occasion de prouver ses talents devant un public madrilène plus réceptif. Et il la saisit avec ardeur.

Reconstruite d'après les plans néoclassiques de Francisco Sabatini, architecte à la cour de Charles III, San Francisco el Grande avait une importance particulière dans le contexte des réformes politiques et religieuses entreprises par le roi. Sur le plan architectural aussi bien qu'ecclésiastique, l'église marque l'apogée du mécénat de Charles III pour les franciscains, faisant ainsi contrepoids aux jésuites. Son vaste intérieur circulaire, largement modifié depuis, compte six chapelles réparties de part et d'autre du grand autel, toutes éclairées par des lanternes. En rupture avec la pratique antérieure du roi, qui était de confier la direction de tels projets à l'un des peintres étrangers qu'il avait fait venir d'Italie, les peintures de ces autels furent commandées à une équipe d'artistes exclusivement espagnols. Quatre parmi les peintres choisis, Francisco Bayeu, Mariano Maella, Andrés de la Calleja et Antonio González Velázquez, étaient déjà peintres de cour, tandis que Goya et deux autres, Gregorio Ferro et José del Castillo, n'avaient encore jamais travaillé à des commandes royales de ce type. Goya devait d'avoir été choisi à la recommandation du secrétaire de Floridablanca, Vicente Bermúdez, auquel il avait donné ses *diseños* pour la commission du Pilar[3].

Goya reçut pour tâche de peindre un *Saint Bernardin de Sienne prêchant en présence du roi et de ses courtisans* destiné au retable de la première chapelle, à droite de l'entrée principale (fig. 1). L'identité du roi, dans cette peinture, demeure sujette à controverse. Dans une lettre à Floridablanca, Goya en parle comme de René d'Anjou, mais des sources ultérieures reconnaissent en lui Alphonse d'Aragon. Cette identification, bien qu'elle ne cadre pas avec les sources historiques, exprime peut-être le désir de Charles III et de ses conseillers de célébrer la gloire de la monarchie espagnole. Quoi qu'il en soit, Goya, comme cela ressort clairement de ses lettres à son ami Zapater, prit la commande très au sérieux. En parlant comme d'un «concours officiel[4]», il ne cache pas qu'il y voit un projet artistique ambitieux autant qu'un moyen de faire avancer sa carrière.

Fig. 1
*Saint Bernardin de Sienne
prêchant en présence du roi
et de ses courtisans*
1782-1783
huile sur toile
480 x 300
Madrid, San Francisco el Grande

Dans son premier *borrón* («ébauche»), Goya organise sa composition assez vaguement, plaçant la figure de saint Bernardin sur un rocher entouré d'un public, le roi était lui-même assis au milieu de la foule. La composition est plus resserrée dans un second *borrón,* que Goya envoya au comte de Floridablanca, accompagné d'une lettre datée du 22 septembre 1781 où il explique comment il envisage la commande : «Malgré les limites qu'impose le format étroit de la peinture, observe-t-il, l'intelligence éclairée de Votre Excellence comprendra que, compte tenu de la nécessité d'une construction pyramidale qui doit suivre un mouvement serpentin pour obtenir le meilleur effet décoratif, il est inévitable que la représentation de la plaine manquera de l'ampleur que j'ai évoquée[5]. »

Dans son second *borrón,* Goya recourt à une structure verticale serpentine afin de rassembler les divers éléments essentiels de la peinture, y compris la figure du roi. L'œuvre était composée de manière à s'accorder parfaitement avec l'espace de la chapelle à laquelle elle était destinée. Elle a malheureusement été déplacée depuis. La correspondance entre la lumière naturelle provenant de la lanterne et la lumière même de la peinture aurait dû aider le public à fondre artifice et réalité. Par leurs gestes et leurs regards, les personnages de Goya nous entraînent dans la composition et nous conduisent à focaliser notre attention sur saint Bernardin et le roi, agenouillé devant lui. Toujours dans le souci d'abattre les barrières entre l'art et la réalité, Goya a inclus un autoportrait, une forme de signature directement empruntée à *la Reddition de Breda* de Velázquez, qu'il aurait vue au palais royal de Madrid. Cette allusion à Velázquez et d'autres, dont les vêtements du XVIIe siècle que portent le roi et ses courtisans, sont significatives; Velázquez avait été peintre de cour de Philippe IV et Goya, se référant à l'histoire de l'art espagnol, se présente comme le nouveau Velázquez de Charles III.

Dans une lettre à Zapater, Goya affirme avoir été félicité de toutes parts pour sa peinture[6]. En 1785, le duc de Medinaceli lui commanda une *Annonciation* pour le maître-autel de l'église des capucins de San Antonio del Prado, à Madrid, depuis peu redécorée dans le style néoclassique. Dans son *borrón* (cat. 10) pour cette commande, qui mérite de figurer au nombre de ses croquis à l'huile les plus vibrants, Goya tient compte des contraintes imposées par le plafond voûté sous lequel devait trouver place la peinture. Avec des couleurs riches et des coups de pinceau bien maîtrisés, il démontre en même temps ses talents en matière d'organisation, ne cessant d'explorer et de réévaluer la composition, lui apportant des correctifs chaque fois que nécessaire, au lieu de réaliser des dessins préparatoires puis d'en faire une version colorée en guise d'esquisse. Se servant du graphite pour ébaucher son projet sur la toile préparée, il définit l'espace dans lequel les figures sont disposées. Puis il applique des couleurs riches et tendres par des coups de pinceau aussi énergiques que brefs jusqu'à recouvrir la préparation beige. Si quelque chose ne va pas du point de vue de la composition, il se contente de l'effacer d'une touche de peinture noire. C'est patent, par exemple, dans le manteau de la Vierge, qui à l'origine touchait le pied de l'ange. Pour créer davantage de distance entre les deux figures, d'un simple coup de brosse Goya fait deux verticales appuyées, dont une particulièrement exagérée au moment où elle rejoint le faisceau de lumière, créant une ligne de partage bien tranchée entre les deux figures. La composition du *borrón* suit nettement un format triangulaire, à l'intérieur duquel des diagonales marquées définissent l'apparition de Dieu le Père, la descente du Saint-Esprit et le mouvement de l'ange vers la Vierge.

Dans la peinture finale, les éléments baroques comme Dieu le Père et les anges ont disparu. La composition est renversée, les marches sont plus en évidence et l'ange occupe une position plus centrale. La palette devient plus pure et plus froide, dans une gamme de gris, de mauves et de bleus qui forment un contraste harmonieux avec la coloration or de l'étole angélique. En réponse au geste superbe et impérieux de l'ange, la Vierge apparaît absolument soumise. D'un point de vue iconographique, le thème de l'Annonciation fait place au mystère de l'Incarnation.

En 1787, Goya et Ramón Bayeu, son beau-frère, reçurent chacun du roi commande de trois peintures pour les autels latéraux de l'église conventuelle de Santa Ana y San Joaquín construite par Sabatini à Valladolid. Placées dans des cadres baroques, ces peintures ont conservé leur position d'origine, celles de Bayeu à gauche du maître-autel, celles de Goya à droite. La juxtaposition nous offre une excellente occasion d'observer les différences de style des deux peintres, mais aussi comment chacun aborde la composition, la couleur et la lumière. Tandis que Bayeu emploie des motifs baroques de façon académique, de manière à produire des compositions techniquement parfaites mais qui manquent de vigueur, l'approche moins fleurie et plus réaliste de Goya donne à ses peintures leur immédiateté et leur force de conviction.

Les deux peintures décorant les retables centraux situés de chaque côté de l'église, l'*Apparition de la Vierge à saint François et à saint Antoine de Padoue,* de Ramón Bayeu, et la *Mort de saint Joseph,* de Goya (cat. 18), sont particulièrement intéressantes à comparer. Ramón livre une représentation traditionnelle de la scène : se conformant à la tradition italienne de la *Sacra Conversazione,* il place les deux franciscains de part et d'autre de la Vierge. Goya, en revanche, interprète son sujet de façon plus personnelle, construisant une composition originale en vue d'obtenir un effet visuel frappant. Le Christ debout est vu de profil, face aux rayons de lumière, tandis que derrière lui Joseph est allongé sur un lit, les yeux entrouverts, visiblement à l'article de la mort, et que la Vierge enveloppe du regard son mari moribond. Alors que les figures de Ramón sont campées dans des postures baroques typiques reprises d'autres sources et associées comme des pièces de carton découpées, celles de Goya sont disposées les unes derrière les autres afin de donner à sa toile un surcroît de profondeur.

La formation académique des deux peintres trouve un reflet dans leur manière de traiter le drapé. Ramón et Goya avaient tous deux été formés par Francisco Bayeu dans son atelier de Madrid au cours des années 1770, et nous savons aujourd'hui qu'il encourageait les peintres à faire des études de drapé en employant un mannequin [7]. Les deux hommes n'en diffèrent pas moins dans l'exécution de ces drapés. Déterminé à peindre chaque pli à la perfection, Ramón perd de vue l'effet d'ensemble : du coup, le drapé semble raide et amidonné. En revanche, Goya se montre particulièrement soucieux de l'effet de la lumière sur les plis de l'habit, de façon à rehausser le drame visuel de ses peintures. Une facture à son nom de « vingt-deux verges de toile de Hollande pourpre pour faire une tunique et un manteau » donne à penser qu'il fit sans doute des études de figures à partir de mannequins drapés, avec un éclairage artificiel pour obtenir un meilleur effet. Tandis que la peinture de Ramón est éclairée du fond, pour faire ressortir la sainteté de la Vierge, Goya emploie un rayon de lumière peint pour éclairer ses personnages sur fond sombre : cette manière théâtrale rend son œuvre beaucoup plus convaincante que le travail décoratif et archaïque de Ramón.

Mais c'est dans leurs préliminaires que les deux peintres se distinguent le plus. Ramón s'en tient à la formation académique reçue de son frère Francisco et dérivée, en définitive, de Mengs, réputé pour son insistance à rappeler que l'artiste devait travailler chaque détail, y compris les traits du visage et les études de draperie, avant de peindre le tableau final. Plutôt que d'éprouver ses idées dans une esquisse peinte, Ramón fait des dessins préparatoires pour la peinture finale. Un dessin mis au carreau précédemment attribué à Pietro di Pietri[8] (fig. 2) met en évidence non seulement la discipline avec laquelle il prépara son *Apparition de la Vierge à saint François et à saint Antoine de Padoue*, mais aussi sa manière d'utiliser les matériaux d'autres artistes. Son saint François est copié d'un dessin de son frère Francisco, exécuté comme travail préparatoire pour le grand retable de San Francisco el Grande[9], et la figure de la Vierge est presque une citation directe d'un autre dessin de Francisco Bayeu[10].

Fig. 2
Ramón Bayeu
Apparition de la Vierge à saint François
et à saint Antoine de Padoue
1787
pastel noir rehaussé de blanc
sur papier gris
24,5 x 16,8
Londres, Victoria and Albert Museum

Ce plagiat forme un contraste marqué avec la manière dont Goya aborde la création artistique. Bien qu'il ait sans doute fait des dessins préparatoires, le seul travail préliminaire connu qui ait survécu en rapport avec cette commande est son esquisse pour *la Mort de saint Joseph* (cat. 17). Exemple marquant de la manière dont Goya développait ses compositions, celle-ci mêle dessin et peinture de façon exaltante. Tandis que saint Joseph est à l'agonie sur son lit, Jésus est assis à ses côtés, lui tenant affectueusement la tête et la main afin de l'apaiser. Marie considère la scène sous le regard innocent des chérubins. Dans l'œuvre achevée, les nuages et les chérubins ont disparu ; la composition a été renversée et restructurée. Plutôt que d'affronter la mort dans la crainte, saint Joseph est représenté dans une attitude plus paisible. La Vierge, au centre de la toile, a un rôle plus en vue, le visage éclairé par des rayons de lumière. On peut imaginer que Goya apporta ces changements parce qu'on lui demanda de traiter ce sujet avec plus de sobriété compte tenu de la vénération entourant saint Joseph en Espagne : il est en effet le saint de la Bonne Mort parce qu'il est mort en si digne compagnie. Mais peut-être est-ce aussi l'expression de la sensibilité de Goya au cadre architectural de sa peinture. Dans une lettre à son ami Zapater, il rappelle que sa toile devait refléter le «style architectonique qui a désormais cours ici[11]», faisant peut-être allusion ici au style néoclassique du couvent. Dans sa peinture finale, la figure monumentale du Christ s'harmonise parfaitement avec la simple forme classique des autels, créant une atmosphère de spiritualité à laquelle Ramón est loin d'atteindre. La concentration de Goya sur l'essentiel, son souci de se débarrasser des ajouts baroques pour obtenir une sobriété classique, particulièrement dans la peinture du drapé, et son emploi de subtiles gradations de ton lui viennent peut-être de peintres classicistes français du XVIIIe siècle comme Pierre Subleyras (1699-1749), dont il aurait vu des œuvres dans des églises romaines. Une peinture en particulier, *Saint Benoît ressuscitant un enfant* de Subleyras, exécutée pour l'église de Santa Francesca Romana à Rome, a bien pu influencer Goya dans son *Saint Bernard* (cat. 16). C'est surtout visible dans la chute de la lumière sur le drapé et les types de figure employés[12].

Grâce à ces commandes et à d'autres, Goya, à la fin des années 1780, avait développé une manière éminemment personnelle de peindre les images religieuses. À dessein austère, il éliminait de ses compositions tout élément baroque afin d'obtenir un effet purement narratif. Ses deux peintures de 1788 pour la duchesse d'Osuna – des scènes de la vie de son aïeul jésuite, saint François Borgia, pour la chapelle de la famille Osuna à la cathédrale de Valence – sont une intéressante combinaison de cette méthode avec des éléments iconographiques inhabituels. En 1787,

Fig. 3
*Saint François Borgia
et le moribond impénitent*
1788
huile sur toile
350 x 300
cathédrale de Valence
chapelle de saint François Borgia

Maella avait déjà installé sa *Conversion de saint François Borgia* sur le maître-autel de la chapelle. Représentant saint François découvrant le corps décomposé de la reine Isabelle de Castille, le sujet était l'occasion de mettre en scène un véritable drame visuel, mais Maella en donne une interprétation décevante avec une approche plus académique et décorative. Destinés aux deux autels latéraux, les tableaux de Goya adoptent une approche plus directe et réaliste en représentant d'autres épisodes moins communément illustrés de la vie du saint. Dans *Saint François Borgia et le moribond impénitent* (fig. 3), un mourant se contorsionne dans son lit, entouré de démons qui s'apprêtent à ravir son âme, tandis que le saint brandit son crucifix pour les écarter. Dans un dessin préparatoire du même sujet, on voit un démon cornu filer tandis que le saint lève son crucifix, et des anges prendre sa place. Dans la peinture finale, Goya se passe de ces détails typiquement baroques pour représenter des figures monstrueuses, inspirées de gargouilles ou de miséricordes gothiques. Préfigurant ses *Peintures noires,* ces figures diaboliques paraissent refléter son intérêt pour le conflit entre le bien et le mal, ainsi que son désaveu de la superstition. Dix ans plus tard, il devait explorer de nouveau ces thèmes dans ses scènes de sorcellerie, également commandées par la famille Osuna.

À la fin des années 1790, alors que Goya était occupé par ses *Caprices,* il peignit également trois toiles sur des thèmes religieux pour l'oratoire de la Santa Cueva à Cadix. Dans ces peintures, Goya montre son aptitude à transmettre un message religieux complexe au moyen de la narration picturale. Ses trois scènes – le *Miracle de la multiplication des pains et des poissons,* la *Parabole de l'invité sans tenue de noce* et *la Cène* – se rapportent au sacrement de l'eucharistie, c'est-à-dire au thème sur lequel la confrérie de la Santa Cueva entendait mettre l'accent. Alors que dans ses *Caprices* Goya critique le clergé, les ordres religieux et la superstition populaire, ces peintures le montrent prêt à donner toute la mesure de son talent pour répondre à une commande religieuse s'appuyant sur des fondements intellectuels clairs.

À peu près à la même époque, Goya peignit également une série de *Quatre Docteurs de l'Église* (cat. 26 et 27) ainsi que trois retables, aujourd'hui perdus, pour l'église San Fernando de Monte Torrero, près de Saragosse (cat. 28). Cette dernière commande lui valut une réprimande à cause d'un détail jugé indécent : le sein nu d'une femme que l'on aperçoit dans son esquisse de *Sainte Élisabeth de Hongrie soignant une malade.* Avant de consacrer l'église, l'évêque de Huesca ordonna à Goya de couvrir l'objet du délit[13].

Deux commandes reçues en 1798 mettent en évidence d'autres aspects intéressants de l'œuvre religieux de Goya. La première fut sa peinture de l'*Arrestation du Christ* pour la cathédrale de Tolède, où, plutôt que de rattacher son œuvre au cadre architectural, Goya se donne la peine de situer sa production dans le contexte de la tradition picturale. La seconde portait sur la décoration de la coupole et des pendentifs de la chapelle de San Antonio de la Florida, près du Manzanares à Madrid. Plutôt que de se laisser contraindre par le cadre architectural, Goya, dans cette fresque, montre son habileté à exploiter l'espace en brisant les frontières traditionnelles entre l'art et la réalité.

La commande pour la cathédrale de Tolède résultait de la décision du chapitre de réorganiser la riche collection de tableaux de la sacristie : une longue salle rectangulaire avec un plafond peint à fresque par Luca Giordano. Parmi ces peintures figurait le chef-d'œuvre du Greco, l'*Espolio,* ou *le Christ dépouillé de sa tunique,* que les chanoines décidèrent de réinstaller dans un magnifique autel néoclassique, accompagné de deux nouveaux retables latéraux représentant l'*Agonie au jardin des Oliviers* et l'*Arrestation du Christ.* Les chanoines invitèrent l'académie royale San Fernando à nommer à cette fin deux de leurs meilleurs peintres. La commande fut confiée à Goya et à Francisco Ramos, alors vénéré comme l'héritier artistique de Mengs.

Entre la manière dont Ramos traite l'*Agonie au jardin des Oliviers* et l'*Arrestation du Christ* de Goya, le contraste est saisissant et illustre les différences d'approche des deux artistes par rapport au cadre auquel étaient destinées leurs peintures, et notamment la peinture du Greco à côté de laquelle elles devaient prendre place. Tandis que Ramos recherche la perfection technique, surtout en ce qui concerne le visage du Christ, sa composition est terne et ne trahit aucune sensibilité à l'œuvre du Greco. Goya, en revanche, s'inspire de la composition de ce dernier afin de l'imiter, voire de surpasser le maître maniériste dans le traitement dramatique de son thème.

La composition du Greco est centrée sur la figure monumentale du Christ, qui se tient pieds nus dans une riche tunique rouge – allusion directe au sacrifice imminent. Le moment du dépouillement a pour témoins divers personnages entassés les uns sur les autres, ouvrant de grands yeux, hurlant et gesticulant. Soucieux de faire écho à la composition du Greco, Goya entoure sa figure du Christ d'une foule pareillement hargneuse. Tandis que le Greco rehausse le drame par des couleurs primaires qui se choquent, comme le rouge de la tunique et le jaune de la Madeleine du premier plan, Goya recourt à des contrastes appuyés

Fig. 4
L'Arrestation du Christ
1798
huile sur toile
40,2 × 23,1
Madrid, Museo del Prado

d'ombre et de lumière pour intensifier la scène. Dans son *borrón* (fig. 4), il esquisse la composition et travaille l'éclairage de la scène, cachant la source de lumière derrière l'un des soldats avec un effet saisissant. Avec des taches de jaune, il étudie comment la lumière se réfléchit sur les vêtements du Christ et de ses agresseurs, mais aussi comment elle se diffuse au second plan. Goya, en l'occurrence, s'inspirait probablement des eaux-fortes de Rembrandt sur des thèmes semblables que lui avait montrées Ceán Bermúdez. Dans sa composition finale, la lumière est douce : elle a presque un caractère de *sfumato.* Avant d'être placée dans la sacristie, l'œuvre fut exposée à l'académie royale, où elle obtint un vif succès [14].

La commande passée à Goya pour San Antonio de la Florida fut le fruit des bons offices de Jovellanos, ministre de Grâce et de Justice de Charles IV nommé en mars 1798. Bien qu'il ne soit demeuré au pouvoir que jusqu'au mois d'août de cette même année, son éphémère ministère fut pour maints intellectuels une véritable bouffée d'air frais : elle consacrait l'avènement des Lumières, d'un régime qui, espéraient-ils, ferait régner la justice et d'une administration entièrement fondée sur la raison. Goya reçut toute liberté dans l'interprétation d'un épisode de la vie de saint Antoine de Padoue rarement représenté. Dans son *Année chrétienne,* le père Jean Croisset [15] raconte en effet que le père de saint Antoine avait été accusé de meurtre. Lorsqu'il l'apprit, saint Antoine fut miraculeusement transporté de Padoue à Lisbonne, sa ville d'origine, où il ressuscita la victime afin qu'elle confirmât devant les juges l'innocence de son père. Goya traite la scène comme s'il travaillait à un carton de tapisserie, entourant saint Antoine, tandis qu'il s'occupe du cadavre, d'une foule de badauds réunis pour assister au miracle. Dans son *borrón,* Goya illustre l'union de ce monde et de l'univers céleste, se concentrant sur la dépouille et la blancheur du linge dans lequel elle était inhumée, tandis que les anges apportent du haut le signe d'une intervention divine. Dans sa composition finale, cependant, Goya élimine ces détails pour reléguer les anges aux pendentifs (fig. 5). Jouant alors les intermédiaires entre le spectateur et le monde miraculeux, sur lequel ils attirent son attention par leurs gestes, les anges tirent le rideau qui avait précédemment dissimulé la scène. Par ce changement de composition, Goya rend le miracle immédiat et contemporain. Dans la révélation de la vérité résultant de la miraculeuse résurrection du mort, on peut voir une allusion aux espoirs placés dans le gouvernement libéral de Jovellanos. Antithèse des *Peintures noires* de Goya, ces fresques proclament son humanisme, qui, en l'occurrence, affirme la force et le triomphe de la vérité sur un monde cruel et méchant.

Fig. 5
Coupole de
San Antonio de la Florida
1798
fresque
Madrid

San Antonio de la Florida représente à bien des égards l'apogée de
l'œuvre religieux de Goya. Après 1800, les horreurs de la guerre
d'Indépendance devaient amplement nourrir la vision négative d'un
clergé corrompu qui s'exprime dans ses eaux-fortes des *Désastres de la*
guerre. Les seules peintures religieuses marquantes de la phase finale de sa
carrière sont les *Saintes Justine et Rufine* de la sacristie de la cathédrale de
Séville et *la Dernière Communion de saint Joseph de Calasanz* commandée
en 1819 par les Escuelas Pías de San Antón, à Madrid. Jamais Goya
n'avait rendu avec plus de force la spiritualité catholique que dans cette
représentation du saint mourant en présence de ses jeunes élèves. Saint
Joseph de Calasanz avait fondé en 1597 l'ordre des Écoles Pies, ordre
enseignant fondé sur une nouvelle manière d'apprendre la religion aux
enfants. L'intensité spirituelle de cette œuvre fait peut-être écho à l'état
d'esprit d'un Goya vieillissant, lui-même malade et contraint de regarder
en face les terreurs de la mort.

*

1. Voir Miñano, 1828, p. 83 (article sur Saragosse), qui cite un passage concernant Goya de l'*Historia de la pintura* inédite de Ceán Bermúdez.

2. Voir *Cartas a Martín Zapater*, lettre 20, p. 64 : « Quand je pense à Saragosse et à la peinture, confie Goya, mon sang bout. »

3. Calvo Ruata, 1996, doc. 52, p. 134 : *« [...] por don Vicente Bermúdez, criado del señor Muñino, a quien regaló los diseños de Zaragoza, Goya »*.

4. *Cartas a Martín Zapater*, lettre 21 : *« una competencia formal »*.

5. Lafuente Ferrari, 1946, p. 36-46.

6. *Cartas a Martín Zapater*, lettre 61 : *« Es cierto que ho tenido fortuna para el concepto de ynteligentes y para todo el público con el quadro de San Francisco, pues todos están por mi, sin ninguna disputa, pero asta aora nada sé de lo que debía resultar por arriba, beremos en bolber el Rey de la Jordanilla. »*

7. C'était une pratique courante à l'académie royale, et l'on sait qu'en janvier 1794 Francisco Bayeu offrit son mannequin personnel dans le même dessein. Voir Morales, 1995, p. 26.

8. Voir Ward-Jackson, 1980, vol. II, p. 746, n° 745. Catalogué sous le titre *The Virgin adored by St. Dominic and St. Francis of Assisi,* attribué à un élève de Carlo Maratta, Pietro di Pietri. Le Prado possède un autre dessin mis au carreau semblable de Ramón pour son retable *Santa Escolástica* à Santa Ana y Joachín. Voir Arnáez, 1975, vol. II, p. 155, n° F.A. 311.

9. Voir Arnáez, 1976, vol. 49, p. 348-349. Un dessin précédemment catalogué sous le nom de Ramón Bayeu (Arnáez, 1975, p. 154-155, n° F.A. 524) est ici réattribué à Francisco Bayeu en rapport avec le *modello* de ce dernier qui se trouve actuellement au Meadows Museum de Dallas : voir Indianapolis, 1996-1997, n° 27, p. 200-202.

10. Voir Arnáez, 1975, n° F.A. 219. Ici, Arnáez attribue le dessin à Ramón et le rattache au retable de Santa Ana. À la suite d'un examen plus poussé, ce dessin apparaît directement lié à un retable de l'*Immaculée Conception* de Francisco Bayeu pour l'oratoire privé du roi au palais du Pardo, à la périphérie de Madrid. Bien que Ramón adopte la pose employée par son frère, il change la position des mains. Sur la peinture de Francisco Bayeu, voir Morales, 1995, p. 87, n° 47.

11. *Cartas a Martín Zapater*, lettre 97 : *« lo que se estila aqui aora es estilo Arquitectonico »*.

12. Voir Paris-Rome, 1987, n° 91, p. 286. Sánchez Cantón et Lafuente Ferrari ont souvent suggéré que Goya, en peignant ses œuvres religieuses, avait pu puiser son inspiration chez des artistes français résidant en Espagne comme Michel-Ange Houasse. On évoque plus précisément la série de *Saint François Régis* que Houasse peignit vers 1722 pour le noviciat des jésuites de Madrid, et qui influença Goya pour son *Saint Bernardin de Sienne* et son *Saint François Borgia et le moribond impénitent.* Voir Sánchez Cantón, 1946a, p. 294, et Lafuente Ferrari, *op. cit.* Arnauld Brejon de Lavergnée (communication orale) a suggéré que Subleyras était une autre source d'influence possible pour le style de Goya dans le cycle de peintures de Santa Ana.

13. Voir Wilson-Bareau et Mena, Madrid-Londres-Chicago, 1993-1994, p. 242 : *« Que antes de bendecirla era forzoso cubrir los pechos de la enferma, que curaba la santa. »*

14. Sánchez Cantón, 1928, p. 17, les académiciens admirant plus particulièrement l'« efficacité, le bon goût dans les couleurs, le dessin et la technique » de la peinture, « pour quoi M. Goya est si renommé ».

15. Père Jean Croisset, 1712, traduction espagnole du Padre J. F. de Isla, Madrid, 1748, éd. de 1852, Madrid, p. 506-507.

JANIS A. TOMLINSON

Nouveau regard sur les cartons de tapisserie

Cadix, Espagne, 14 janvier 1793 : le peintre de cour Francisco Goya y Lucientes est mort aujourd'hui au domicile de l'homme d'affaires Sebastián Martínez au terme d'un mois de maladie. Le peintre était surtout connu pour ses portraits de Leurs Altesses Royales, notamment ceux qui décoraient la façade de la manufacture royale de tabac, à Séville, lors des festivités du couronnement, voilà quatre ans. Il eut aussi l'honneur de peindre les directeurs de la banque nationale San Carlos, la famille du duc et de la duchesse d'Osuna et de maints autres mécènes de renom. En 1781, Goya fut l'un des sept artistes chargés de peindre un retable pour l'église franciscaine de San Francisco el Grande de Madrid, l'une des nombreuses commandes religieuses passées à l'artiste. Depuis son départ de Saragosse, sa ville natale, pour Madrid, en 1775, Goya peignit aussi de nombreux cartons pour des tapisseries destinées à décorer les résidences royales du Pardo et de San Lorenzo à l'Escorial. En 1777-1778, Goya créa une série d'eaux-fortes d'après les œuvres du grand Velázquez de la collection royale, ce qui a attiré l'attention des étrangers sur ces chefs-d'œuvre.

En 1780, le peintre a été élu à l'académie royale des beaux-arts San Fernando. En 1786, il devint Pintor del rey (« peintre du roi ») et, en 1789, Pintor de cámara (« peintre de chambre ») de Charles IV. Il laisse une femme, María Josefa Bayeu, et un fils, Francisco Javier.

ET SI ?

Les lignes qui précèdent relèvent de la fiction. Si le tableau des activités de Goya et des honneurs qu'il avait reçus en 1793 est exact, la prémisse de cette pseudo-notice nécrologique est fausse, car elle suppose que l'artiste serait mort en 1793. En fait, à quarante-sept ans, l'artiste souffrait d'une maladie grave qui devait le laisser sourd pour le restant de sa vie. Mais il avait encore de longues années à vivre : Goya est mort en 1828, âgé de quatre-vingt-deux ans.

Nous commençons par cette nécrologie fictive afin d'introduire une question : Comment aurions-nous pu connaître Goya – et, plus précisément, les cartons de tapisserie – si sa maladie de 1792-1793 lui avait été fatale ? Jamais il n'aurait peint les œuvres pour lesquelles il est surtout connu, notamment la *Maja nue* et la *Maja vêtue,* le portrait de la *Famille de Charles IV,* le *Deux Mai 1808* et le *Trois Mai 1808,* les *Peintures noires* ou la série des eaux-fortes des *Caprices* et des *Désastres de la guerre.* En l'absence de ces œuvres, l'énigme qui entoure l'artiste serait largement inexistante ; on ne se demanderait même pas comment il a pu peindre la *Maja nue* dans une société réputée fortement répressive ; ou comment ceux qui posèrent pour *la Famille de Charles IV* ont réagi à un portrait manifestement peu flatteur ; ou encore, où allaient les sympathies politiques de Goya. De nombreux chercheurs se sont, comme moi, frottés à ces questions : assurément, si Goya était mort en 1793, une bonne partie du verbiage entourant l'artiste n'eût jamais été écrit.

Si Goya était mort en 1793, l'artiste nous aurait paru beaucoup moins complexe et intrigant : un peintre aspirant à une position à la cour des Bourbons, qui peignait volontiers ce qu'on lui disait de peindre – qu'il s'agît de portraits, de thèmes religieux ou de cartons de tapisserie. La qualité de portraits tels que *la Famille du duc et de la duchesse d'Osuna, Don Manuel Osorio* (cat. 19) ou *Sebastián Martínez* l'eût sans doute distingué de ses contemporains en Espagne, et ceux qui connaissaient bien ces portraits se seraient sans doute demandé comment son talent aurait pu évoluer. Peu de peintures religieuses exécutées avant 1793 retiendraient notre attention. Mais, le plus regrettable, c'est que, pour l'essentiel, ses cartons de tapisserie seraient probablement demeurés dans l'ombre.

LES CARTONS DE TAPISSERIE
ET LEUR
INTERPRÉTATION

Prêterions-nous la moindre attention aux cartons de tapisserie si Goya était mort en 1793 ? Pour répondre à cette question, il vaut la peine de retracer les vicissitudes qui ont marqué notre connaissance et notre interprétation de ces peintures. De 1774 à 1792, Goya peignit plus de soixante projets, ou cartons, destinés à être tissés sous forme de tapisseries pour les résidences royales : nombre de ces tapisseries sont aujourd'hui conservées par le Patrimonio Nacional en Espagne. Goya recevait ses commandes de cartons salle par salle et devait ainsi fournir des projets aux dimensions spécifiques et ajustées à celles des murs d'une pièce donnée. Plusieurs chercheurs ont récemment entrepris de réexaminer les thèmes propres à chaque série et l'emplacement initial des tapisseries[1]. Avant de peindre le carton à la bonne échelle – aux dimensions de la future tapisserie –, Goya était tenu de peindre une petite esquisse et de la soumettre à l'approbation de ses mécènes : *la Tempête de neige* (cat. 14) *le Pantin* (cat. 23) et *la Rixe à la nouvelle auberge* en sont autant d'exemples.

Le renom des cartons de Goya a de nos jours éclipsé celui des tapisseries tissées d'après ceux-là, même si nous ne devons pas oublier que celles-ci étaient à l'origine plus appréciées que les peintures qui leur avaient servi de modèles. Les Habsbourg d'Espagne avaient longtemps importé et apprécié les tapisseries néerlandaises ; lorsque l'Espagne céda les Pays-Bas par le traité d'Utrecht, en 1713, les nouveaux monarques d'Espagne, les Bourbons, créèrent une fabrique de tapisserie à Madrid. En 1720, on fit venir le Flamand Jacob Vandergoten pour superviser les nouveaux ateliers, installés près de la porte de Santa Barbara.

C'est à cette manufacture que le jeune Goya devait remettre ses cartons achevés. Jusqu'en 1786, date à laquelle il devint peintre salarié du roi, force lui était de décrire chaque pièce séparément et de lui donner un prix : ces factures assorties de descriptions sont essentielles pour distinguer les tapisseries de Goya de celles de contemporains comme José del Castillo ou Ramón Bayeu[2]. Une fois livrés à la fabrique, les cartons servaient de patrons avant d'être roulés et stockés (même si, comme le prouvent les documents publiés par Valentín de Sambricio, les cartons servaient souvent plus d'une fois, si bien que deux ou trois tapisseries ont pu être tissées d'après le même carton[3]). En conséquence, les cartons étaient rarement visibles et ne contribuaient guère à la réputation d'un artiste. Pour cette raison, la plupart des peintres préféraient d'autres commandes. En revanche, les plus jeunes, qui cherchaient à se faire un chemin à la cour, n'avaient guère le choix.

À la fin des guerres napoléoniennes, la manufacture de tapisserie dressa l'inventaire des cartons de divers artistes, dont Goya. En 1858, vingt-deux rouleaux de cartons furent transférés dans les sous-sols du palais royal de Madrid, où les retrouva Gregorio Cruzada Villaamil en 1870. Leur découverte, il faut le reconnaître, n'était pas entièrement une surprise : on savait de longue date que Goya avait peint des cartons de tapisserie dans ses premières années à la cour ; même si on ne les attribuait pas formellement à Goya, la collection royale possédait des tapisseries de cette période et, en 1834, sous le titre *Un mariage burlesque*, une revue d'art française, *l'Artiste*, avait reproduit une gravure exécutée d'après l'un de ses cartons[4].

Cruzada Villaamil devait publier le premier catalogue des cartons de tapisserie de Goya qui – exception faite de sept cartons volés au palais royal – furent transportés au Museo del Prado, où ils sont encore aujourd'hui [5]. Leur exposition parmi les peintures du Prado finit de leur conférer un véritable statut d'œuvres d'art.

La découverte tardive de ces peintures en a manifestement affecté l'interprétation. Les romantiques français avaient déjà reconnu le génie de Goya derrière la série des *Caprices,* et l'on retrouve la trace de cette image romantique dans la biographie due à Laurent Matheron (1858) et dédiée à Eugène Delacroix. Dans la *Gazette des beaux-arts,* Valentín Carderera consacra deux articles à l'artiste, en 1860 et en 1863, époque à laquelle on insistait sur un nouvel aspect de l'œuvre de Goya : celui de précurseur de Manet. Cet aspect réaliste était corroboré par des peintures que le baron Taylor avait rapportées en France au milieu des années 1830 : *les Jeunes* et *les Vieilles* (cat. 53 et 52), mais aussi *la Forge* (New York, Frick Collection). Le portrait de *Ferdinand Guillemardet* (cat. 31), que les descendants du modèle donnèrent au musée du Louvre en 1865, en fut une nouvelle confirmation.

Cette réputation faite à Goya de réaliste avant la lettre servit à justifier l'interprétation des cartons redécouverts, envisagés désormais comme des scènes de la vie quotidienne dans l'Espagne de son temps. En Espagne, ces mêmes peintures des us et coutumes du pays justifiaient la vision d'un Goya croyant et patriote. Cette interprétation – qui contrait celle, avancée par Matheron, d'un Goya romantique et libre penseur – devait être le thème directeur de la publication, en 1863, de la correspondance de l'artiste avec son ami et concitoyen Martín Zapater [6]. Publiée par le neveu de ce dernier, cette correspondance fut en fait éditée pour corroborer ce point de vue. Lorsqu'ils furent redécouverts en 1870, les cartons de tapisserie servirent ainsi une double fin : montrer le *casticismo,* ou les qualités purement espagnoles de Goya, et célébrer en lui un réaliste. Des recherches récentes ont montré que le sens des cartons se perd largement quand on en fait une interprétation si littérale ; leurs thèmes ainsi que la juxtaposition des images au sein d'une série renvoient à des traditions iconographiques anciennes qui en renforcent le sens [7].

Pour en revenir à ma question initiale, ces œuvres auraient-elles été exposées au Museo del Prado si leur auteur était mort en 1793 et n'avait donc jamais peint les tableaux sur lesquels repose sa réputation ? On en est certes réduit à des spéculations, mais le fait que les cartons de contemporains de Goya moins célèbres soient dispersés entre plusieurs musées et édifices publics donne à penser que les œuvres de Goya auraient connu un destin semblable.

Fig. 1
Promenade en Andalousie, 1777, huile sur toile, 275 x 190
Madrid, Museo del Prado

Fig. 2
Le Pantin, 1791-1792, huile sur toile, 267 x 160
Madrid, Museo del Prado

L'interprétation des cartons de tapisserie comme scènes réalistes de la vie quotidienne continue à dominer la perception de ces œuvres, et les auteurs qui adhèrent aux images plus romantiques ou politiques de l'artiste ont tendance à négliger ces peintures apparemment «simples», qui ne servent pas leurs fins.

Ce qui est tout à fait scandaleux. Car même si l'on fait des cartons de tapisserie une sous-catégorie de l'œuvre de Goya, une comparaison de la *Promenade en Andalousie* (fig. 1) avec *le Pantin* (fig. 2) en met en évidence la grande diversité. Le mémorandum descriptif de Goya indique que le cadre du premier carton est l'Andalousie, avec un couple de gitans qui se promène. C'est une scène colorée, avec des personnages que l'on imagine inspirés par le théâtre contemporain ou par des gravures illustrant différents types et costumes espagnols de la fin du XVIIIe siècle[8].

Mais sans la description de Goya pour nous éclairer, il serait difficile de dire exactement qui sont ces gens et ce qui se passe. Dépourvue de centre bien défini (si ce n'est, peut-être, la femme, qui tend le bras), la composition semble résulter d'ajouts successifs de figures peu expressives, déployés afin de remplir la toile, plutôt que d'un thème sous-jacent et directeur.

Une quinzaine d'années plus tard, Goya peignit *le Pantin*. Les figures sont maintenant rigoureusement agencées ; rien de superflu ne demeure. Les figures elles-mêmes se détachent sur les tons pastel du fond, et les regards des quatre femmes dirigent nos yeux sur le pathétique pantin désarticulé suspendu en l'air. Un descriptif était essentiel pour bien comprendre la *Promenade en Andalousie ;* dans le cas du *Pantin,* il n'aurait pu qu'appauvrir l'image en lui assignant un sens unique. *Le Pantin* intrigue par son ambiguïté : est-ce une scène de carnaval ou un commentaire plus sombre sur la relation entre les sexes ? Comme il a été peint pour la même série que *la Noce,* œuvre franchement satirique (fig. 3), la seconde interprétation est la plus vraisemblable.

Fig. 3
La Noce, 1791-1792, huile sur toile, 269 x 396
Madrid, Museo del Prado

Une autre caractéristique des cartons, comme de bien d'autres œuvres ultérieures, est que leur sens en sort souvent renforcé de leur juxtaposition avec d'autres images. Au début de 1794, Goya soumit à l'académie royale des beaux-arts San Fernando une série de douze peintures de cabinet ; pour la *Maja nue,* il créa un pendant aujourd'hui connu sous le nom de la *Maja vêtue ;* le *Deux Mai 1808* demeure plus ou moins incomplet sans le *Trois Mai 1808.* On peut également citer les *Caprices, les Désastres de la guerre,* les *Peintures noires, les Jeunes* et *les Vieilles, le Rémouleur* et *la Porteuse d'eau* (cat. 48 et 49) : dans toutes ces œuvres, l'interaction des images en étend la signification au-delà du cadre qui est le leur.

Nombre des images de « genre » de Goya étaient faites non pas pour être vues seules, mais dans un ensemble plus complexe. Trop souvent, on les voit isolées, hors de leur contexte d'origine. À la différence d'artistes ayant reçu une formation plus académique, comme son contemporain Jacques-Louis David, Goya ne pensait pas nécessairement par images indépendantes se suffisant à elles-mêmes. Pour lui, un tableau faisait souvent partie d'un cadre plus large.

Dans l'œuvre de Goya, les cartons de tapisserie ont offert à l'artiste l'occasion d'exploiter toutes les possibilités de l'imagerie de genre, les traitant comme des images de la vie, à l'exemple de laquelle elles ne pouvaient s'accommoder des limites d'un cadre unique. En cela, l'imagerie de Goya anticipe sur le cinéma, plutôt que sur la photographie. Mais l'artiste aurait-il découvert la richesse et la complexité des images multiples s'il n'avait été contraint, à ses débuts, de créer une série de cartons de tapisserie ? La question demeure sans réponse.

✳

1. Tomlinson, 1989 et 1993 ; Herrero et Sancho, 1996.
2. Pour un catalogue des cartons peints à la fin du XVIIIᵉ siècle pour la manufacture royale de tapisserie, voir Held, 1971. La documentation relative à ces cartons a été publiée par Sambricio, 1946.
3. Sambricio, *op. cit.*
4. Rose de Viejo, 1997, p. 529-535.
5. Cruzada Villaamil, 1870.
6. Zapater y Gómez, 1868.
7. Tomlinson, *op. cit.*
8. Sur les sources possibles de ce carton, voir Tomlinson, 1989, p. 46-48.

VÉRONIQUE GERARD POWELL

Goya
portraitiste

Ses échecs académiques l'ayant certainement confiné à un travail obscur dans l'atelier madrilène de Francisco Bayeu, le jeune Goya, sans renommée ni clientèle, ne pouvait guère espérer devenir portraitiste. Son premier *Autoportrait* (cat. 1), probablement peint à des fins toutes personnelles avant son départ pour l'Italie [1], lui prouva cependant qu'au-delà de sa capacité à rendre la ressemblance physique – première qualité réclamée par un commanditaire – il pouvait capter les caractères : libre de toute convention, il utilise un puissant jeu de lumière qui rappelle les portraits du XVIIᵉ siècle et fait ressortir la structure du visage ; les yeux rentrés jetant un regard appuyé et direct, la bouche ferme et sensuelle traduisant toute la détermination mêlée d'une certaine appréhension de cet homme qui, au seuil de la trentaine, n'a pas encore donné toutes les preuves de son talent. Il lui fallut d'ailleurs attendre encore une dizaine d'années avant de commencer à s'imposer dans un genre qu'il finit par dominer à l'égal d'un Van Dyck, d'un Rembrandt ou d'un Reynolds. Le temps de trouver les commanditaires.

Curieusement, on constate que la réalisation des cartons de tapisserie, sa principale occupation de 1775 à 1789, qui révèle son attachement à la réalité quotidienne de la vie, ne le conduisit pas au portrait. Il y représenta des types sociaux, très rarement des visages personnalisés, et n'en tira jamais, à l'époque, l'idée d'isoler telle ou telle figure qu'il avait cependant pu étudier « sur le vif » pour un portrait indépendant, comme cela se faisait alors en France ou en Italie. Ce qu'il aborda bien plus tard, dans un contexte totalement différent, avec *le Rémouleur* et *la Porteuse d'eau* (cat. 48 et 49) puis avec *la Laitière de Bordeaux* (Madrid, Museo del Prado). Comme la plupart de ses collègues espagnols, il ne voyait alors dans le portrait qu'une œuvre de commande, à laquelle son ascension sociale et professionnelle lui donna lentement accès.

Fig. 1
Le Comte de Floridablanca
1783
huile sur toile
260 x 166
Madrid, Banco de España

La protection de Jovellanos, poète et magistrat, le représentant le plus insigne de l'Espagne des Lumières, lui permit de pénétrer dans le cercle des réformateurs madrilènes ; Goya y forgea ses amitiés les plus fidèles, avec l'historien de l'art Ceán Bermúdez, le juriste et poète Meléndez Valdés... et y rencontra ses mécènes les plus attentifs, le comte d'Altamira, les ducs d'Osuna... Elle lui apporta certainement aussi sa première commande importante, tardive peut-être mais combien prestigieuse au regard de la société madrilène : le portrait de celui qui était alors Premier ministre, *le Comte de Floridablanca* (fig. 1). Les maladresses sont nombreuses dans cette œuvre ambitieuse qui s'inspire largement, *putti* en moins et effets de clair-obscur en plus, des portraits allégoriques du XVIIIᵉ siècle italien, tel le *Farinelli* de Giaquinto (vers 1753 ; Bologne, Civico Museo Bibliografico Musicale) : même pose un peu ostentatoire, même présence de l'autoportrait du peintre et des souverains en médaillon, même accumulation d'objets symboliques, servant pour Goya d'allégories du Bon Gouvernement et du mécénat artistique[2]. Mais les jeux des regards et les gestes créent une mise en scène qui apporte un sentiment de vie en général absent dans les portraits de ce type. Les deux séjours qu'il effectua, en 1783 et 1784, auprès de l'infant don Luis et de son épouse morganatique exilés à Arenas de San Pedro jouèrent un rôle décisif dans l'affirmation de ses talents de portraitiste. Au contact de cette petite cour assez informelle, mais aussi de l'intéressante collection réunie par le frère du roi, il réalisa plusieurs portraits de types très différents : figures toutes de naturel et de simplicité dont l'exposition nous offre un magnifique exemple avec *Doña María Teresa de Vallabriga y Rozas* (cat. 8), portrait équestre avec la même *María Teresa* (Florence, Galleria degli Uffizi) qui affirme l'influence de Velázquez, dont il avait gravé de nombreuses œuvres en 1778, et un tableau encore plus ambitieux, *la Famille de l'infant don Luis*. Au-delà de l'absence de faste on trouve dans cette dernière toile les mêmes recours que dans les portraits de groupe anglais du XVIIIe siècle, du type de *la Famille du duc de Marlborough* de Reynolds (1777 ; Bleinheim Palace), que Goya pouvait connaître par la gravure : la position légèrement en retrait du chef de famille laissant la place centrale à son épouse, que Goya, lui, ne met pas en valeur par une position prééminente mais par une éclatante lumière, la petite fille regardant vers le spectateur les notes d'intimité qui l'emportent ici sur l'apparat du tableau et lui confèrent un charme unique renforcé par l'effet de nocturne.

Ces premiers succès lui ouvrirent les portes de la haute société madrilène que Mengs avait déjà habituée à une approche plus naturelle et moins pompeuse du portrait ; elle exigeait cependant certaines conventions que Goya commença par respecter, sans jamais toutefois qu'elles ne masquent la réalité du visage, l'aspect physique tout autant que le caractère. Ces conventions ne purent jamais cacher non plus que, tout au long de sa carrière, la réussite d'un portrait fut toujours fonction de la sympathie que Goya éprouvait pour le personnage. Il suffit de comparer deux portraits des années 1780, *Don Ventura Rodríguez* (cat. 9) et *Cabarrus* (Madrid, Banco de España) : certes, le premier présente encore certains artifices traditionnels, la colonne, le geste de la main droite, le plan qui symbolise son métier d'architecte. Mais le naturel même de la représentation physique – le léger embonpoint, les pommettes saillantes, le regard chaleureux – traduit toute l'affabilité du personnage, ami personnel de Goya. Une indéniable sécheresse se dégage en revanche de celui de Cabarrus, pièce maîtresse d'une commande de six portraits pour la banque San Carlos. Goya renforce la prestance donnée par la pose en pied, certainement imposée par la commande pour mettre en valeur le créateur et premier directeur de la banque, en donnant au bras un geste d'autorité et en détachant le personnage sur un fond neutre, indéniable souvenir des méthodes de Velázquez. Mais le visage n'a aucune carnation, un modelé plutôt schématique. Le superbe habit aux reflets diaprés captant la lumière semble avoir davantage retenu l'attention du peintre, tout comme dans le portrait de la *Marquise de Pontijos* (vers 1786 ; Washington, National Gallery of Art, Andrew W. Mellon Collection), où la vaporeuse robe à panier et le paysage atmosphérique prennent plus d'importance que le visage lui-même.

Même s'il dut souvent respecter les conventions et les modes réclamées par les commanditaires, Goya se servit dès le début de la mise en page et des jeux de lumière pour suggérer les personnalités. Particulièrement remarquable à cet égard, le portrait du jeune *Don Manuel Osorio Manrique de Zuñiga* (cat. 19) et celui de *la Famille des ducs d'Osuna* (1788 ; Madrid, Museo del Prado), protecteurs du peintre, qui lui avaient certainement donné « carte blanche » pour le réaliser : la lumière qui enveloppe la scène, l'absence de décorum, la légèreté des silhouettes, la convergence des regards et la douceur des gestes suggèrent le bonheur familial bien plus que le rang social. Goya rompt avec la tradition décorative du XVIIIe siècle en adoptant ces fonds nus qui rappellent donc Velázquez mais qu'utilisent alors aussi, avec des effets de lumière plus sobres, des peintres français comme Mme Vigée-Lebrun (*Portrait du comte de Vaudreuil,* 1784 ; Richmond, Virginia Museum of Fine Arts) ou Jacques-Louis David (*Portraits de Monsieur et Madame Pécoul,* 1784 ; Paris, musée du Louvre). Le fond de paysage était, encore plus que le petit chien, l'une des conventions du portrait féminin en pied dont Goya sut magistralement se servir : l'opposition entre le vaste horizon dénudé devant lequel se dresse *la Duchesse d'Albe* (cat. 58) et l'atmosphère feutrée et raffinée qui, dans son pendant, enveloppe *le Duc d'Albe* (voir cat. 58) révèle toute l'incompatibilité de caractères entre l'épouse exubérante, primesautière, et son époux mélomane et sensible. Tandis que, bien plus tard, un même ciel tourmenté réunit *la Marquise de Santiago* (cat. 34) et *le Marquis de San Adrián,* deux époux certes frivoles mais également cultivés et amoureux des arts.

Commencée tardivement mais rapidement couronnée de succès, l'activité de portraitiste prit peu à peu la première place dans le travail de Goya. Pas à la cour cependant, où Maella jouissait beaucoup plus que lui de la faveur royale et de celle des institutions. Bien que peintre du roi depuis 1786, il ne dut jamais obtenir que le souverain pose pour lui, ce qui se ressent fortement dans son *Charles III à la chasse*[3] (vers 1787).

Ce fut à lui que Charles IV, qui appréciait beaucoup ses cartons, confia la réalisation des premiers portraits du couple royal, en 1789. Destinés à des décors éphémères ou à des bâtiments officiels, ces portraits hâtivement réalisés, souvent avec l'aide d'un atelier, répétaient un «portrait type» exécuté par Goya durant une séance de pose des souverains. On vient d'identifier celui qui servit pour les premiers portraits de *la Reine Marie-Louise* (cat. 22); Goya qui l'avait peint en 1789, le «retoucha» dix ans plus tard pour une nouvelle série. Malgré sa nomination comme peintre de chambre, en avril 1789, la seule commande royale qu'il reçut avant sa maladie en 1792 et qu'il n'accepta que sous la menace de la perte de son traitement fut celle des cartons du bureau du roi à l'Escurial.

Juste avant que ce problème de santé ne l'empêche pendant un ou deux ans de peindre des portraits, œuvres de trop grand format étant donné sa faiblesse, Goya avait réalisé ceux de quelques-uns de ses amis les plus proches, appartenant au même cercle d'érudits collectionneurs et réformateurs. Libéré des conventions imposées par les «portraits de société», il pouvait aborder franchement l'expression de la personnalité, autant par le traitement du visage que par l'attitude. Probablement portraituré à l'occasion de son mariage, en 1786, l'historien de l'art Juan Agustín Ceán Bermúdez (collection particulière), confortablement accoudé près de quelques gravures de sa collection, jette un regard intense vers son ami peintre[4]. Goya adopte pour *Sebastián Martínez* (fig. 2)

Fig. 2
Sebastián Martínez
1792
huile sur toile
92,9 x 67,6
New York, The Metropolitan
Museum of Art,
Rogers Foundation, 1906

une mise en page très rapprochée, simple et naturelle, totalement nouvelle dans l'Espagne de cette époque ; le visage délicatement structuré et le subtil raffinement des coloris de la jaquette traduisent toute l'élégance intellectuelle et physique de l'ami qui allait l'accueillir pendant sa longue convalescence. La remarquable collection de peintures rassemblée par don Sebastián joua un rôle déterminant dans l'évolution sensible du style de Goya, qui allait, de 1794 à l'occupation de Madrid par les troupes napoléoniennes (1808), portraiturer toute la société madrilène[5].

Si tous ses portraits se caractérisent par le brio de la facture tout comme par l'expressivité et le naturalisme des visages, le statut social, le caractère et certainement les possibilités financières de ces aristocrates, politiques et réformateurs, toreros et cantatrices, familiers et femmes du monde qui posèrent devant lui engendrèrent des mises en page très diverses. Les œuvres les plus réussies, qui témoignent d'une sympathie entre le peintre et le sujet, soumettent tous les éléments du tableau à

Fig. 3
Jovellanos
1798
huile sur toile
205 x 133
Madrid, Museo del Prado

Fig. 4
Charles IV en chasseur
huile sur toile
1799
210 x 130
**Madrid, Palacio Real,
Patrimonio Nacional**

Fig. 5
Marie-Louise
1799
huile sur toile
210 x 130
**Madrid, Palacio Real,
Patrimonio Nacional**

l'expression de la personnalité. L'éclatante parade des symboles et attributs qui encadraient *Floridablanca* semble avoir disparu dans le portait de *Jovellanos,* ministre de la Justice et ami de Goya (fig. 3) : les éléments de convention, la table, la statue de Minerve, sont en fait totalement intégrés à la scène « sur le vif » qu'il brosse, et c'est la pose apparemment naturelle du ministre, pensif, qui prend la force d'une allégorie de la mélancolie. À l'inverse, la fierté et la confiance de l'ambassadeur Guillemardet, assis de manière désinvolte, s'expriment sans ambages dans l'ostentation même avec laquelle sont disposés les symboles tricolores de la jeune République (cat. 31). En 1799-1800, une nouvelle série de portraits royaux – certainement liée à un réaménagement des salons du nouveau palais royal et à une nouvelle assurance de la monarchie, alors que s'éteignait la Révolution française – prouve aussi que les conventions imposées par le genre ne l'empêchèrent pas de traduire les caractères bonhomme du roi et impérieux de Marie-Louise (fig. 4 et 5).

Sans que l'on puisse exclure le rôle joué par le commanditaire dans la conception du portrait, la facilité avec laquelle Goya passait d'un registre à un autre était extraordinaire. Il est possible également qu'il ait connu, grâce à quelques-unes de ses relations qui voyageaient en Europe et par la gravure, les directions que prenait alors le portrait en France ou en Angleterre. N'oublions pas combien son esprit curieux l'a toujours poussé, en gravure comme en peinture, à chercher des solutions nouvelles : son portrait de la jeune *Marquise de Santa Cruz* (1805 ; Madrid, Museo del Prado) peut évoquer, par la pose et le choix du costume, celui de *Madame Récamier* par David (1800 ; Paris, musée du Louvre), mais en diffère totalement par le ton naturel, malgré l'évocation allégorique de la Muse Euterpe. La pose nonchalante de *Bartolomé Sureda* (Washington, National Gallery of Art), le coude appuyé sur une table, la main retenant un chapeau, se retrouve chez l'Anglais Gainsborough comme chez l'Italien Batoni[6]. Le portrait en pied de *Javier Goya* et celui de son épouse, *Gumersinda Goicoechea* (collection particulière), reprennent apparemment toutes les conventions d'un genre réservé à la haute société madrilène, dans laquelle le jeune couple aspirait à entrer, mais c'est la grâce fragile de leur jeunesse qui l'emporte.

La guerre d'Indépendance (1808-1813) tarit immédiatement ce type de commande. À de rares exceptions près, Goya ne peignit pendant ces

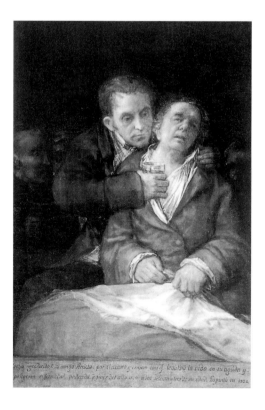

Fig. 6
Goya soigné par Arrieta
1820
huile sur toile
117 x 79
Minneapolis,
Institute of Arts,
Ethel Morrison Van Derlip Fund

années si difficiles que quelques familiers (cat. 40 et 41), d'un très grand intérêt cependant puisqu'ils apportent à l'Espagne les prémices du portrait bourgeois avec ces compositions à mi-corps, l'absence totale d'ornement si ce n'est un éventail pour les femmes et ces expressions plus spontanées. Ces portraits que Goya transcende par le brio de sa touche et le raffinement des coloris l'aidèrent-ils à se débarrasser de tout formalisme ? Les circonstances particulières de l'après-guerre ne favorisant guère la commande, *le Duc d'Osuna* (Bayonne, musée Bonnat) et *la Duchesse d'Abrantes* (cat. 56) furent les seuls aristocrates à revenir vers lui. Goya vieillissant ne réalisa qu'une poignée d'œuvres, montrant une approche sans cesse renouvelée du genre, qui furent sans nul doute les portraits les plus modernes de l'Europe de son temps : plus aucune convention dans le portrait de son ami *Don Tiburcio Pérez y Cuervo* (cat. 57), d'un naturalisme étonnant ; triomphe de la sensibilité et du réalisme dans *Goya soigné par Arrieta* (fig. 6), dépouillement absolu, facture schématique dans *María Martínez de Puga* (1824 ; New York, Frick Collection), et liberté totale de la forme et la touche des tout derniers portraits de l'octogénaire réfugié en France. Chefs-d'œuvre qui préfiguraient un XIXᵉ siècle qui en ignora l'existence.

*

1.   Datation proposée par Wilson-Bareau dans Madrid-Londres-Chicago, 1993, p. 67.
2.   L'histoire de ce portrait peint par Giaquinto lors de son arrivée en Espagne n'est pas encore établie. Voir Paris, 1982, nº 89.
3.   Peint pour le comte de Fernán Núñez, ce tableau a fait l'objet de plusieurs répliques, dont l'exemplaire du Museo del Prado.
4.   Sur ce portrait, voir Wilson-Bareau dans Madrid, 1996b, p. 20, nº 1.
5.   Sur la collection de Sebastián Martínez et les portraits de cette décennie, voir Glendinning, 1992. Les nombreux travaux de Nigel Glendinning (voir la bibliographie) ont totalement renouvelé l'étude de Goya portraitiste.
6.   Brown et Mann, 1990, p. 14.

BODO VISCHER

Les natures mortes
de Goya

Histoire d'un ensemble

Les natures mortes occupent une place tout à fait modeste dans l'œuvre de Francisco de Goya. Seules dix toiles nous sont parvenues, que l'on peut lui attribuer avec une absolue certitude : cela représente une quantité infime par rapport à la totalité de sa production, composée d'environ mille huit cent soixante-dix œuvres. De ce fait, Goya ne peut pas être considéré comme un spécialiste du genre au même titre que les Hollandais De Heem ou Kalf. Pour autant, ce qu'il réalise dans pareille tentative suffit pour que, avec un nombre de toiles restreint, il nous ait donné quelques-uns des exemplaires les plus importants du genre.

Les natures mortes de Goya sont toutes peintes à l'huile sur toile de lin, selon un format similaire (en moyenne 45 x 63). On estime leur exécution à une période comprise entre 1808 et 1812, soit pendant la guerre d'indépendance espagnole contre les Français[1]. À l'origine, elles composaient un ensemble homogène de douze toiles, dont dix se trouvent aujourd'hui dispersées dans différents musées et collections privées. En voici les titres :

1. *Fruits, bouteilles et gimblettes* (G-W 912), Winterthur, collection Oskar Reinhart
2. *Deux Lièvres* (G-W 909), collection particulière
3. *Canard mort* (G-W 908), Zurich, collection particulière
4. *Bécasses* (G-W 910), Dallas, Meadows Museum
5. *Oiseaux morts* (G-W 905), Madrid, Museo del Prado
6. *Dindon mort* (G-W 904), Madrid, Museo del Prado
7. *Dindon plumé et poêle à frire* (G-W 909), Munich, Neue Pinakothek
8. *Tête et carrés de mouton* (G-W 903), Paris, musée du Louvre
9. *Dorades* (G-W 907), Houston, Museum of Fine Arts
10. *Trois Tranches de saumon* (G-W 911), Winterthur, collection Oskar Reinhart

Les natures mortes de Goya sont mentionnées pour la première fois dans l'inventaire du 26 octobre 1812 qui suivit la mort, le 20 juin de la même année, de l'épouse du peintre, Josefa Bayeu. On trouve dans cette liste, à l'entrée 11, sans aucune indication de thème, un intitulé sommaire : *Doce bodegones con el nº once en 1 200*[2]. Et au poste 29 figure une petite toile représentant des oiseaux *(Unos párajos)* pour 25 réaux, qui jusqu'à présent n'a jamais pu être identifiée.

La mort de Josefa Goya ne constituait pas une surprise puisque, un an auparavant, le 3 juin 1811, les deux époux avaient signé un testament réglant le partage des biens entre le conjoint survivant et Javier, leur enfant unique. Ce qui frappe en revanche, c'est la répartition, qui est inhabituelle. Goya conserva le mobilier, les bijoux et les espèces, tandis que Javier se vit attribuer la maison, située au 15 de la Calle de Valverde, ainsi que l'ensemble des peintures, dessins et gravures de son père. Toutes ces œuvres furent marquées d'un X – initiale de Javier selon l'ancienne graphie[3] –, et caractérisèrent le numéro d'inventaire. Encore aujourd'hui, on remarque sur les *Dorades,* dans l'angle inférieur droit, l'inscription *X 11 :* celle-ci constitue l'indice le plus important pour effectuer la relation entre les natures mortes qui nous sont parvenues et les douze *bodegones* mentionnées dans l'inventaire de 1812[4].

Cette marque distinctive donna lieu à spéculations. Vraisemblablement, Javier craignait que Goya ne léguât une partie de l'héritage à Leocadia Weiss, avec laquelle il avait autrefois été lié ; en conséquence, il voulut précocement faire protéger juridiquement ses revendications. Mais, le partage ne fut pas réalisé[5]. En effet, à la clôture de l'inventaire de 1812, Goya continua d'habiter la maison de la Calle de Valverde, qui en réalité avait été attribuée à Javier[6]. Il ne la quitta qu'en 1819 pour s'installer dans la Quinta del Sordo. Il semble donc que le partage ait été effectivement protégé d'un point de vue juridique mais non réalisé dans la pratique, et que les œuvres marquées d'un X restèrent sous le «contrôle» de Goya.

Après la mort de l'artiste, en 1828, les natures mortes restèrent tout d'abord dans la famille. Des transactions intervinrent ensuite au sein de ses membres, proches ou éloignés. On a longtemps pensé que Javier transmit cet ensemble à son fils, Mariano, mais on dispose d'un autre éclairage grâce à la récente publication d'un document par Nigel Glendinning, en 1994 : selon ce document, Javier avait dû vendre directement les natures mortes au beau-père de Mariano, Francisco Javier de Mariátegui, car les douze natures mortes resurgissent dans l'inventaire de celui-ci, établi en 1845. Elles y figurent sous cet intitulé : *Doce cuadros o sean bodegones de Goya, dos mil quinientos reales… 2 500*[7].

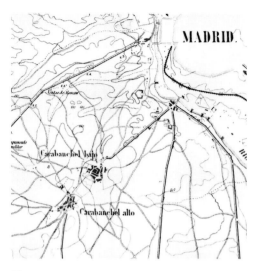

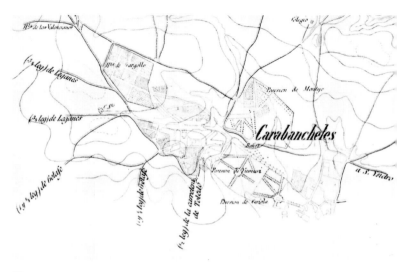

Fig. 1
*Plan général des environs de Madrid
avec le site de Carabancheles, 1878*
Madrid, Biblioteca Nacional

Fig. 2
Carte militaire du site de Carabancheles, 1856
Madrid, Biblioteca Nacional, R. 103

Au décès de Francisco Javier de Mariátegui, en 1845, ces natures mortes revinrent à sa fille María de la Concepción Mariátegui, qui avait épousé Mariano Goya. Elles changèrent toutefois rapidement de mains. En effet, le 2 mars 1846, le couple Goya avait contracté un prêt de plus de 132 000 réaux auprès de Francisco Antonio Narváez y Bordese, comte de Yumuri. Celui-ci avait en échange exigé des garanties sur les propriétés foncières, le bétail, les charrettes, ainsi que sur le mobilier et les œuvres, parmi lesquelles vraisemblablement se trouvaient les douze natures mortes. Tous ces biens furent notés dans un inventaire détaillé[8].

Manifestement, María et Mariano Goya ne purent s'acquitter de leur dette puisque trois ans plus tard, le 24 mars 1849, fut rédigé un document de cession *(escritura de cesion)* au profit du comte. Figurant à l'entrée 4a, les toiles étaient estimées 40 000 réaux[9]. Le 1er août 1851, elles devinrent la propriété du comte, avec les autres biens cédés : c'est ce que l'on peut conclure à la lecture d'un inventaire qui fut dressé le 22 septembre 1865, soit trois semaines après le décès du comte de Yumuri, le 1er du même mois, dans la villa Delicias Cubanas, sa propriété[10].

Carabanchel Alto, où était située cette demeure, a été absorbé par l'urbanisation très rapide autour de la capitale espagnole ; mais, au milieu du XIXe siècle, c'était un élégant quartier situé au sud-ouest de Madrid, à environ six kilomètres du centre de la capitale. On dispose d'une représentation de l'emplacement de la villa Delicias Cubanas grâce à un plan d'ensemble de 1878 (fig. 1), ainsi qu'à une carte détaillée datant de 1856 (fig. 2). On y voit une somptueuse propriété entourée d'un parc parfaitement entretenu. Au centre du parc s'élevait la villa, dernier endroit où les douze natures mortes sont mentionnées comme composant un ensemble. Selon les indications de l'inventaire du 22 septembre 1865 (fig. 3), elles ornaient les murs de la salle à manger. Elles sont ainsi décrites[11] :

Fol 352 r°,
– 72. Salle à manger
Une nature morte de trois paumes, pièces de chasse, perdrix,
original de D. Fran^{co} Goya, cinquante escudos
(localisation inconnue)
– 73. Une autre du même auteur et de mêmes dimensions (dorades)
cinquante escudos
(Houston, Museum of Fine Arts)

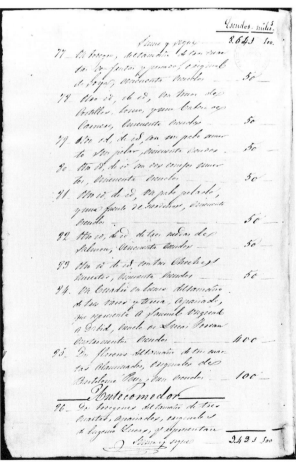

Fig. 3
Inventaire du comte de Yumuri, 22 septembre 1865, Madrid, Archivo Histórico de Protocolos
P° 28532, f° 352 r°. v°.

– 74. Une autre, du même auteur et de mêmes dimensions,
avec des fruits, des gimblettes et un tonneau d'olives, cinquante escudos
(Winterthur, collection Oskar Reinhart)
– 75. Une autre du même auteur et de mêmes dimensions,
avec des oiseaux morts, cinquante escudos
(Madrid, Museo del Prado)
– 76. Une autre, du même auteur et de mêmes dimensions,
avec un canard mort, cinquante escudos
(Zurich, collection particulière)

Fol. 352 v°
– 77. Une nature morte de trois paumes avec des fruits et des poissons,
original de Goya, cinquante escudos
(localisation inconnue)
– 78. Une autre du même auteur et de mêmes dimensions,
avec côtes, échine et tête de mouton, cinquante escudos
(Paris, musée du Louvre)
– 79. Une autre du même auteur et de mêmes dimensions,
avec un dindon mort non plumé, cinquante escudos
(Madrid, Museo del Prado)
– 80. Une autre du même auteur et de mêmes dimensions,
avec deux lapins morts, cinquante escudos
(New York, collection particulière)
– 81. Une autre du même auteur et de mêmes dimensions,
un dindon plumé et une poêle à frire avec des sardines, cinquante escudos
(Munich, Neue Pinakothek)
– 82. Une autre du même auteur et de mêmes dimensions,
avec trois tranches de saumon, cinquante escudos
(Winterthur, collection Oskar Reinhart)
– 83. Une autre du même auteur et de mêmes dimensions,
avec trois bécasses mortes, cinquante escudos
(Dallas, Meadows Museum)

Elles furent attribuées à Francisco Antonio Narváez y Larrinaga, fils aîné du défunt et nouveau comte de Yumuri[12]. Toutefois, on perdit leurs traces pendant dix ans à compter du 30 juillet 1866, date de leur dernière mention dans l'inventaire Yumuri, achevé à ce moment-là. On les retrouva ensuite lors de diverses ventes aux enchères à Paris et à Barcelone, à l'occasion desquelles elles furent cédées séparément ou par petits lots. Les modalités exactes de ces transactions nous sont inconnues, mais il est évident que l'ensemble des natures mortes de Goya quitta Madrid après 1866 et fut dispersé entre différents acquéreurs. C'est à cette époque que l'on en perdit deux : *Perdrix* et *Fruits et poissons*.

Le 25 mai 1877 furent proposées à la vente, à Paris, quatre natures mortes appartenant au comte Victor-François-Léonard de Terbeck, de Compiègne : *Lièvres morts, Canard aux ailes étendues, Groupe de bécasses* et *Diverses pièces de mouton posées sur un étal*. Mais ces pièces revinrent au comte de Terbeck sans avoir trouvé preneurs. Cinq ans plus tard, le 10 avril 1882, les mêmes toiles furent de nouveau proposées lors d'une vente aux enchères, et adjugées pour 400 francs français[13]. Entretemps, le 12 avril 1878, avait reparu sur le marché[14] les *Dorades,* qui provenait de la collection Zacharie Astruc, un ami de Manet.

En 1909, Hans von Tschudi acheta chez Molinar, marchand à Paris, le *Dindon plumé et poêle à frire* pour le compte de l'Ancienne Pinacothèque de Munich[15]. Enfin, en 1937, firent surface à Paris *Fruits, bouteilles et gimblettes* ainsi que *Trois Tranches de saumon,* deux toiles qui avaient été exposées dans la galerie Paul Rosenberg en même temps que *Tête et carrés de mouton,* déjà proposé à la vente en 1877 et 1882 par le comte de Terbeck et ses héritiers[16]. Huit des dix natures mortes actuellement conservées étaient donc périodiquement ressorties à Paris depuis 1877, date à laquelle elles ont manifestement été vendues en un seul lot au même acquéreur.

Seules deux natures mortes de l'ensemble primitif restèrent en Espagne : *Oiseaux morts* (cat. 43) et *Dindon mort* (cat. 44). Ces œuvres furent exposées le 2 mai 1879 dans une galerie de Barcelone[17], mais furent ensuite rapportées à Madrid, où, le 27 décembre 1898, le marchand Rafael García Palencia les proposa au Museo del Prado[18]. Au terme d'une longue négociation quant aux modalités financières, elles furent officiellement acquises par le musée le 20 mars 1900[19].

La description inhabituellement détaillée des natures mortes de Goya dans l'inventaire Yumuri, qui cite également les sujets des toiles disparues, *Perdrix* et *Fruits et poissons,* nous permet de reconstituer le groupe tout entier.

Cet ensemble forme un arc qui se tend depuis les thèmes de chasse relativement traditionnels comme *Nature morte aux perdrix, Deux Lièvres, Canard mort* et *Bécasses* (cat. 42), les deux toiles relatives à des fruits, *Fruits, bouteilles et gimblettes* et *Fruits et poissons,* en passant par les toiles consacrées aux pièces de marchés et de cuisine, *Oiseaux morts, Dindon mort, Dindon plumé et poêle à frire* (cat. 45) et *Tête et carrés de mouton* (cat. 46) jusqu'aux deux œuvres ayant pour thème le poisson, *Dorades* (cat. 47) et *Trois Tranches de saumon,* couvrant ainsi un spectre extrêmement large. Toutefois, malgré cette diversité, cet ensemble prend une cohérence dans l'évolution artistique. On peut dire qu'elle commence avec *Fruits, bouteilles et gimblettes*, œuvre d'apparence plutôt traditionnelle comprenant plusieurs parties, pour s'achever au terme d'un processus de réduction et d'abstraction, avec *Trois Tranches de saumon*, où Goya s'est concentré sur un motif unique. Parallèlement à cette évolution vers l'abstraction, on observe une prégnance de plus en plus forte de la question de la mort : partant de *Deux Lièvres*, au thème relativement anodin, on passe à l'intensité dramatique de *Dindon plumé et poêle à frire*, pour arriver à une radicalité totale dans les tranches de poisson représentées dans *Trois Tranches de saumon*.

1. Matheron, 1858, nous précise que Goya, alors âgé, aurait encore peint pendant son exil bordelais, de 1824 à 1828, d'autres « tableautins de nature morte en très grand nombre », mais que jusqu'à présent aucun d'entre eux n'a pu être identifié. « Il allait se promener pesamment aux halles, s'arrêtant devant les étalages les plus opulents et les plus pittoresques, et rentré chez lui, il faisait son tableau en un tour de main, entre deux cigarettes. »

2. « Douze natures mortes portant le n° 11, pour 1 200 réaux. », Sánchez Cantón, 1946b, p. 106.

3. Il avait encore, dans l'inventaire de 1812, orthographié son nom avec un X et, plus tard il optera pour le J. Sur cette question et pour une discussion détaillée de l'inventaire de 1812, voir Wilson-Bareau, 1996b, p. 159-174.

4. Cette nature morte est la seule sur laquelle on remarque cette inscription encore aujourd'hui. Lors des préparatifs de l'exposition *Goya* en 1970 à Paris, à l'Orangerie des Tuileries, Juliet Wilson-Bareau avait également repéré, sur *Tête et carrés de mouton*, dans l'angle inférieur droit, les derniers vestiges de l'inscription *X 11* : aujourd'hui, celle-ci n'est plus visible. Voir La Haye-Paris, 1970, n° 35.

5. Salas, 1964, p. 102 : « [...] La division ayant été faite selon la loi, pour des raisons affectives on ne change pas ce qui a toujours existé. »

6. En 1812, Javier habitait le 9 Calle de la Zarza.

7. Glendinning, 1994, p. 100 et 107.

8. Ce contrat fut rédigé le 2 mars 1846 chez José Camacha, notaire : *« La cantidad de ciento treinta y dos mil reales [...] con todas las tierres, ganados y demas efectos de que se compone, y en el interin hipoteca seguridad todos sus carruajes, cuadros, muebles [...] el Señor Conde [...] formará la que ortaga un esacto inventario de todos ellos firmado »*, Madrid, Archivo Histórico de Protocolos, P° 25438, José Camacha, 1846, f°s 44-49. Ce prêt fut progressivement augmenté. Au 28 juillet 1851, c'est la somme de 656 626 réaux qu'il s'agissait de rembourser, Madrid, AHP, P° 26224, Antonio Puga, f° 247.

9. *« Las pinturas [...] en precio y quantita de quarenta mil reales. »*, Madrid, AHP, P°. 25601, Vicente Barba, 1849, f°s 96r-100v. Sur ce document, voir la minutieuse étude de Glendinning, 1994, p. 100-110.

10. Le nom Delicias Cubanas, qui peut paraître exotique à première vue, s'explique vraisemblablement par le fait que les parents de Maria Belén Gonzales de Larrinaga, comtesse de Yumuri, étaient originaires de La Havane ; ils s'appelaient respectivement Ygnacio Gonzales Larrinaga et Tomasa Benitez.

11. Madrid, AHP, P° 28532, Antonio Puga, 1866, f° 352 r°-v° ; texte espagnol et commentaires dans Vischer, 1997, p. 121-123.

12. Madrid, AHP, P° 28532, Antonio Puga, 1866, f° 291r. Francisco Antonio Narváez reçut toutes les toiles, à l'exception de trois spécimens provenant de la maison de Madrid.

13. Les recherches de Desparmet Fitz-Gerald, 1928-1950, t. 2, p. 264, n°s 23-25, ont été précisées depuis : Rose de Viejo, 1997, p. 406.

14. Desparmet Fitz-Gerald, *op. cit., loc. cit.*, n° 35.

15. Voir Soehner, 1963, p. 72.

16. Mayer, 1939, p. 240 ; Neue Pinakothek, 1989, p. 117.

17. C'est à don Antonio Correa que revient le mérite d'avoir découvert les deux natures mortes conservées au Museo del Prado : voir *Diario de Barcelona* du 2 mai 1879. Nous remercions Nigel Glendinning pour cette précision, et pour l'autorisation de la mentionner dans cet essai.

18. Voir Madrid, 1996, p. 404, note 3.

19. Ces indications correspondent à la documentation du Museo del Prado : *« Adquiridos en 20 de marzo del 1900 al Sr. Garcia Palencia por 6 000 Pesetas. »*

JULIET WILSON-BAREAU

Goya au travail

À l'exception des fresques qu'il réalisa à Saragosse et à San Antonio de la Florida et de ses fameuses *Peintures noires,* peintes dans sa propre maison, Goya exécuta presque toutes ses œuvres à l'huile sur toile ou sur d'autres supports en atelier. Nous ne savons pourtant pratiquement rien de leur emplacement ni du cadre dans lequel il travaillait. Nous ne disposons que de quelques informations extrêmement ténues sur les aides qui l'assistèrent pendant sa longue carrière alors que certains d'entre eux sont en partie au moins responsables de peintures habituellement considérées comme étant de Goya. Qui plus est, de récentes recherches techniques ont remis en question l'attribution à Goya d'œuvres figurant depuis longtemps dans son catalogue mais qui, pour certains spécialistes, sortent de sa sphère d'activité ou ne correspondent pas aux caractéristiques de son style. Rejeter des peintures attribuées à ce grand artiste reste une entreprise difficile. Il était pourtant clair dès la fin du XIXᵉ siècle que la grande renommée de Goya avait entraîné un nombre alarmant d'attributions[1].

Tous les spécialistes de Goya connaissent le nom d'Agustín Esteve Marqués (1753-vers 1830). Excellent artiste, il approvisionna la famille royale et l'aristocratie en copies des portraits de Goya (cat. 58), et ses propres réalisations, des portraits principalement, ont été souvent attribuées à Goya[2]. Valencien également, Asensio Juliá Alvarrachi (1760-1832) – Asensí en valencien –, probablement portraituré par Goya dans une petite esquisse très vivante (cat. 30), a traditionnellement été associé avec l'entreprise des fresques de San Antonio de la Florida et avec un certain nombre d'œuvres postérieures à 1800[3]. On sait que d'autres artistes, élèves ou assistants, ont aussi travaillé avec Goya au début du XIXᵉ siècle, mais leurs figures restent encore trop dans l'ombre pour que l'on puisse évaluer l'importance de leur travail[4]. Aucune étude comparative sérieuse des œuvres des deux principaux assistants de Goya,

Esteve et Juliá, qui permettrait de définir et de distinguer leur main, n'a encore été entreprise ; elle serait pourtant déterminante quant à l'identification des ouvrages autographes de Goya.

Les sources contemporaines nous rapportent que Goya travaillait avec une rapidité remarquable ; il pouvait capter un portrait ou couvrir une large surface plus vite qu'aucun de ses collègues[5]. Il faisait aussi grand cas des notions de liberté artistique, d'originalité et d'intégrité mais se sentait souvent aussi accablé par les nombreuses commandes et par les délais imposés. Dernier point enfin, il a toujours fait très attention à l'argent ; l'héritage qu'il souhaitait laisser à son fils et à son petit-fils le préoccupa constamment à la fin de sa vie. Nous devons donc nous demander si Goya pouvait avoir été prêt à compromettre ses capacités de création et son idéal artistique en faisant appel à des assistants pour effectuer partie ou même totalité d'une œuvre qu'il présentait ensuite comme de sa main, ce qui réduisait son revenu – puisqu'il fallait le partager avec l'assistant – mais augmentait sa production. Comme tant d'artistes d'autres époques, y compris la nôtre, il n'aurait pas hésité à revendiquer comme originales des peintures réalisées par d'autres artistes sous sa direction.

Un examen technique détaillé des œuvres elles-mêmes est la seule base sur laquelle se fonder pour résoudre de telles questions. En l'attendant, on peut déjà consulter les lettres et les documents contemporains, analyser les peintures dont on a encore les dessins préparatoires et les esquisses et guider l'œil expérimenté mais délibérément «innocent», interrogateur et impartial de l'expert vers des œuvres précises. Toutes fragmentaires, incomplètes, subjectives ou même peu scientifiques qu'elles puissent être, ces sources d'information nous aident à regarder dans l'atelier de Goya tandis qu'il peint (fig. 1), à comprendre sa manière de travailler et à déterminer la façon dont ses méthodes ont changé au cours des années.

Goya et son fils, eux-mêmes, ont retracé les grandes lignes de sa vie et de sa carrière mais ces données n'apportent que peu d'informations sur sa façon de travailler et rien sur ses ateliers[6]. Goya fit un certain nombre de déclarations formelles destinées aux autorités du palais royal ou à des commissions de beaux-arts et écrivit des lettres pour accompagner les tableaux qu'il présentait aux commanditaires ou à l'académie royale des beaux-arts San Fernando[7]. Nous disposons des relations plus tardives de son ami l'historien de l'art Juan Agustín Ceán Bermúdez et des récits de visiteurs venus dans l'atelier de Goya ou dans la maison de son fils à Madrid[8]. De 1775 à 1801, Goya écrivit régulièrement à Martín Zapater, son ami de Saragosse, et ces lettres nous laissent l'aperçu le plus

Fig. 1
Autoportrait dans l'atelier
1795
huile sur toile
42 x 28
Madrid, Real Academia
San Fernando

vivant et le plus suggestif sur ses activités artistiques. Une lecture attentive de toutes ces sources dépeint assez clairement ce qui se passait dans
son atelier pour que nous puissions poser les bonnes questions et
commencer à chercher les réponses.

Quand, venant de Saragosse, Goya arriva à Madrid, en 1775, Anton
Raphael Mengs, maître du nouveau style néoclassique, était *primer pintor
de cámara* («premier peintre de chambre»), ce qui lui donnait droit à un
logement aux frais du roi et à un atelier près du palais. Il disposait, en
fait, d'un bel appartement et d'un atelier dans la Casa de la Cadena, propriété royale, et d'un autre atelier, plus vaste, dans la Casa de Rebeque,
édifice du XVIe siècle situé juste au sud-est du nouveau palais royal[9].
Quand Mengs quitta Madrid en 1777, son assistant Francisco Bayeu reçut
la permission de s'installer dans son appartement et de reprendre son
atelier de la Casa de Rebeque. Le vieux peintre de cour Andrés de
la Calleja avait également un grand atelier dans la Casa de Rebeque, où
Charles III avait exilé les nus des collections royales que Calleja était
chargé de surveiller[10]. Il supervisait aussi les jeunes artistes, dont Goya,
autorisés à copier des peintures. À la mort de Calleja, en 1785, Francisco
Bayeu tenta d'annexer son studio mais l'architecte de la cour en alloua

une partie à Salvador Maella, collègue et grand rival de Bayeu à la cour, qui devint le mentor de Goya.

Tandis que leurs aînés se querellaient à propos de leurs statuts ou de leurs ateliers, les jeunes artistes devaient se débrouiller par eux-mêmes. Bien qu'il ne soit jamais parvenu au rang de premier peintre, Francisco Bayeu était en 1779 le plus puissant des artistes de la cour madrilène. Goya retira donc un avantage stratégique considérable de son mariage avec Josefa, sœur de Bayeu. Ramón, le plus jeune frère de Francisco, travaillait déjà sous sa direction lorsque Goya fut convoqué à Madrid pour aider à la réalisation des cartons de tapisserie pour la manufacture royale de Santa Barbara. Vivant avec sa femme chez Bayeu, il dut, pendant ses premières années à la cour, travailler à côté de Ramón dans l'atelier de Francisco.

Ces jeunes artistes, qui recevaient une faible allocation annuelle du palais et ne pouvaient travailler à l'extérieur sans permission, ce qui les poussait à travailler le plus possible pour la cour, devaient présenter leurs factures au palais avec la description et l'évaluation de tous les cartons achevés. Ils étaient payés à la moitié de la valeur réelle, ou à un tiers si le carton avait été peint d'après l'esquisse d'un autre artiste. Ce qui explique que, après une première série sur des thèmes de chasse exécutée sous la direction et probablement d'après les dessins de Francisco Bayeu, Goya précisa clairement dans toutes les factures suivantes, commençant avec *le Pique-nique* (cat. 21), que ses cartons étaient originaux et de sa propre invention. Lorsqu'il devint, en 1786, *pintor del rey* («peintre du roi») – salarié, avec l'obligation de peindre des cartons de tapisserie et «tout ce qui sera demandé pour le service royal» –, il ne décrivit plus dans ses factures le sujet des cartons. Elles ne furent plus que de simples demandes de remboursement des dépenses engagées – produits et couleurs, paiements au broyeur de couleurs, fourniture de caisses et déplacements – accompagnées des factures des fournisseurs.

Le roi devait approuver les esquisses à l'huile avant que Goya ne commençât à travailler sur les cartons ; cependant, elles demeuraient en sa possession et il en fit bon usage, pour pousser sa carrière à la cour comme pour montrer ses talents à des clients potentiels. En 1778, il en envoya plusieurs à Carlos Salas, sculpteur en charge du décor en stuc au Pilar de Saragosse – et parrain de son premier enfant –, dans l'espoir d'obtenir une commande pour cette basilique alors en plein chantier décoratif (lettre à Zapater du 21 janvier 1778). À la fin de l'année, après que Sabatini lui eut «enlevé quelques belles esquisses», il ne lui en restait plus mais il en promettait quand même une à Zapater «que j'ai depuis un certain temps, celle de la danse en rond avec San Francisco el Grande à l'arrière-plan» (décembre 1778) [11]. Malgré les rapports généralement enthousiastes de ses supérieurs, Sabatini renvoya à Goya le très grand carton de *l'Aveugle à la guitare* avec des instructions «pour corriger et compléter ce qui y est seulement esquissé et qui le rend impossible à copier en tapisserie» (27 avril 1778), indication précoce de la préférence de l'artiste pour une apparence fraîche et non «finie» de son travail.

Cette préférence, qui allait à l'encontre des principes et de l'art de Francisco Bayeu, est au cœur du différend qui, en 1781, opposa Goya aux autorités du Pilar de Saragosse à propos de la fresque qu'il venait d'achever sur l'une des coupoles de la basilique. Ce conflit, qui a trait au style de l'œuvre et à son désir d'autonomie face aux directives de Francisco Bayeu, est très révélateur [12] : il montre d'abord le grand cas que, même au début de sa carrière, Goya faisait de son statut d'artiste indépendant, l'intérêt qu'il portait à inventer des solutions originales aux problèmes que posaient les commandes, sa parfaite croyance dans ses propres méthodes tout comme son rejet du style et de la technique qu'utilisait son beau-frère, autorisé finalement par le conseil de fabrique à apporter les modifications jugées nécessaires [13].

Goya vivait depuis 1779 au 1 de la Calle del Desengaño, non loin de la Puerta del Sol [14]. Il devait y rester vingt ans, pendant lesquels il agrandit peut-être son appartement. En effet, il se plaignit rapidement à Zapater de ce qu'il n'avait «pas de place, même pas pour ma chaise, mais on est en train d'y remédier» (2 novembre 1781). La maison de Goya était sans doute consacrée à la vie familiale. Sa femme eut sept enfants, dont seul le dernier, Javier, passa le cap de la petite enfance ; on peut imaginer que, dans de telles conditions, le père ne pouvait pas faire beaucoup plus, dans l'appartement familial, que prendre une plume pour esquisser un projet ou écrire une lettre à Zapater. Avait-il un atelier dans l'immeuble ? Où peignait-il les petites esquisses et les très grands cartons qu'exigeait son travail à la manufacture de tapisserie ? Quand il se lança dans la peinture de portrait au début des années 1780, où fit-il poser les personnes ? Les portraits en pied exigeaient de grandes toiles. Aucune de ces questions n'a de réponse certaine. Le seul document retrouvé jusqu'à présent est un reçu pour un transport de peintures «de la maison de don Juan Goya» – Calle del Desengaño probablement – jusqu'à La Alameda, maison de campagne des Osuna (22 avril 1787).

Goya ne pouvait guère convoquer dans son atelier les plus importants membres de la cour. En 1783, il esquissa d'après nature un portrait de Floridablanca pendant le séjour printanier de la cour à Aranjuez et se vanta auprès de Zapater de sa bonne ressemblance comme de la satisfac-

Fig. 2
La Famille de l'infant don Luis
1784
huile sur toile
248 x 330
Parme,
Corte di Mamiano,
Fondazione Magnani-Rocca

tion du comte (26 avril 1783). C'est à partir de cette esquisse qu'il dut réaliser, dans son atelier, l'ambitieuse composition montrant Floridablanca dans son bureau, le binocle prêt à inspecter la peinture que Goya lui montre.

À la fin de l'été de 1783, Goya passa un mois chez le frère du roi, l'infant don Luis, qui vivait avec sa jeune femme (cat. 8) dans un palais de la Sierra de Gredos. Il réalisa des portraits de don Luis, de sa femme et de leurs enfants et y retourna l'année suivante pour peindre l'imposant portrait de groupe de la famille et des serviteurs, où il s'insère à nouveau (fig. 2). Il fit également le portrait équestre de l'infante, sur un petit *modello* (Florence, Galleria degli Uffizi) et grandeur nature (lettre à Zapater du 2 juillet 1784). Pour réaliser toutes ces œuvres, certaines de grand format, il s'installa certainement dans une pièce du palais ou une dépendance. Il est évident qu'il dut travailler très vite, sans beaucoup d'aide, probablement aucune.

Lors de leur nomination comme peintres du roi, en juin 1786, on fit savoir à Goya et à Ramón Bayeu qu'ils devraient d'abord payer eux-mêmes toutes les dépenses engagées pour leurs travaux puis présenter des factures pour être remboursés. Ils en appelèrent au roi, expliquant qu'ils n'avaient pas assez de disponibilités financières et suggérant que le palais fournisse et paie à la fois pour l'essentiel des fournitures dont chacun d'eux avait besoin et pour le *moledor* («broyeur de couleurs»), qui broyait les pigments et mélangeait les couleurs. Ils arguaient même que cet arrangement serait source d'économies (20 décembre 1786).

Six mois plus tard, Goya pouvait annoncer à Zapater qu'il avait «un secrétaire et broyeur de couleurs payé par le roi» (12 mai 1787). Il s'agissait de Pedro Gómez, connu aussi sous le nom de Perico de Carabanchel; il avait d'abord travaillé pour Francisco Bayeu et passa au service de Goya le 31 décembre 1787. En mai 1788, alors qu'il travaillait contre la montre aux esquisses d'un nouvel ensemble de cartons, dont la grande et complexe *Prairie de Saint-Isidore* (cat. 20), il prenait Pedro Gómez à témoin pour assurer à Zapater qu'il ne pourrait ni dormir ni se reposer avant qu'elles ne soient achevées (31 mai 1788). Ce projet fut interrompu par la mort de Charles III, en décembre 1788, alors que Goya n'avait peint qu'un carton.

Goya devint immédiatement le peintre favori des nouveaux souverains, Charles IV et Marie-Louise. En mai 1789, il prêta serment comme peintre de chambre, poste très convoité et uniquement surpassé par celui de premier peintre, honneur qu'il obtint dix ans plus tard. Il semble bien que ce soit lui qui, en 1789, ait fourni la plupart des portraits royaux commandés tant pour le palais et les institutions officielles que par l'aristocratie. Il est bien possible que les nouveaux souverains aient eux-mêmes choisi de poser pour Goya comme le prouverait une facture conservée dans les archives du palais faisant état de «dépenses engagées pour faire les portraits de Leurs Majestés qui furent peints sur leur ordre par don Francisco de Goya, leur peintre de chambre» (30 juin 1789). Travaillant à partir d'esquisses qu'il avait à l'évidence peintes à Aranjuez, il produisit, et d'autres artistes avec lui, de nombreuses variantes et copies. Les originaux restèrent probablement dans l'atelier de Goya pour être utilisés à la demande jusqu'à ce que, dix ans plus tard, les souverains commandent de nouveaux portraits, ce qui entraîna la transformation de cette première paire (cat. 22).

Ce travail répétitif peut avoir marqué le début de la collaboration de Goya avec d'autres artistes, qui l'aidaient dans l'exécution de peintures précises ou copiaient simplement les originaux. Il est possible qu'ils aient réalisé ces travaux dans la Casa de Rebeque, où, comme pour Francisco Bayeu et Maella, les plus importants peintres de cour avaient fréquemment droit à un atelier. Mais nous n'avons aucune trace effective d'un tel arrangement pour Goya. Dans la facture jointe à l'une des plus belles paires de la première série de portraits, qui lui fut commandée grâce à Jovellanos, intellectuel éclairé et futur homme d'État, Goya précise bien qu'il peignit lui-même ces peintures pour l'académie royale d'histoire (11 septembre 1789). Ces portraits étaient assurément des œuvres autographes réalisées d'après les peintures originales. Cependant, d'autres répliques ou copies, certaines probablement dues à Agustín Esteve, sont d'une qualité nettement inférieure et n'ont pas l'éclat et la subtilité des véritables portraits de Goya.

Il est clair qu'après sa nomination comme peintre de cour, en juin 1786, Goya souhaita en finir avec les cartons de tapisserie, travail qui lui avait permis de démontrer ses talents de peintre et qui joua un grand rôle dans le développement de sa réputation. Il laissa passer une année entière avant de commencer à travailler sur une nouvelle série de cartons commandée par le roi en avril 1790, obligeant le directeur de la manufacture à en référer à Charles IV et arguant encore, avant d'accepter, qu'il « ne peint pas et n'a pas l'intention de peindre [des cartons de tapisserie] maintenant qu'il a le titre de peintre du roi[15] » (13 avril 1791). Cette dernière série est d'une qualité inférieure aux premières œuvres de la même veine ; on peut donc se demander si tous ses cartons sont autographes ou s'ils furent peints, en partie ou en totalité, par des assistants à partir des esquisses si vivantes de Goya (cat. 23).

Sa maladie presque fatale de 1792-1793 et la surdité qu'il en garda ne furent pas les seules raisons qui poussèrent Goya sur des voies encore plus indépendantes[16]. Il avançait avec son temps — on était en pleine Révolution française — et son talent comme ses intérêts le poussaient vers une forme de peinture qui devait abandonner les formalités et la bureaucratie typiques de l'art de cour du XVIIIe siècle. Rompant nettement avec les représentations traditionnelles de la monarchie, les portraits de la famille royale qu'il exécuta au tournant du siècle (Madrid, palais royal et Museo del Prado) furent reçus avec enthousiasme par celle-ci. La reine, notamment, écrit à son favori, Manuel Godoy, plusieurs lettres à ce sujet qui révèlent que Goya suivait les modèles royaux de palais en palais, peignant sur place les esquisses et les portraits grandeur nature. En 1799, à la fin du séjour d'été à La Granja, il fit ceux de la reine en costume de *maja,* avec une robe de dentelle noire et une mantille (24 septembre 1799), et du roi en costume de chasse. Pendant l'automne, à l'Escurial, la reine posa trois fois pour son portrait équestre, qu'il commença immédiatement (9 octobre 1799). À peine une semaine plus tard, elle confiait à Godoy qu'elle voulait que Goya fît pour lui de bonnes copies de ses récents portraits et qu'elle souhaitait que son favori eût une copie par Esteve du portrait « à la mantille » et du portrait équestre, puisque c'est lui qui lui avait offert son cheval (15 octobre 1799). Ces lettres nous donnent une bonne idée de la rapidité de Goya, de son intense activité et de la satisfaction des souverains, qui conduisit à la nomination de Goya et de Maella comme premiers peintres de chambre (31 octobre 1799), et à celle d'Esteve comme peintre de chambre l'année suivante.

Au printemps de 1800, la reine écrivit à Godoy que le roi voulait avoir Goya à Aranjuez, dès qu'il aurait fini le portrait de la comtesse de Chinchón, épouse du favori, «pour faire le portrait de nous tous ensemble» (22 et 24 avril 1800). Goya fit les études individuelles des figures (cinq sont au Museo del Prado) devant les modèles, à Aranjuez, mais réalisa certainement le grand tableau (fig. 3) à Madrid puisque sa facture, datée du 23 juillet 1800, montre que l'on transporta seulement dix toiles pour les esquisses entre Madrid et Aranjuez (aller et retour). Il peignit ensuite encore une autre paire en pied, la reine en habit de cour, le «meilleur» selon elle, et le roi en uniforme militaire, tableau exécuté dans la Casita del Labrador à Aranjuez[17] (14 juin 1800).

Né à Valence en 1753 mais installé à Madrid depuis ses études, Agustín Esteve devint dans les années 1790 le principal collègue de Goya et son copiste pour les portraits. En 1800, les souverains commandèrent directement des copies tant à Goya qu'à Esteve. Celui-ci réalisa, entre autres, trois répliques de la paire que forment la reine en mantille et le roi en habit de chasse[18] (facture du 20 juillet 1800).

Sans aucun doute, d'autres commanditaires avaient déjà recouru aux talents d'Esteve pour obtenir des répliques des portraits de Goya, qu'il s'agisse de portraits royaux de 1789 ou de ceux de membres de leurs familles, tels les portraits du duc et de la duchesse d'Albe, peints en 1795 (cat. 58 et collection particulière). Une comparaison attentive entre une copie d'Esteve et l'original de Goya – qui n'a encore jamais été faite – serait riche d'enseignements sur l'habilité et les limites du Valencien.

Lors de la nomination de Maella et de Goya comme premiers peintres du roi, le roi avait souhaité que «Goya déménage dans la maison actuellement occupée par don Mariano Maella, au cas où ce dernier meure avant lui[19]» (31 octobre 1799). Godoy acquit en mai 1800, pour la donner à sa maîtresse Pepita Tudó, la propriété de la Calle del Desengaño, où Goya vivait depuis une vingtaine d'années; en juin, le peintre acheta à quelques pas de là, au 15 de la Calle Valverde, qui faisait l'angle avec l'autre côté de la Calle del Desengaño, une maison entière de quatre étages avec des boutiques au rez-de-chaussée et dont il occupa le deuxième étage[20]. Même si la maison fut donnée à son fils Javier lors du partage des biens consécutif à la mort de Josefa, en 1812, Goya y vécut jusqu'à son installation à la Quinta del Sordo, en 1820.

Calle Valverde, Goya devait avoir un ou plusieurs ateliers où l'on venait voir les peintures et acheter celles qui étaient en vente. De nombreux personnages peints après juin 1800 posent dans le mobilier décrit dans l'inventaire des biens de 1812, le sofa de damas jaune (cat. 36) ou des chaises qui peuvent être les *sillas de Vitoria*. Cependant, il n'est pas certain qu'il y ait peint, entre 1812 et 1815, des toiles aussi grandes que les *Deux Mai 1808* et *Trois Mai 1808* (Madrid, Museo del Prado), les portraits équestres grandeur nature de Wellington et de Palafox ou encore les nombreux portraits en pied de Ferdinand VII – certains sont autographes, d'autres en totalité ou en partie de ses assistants.

Qui étaient ses assistants? En plus d'Esteve et de Juliá, on connaît le nom de cinq d'entre eux. En 1803, Goya supervisait l'éducation artistique de Luis Gil Ranz, âgé de seize ans, bénéficiaire d'une bourse du palais, qui l'accompagna à Saragosse à l'automne de 1808, en pleine guerre[21]. On ne connaît le nom d'un autre, León Ortega y Villa, dix-huit ans, que par la liste des blessés de la Puerta del Sol, le 2 mai 1808[22]. Après le départ des Français de Madrid, en 1812, Felipe Abas, qui avait dressé et signé l'inventaire de 1812 avec l'estimation des peintures de Goya, fut chargé le 2 janvier 1813 de masquer par le mot CONSTITUTION le portait de Joseph Bonaparte qu'avait peint Goya dans son *Allégorie de la ville de Madrid*[23] (Madrid, Museo Municipal). Asensio Juliá (cat. 30), «virtuellement le seul élève de Goya» selon son contemporain le collectionneur Valentín Carderera, qui cite deux copies de l'*Autoportrait* avec le médecin Arrieta, semble bien avoir été son principal assistant. On ne connaît encore de lui qu'une poignée d'œuvres mais certaines qui furent données à Goya pourraient lui être attribuées[24].

C'est assurément dans un atelier de la Calle Valverde que Goya peignit toutes les petites peintures de cabinet, les natures mortes (cat. 42 à 47) et les grandes scènes de genre qui figurent dans l'inventaire de 1812 (cat. 48 à 52). Même s'il nous fait connaître quelques-unes des œuvres qui se trouvaient alors chez Goya, cet inventaire ne permet pas de savoir quand elles furent transmises effectivement à son fils. Ce n'est certainement pas en 1812 qu'elles reçurent la fameuse marque X et les numéros peints en blanc, mais peut-être quand Goya déménagea pour la Quinta del Sordo ou même après[25].

Pour appréhender la véritable manière de Goya, il faut commencer par comparer la technique d'œuvres à l'authenticité indiscutable — les cartons des années 1776-1788 (cat. 2 à 5, 13, 24) les tableaux d'autel réalisés sur commande (cat. 7, 10, 16, 18), l'ensemble des petites peintures de cabinet de 1793-1794 (cat. 25), les portraits royaux conservés dans le palais royal de Madrid, *la Famille de Charles IV, Deux Mai 1808* et *Trois Mai 1808* —, avec quelques-uns des derniers portraits des amis, relations et aristocrates qu'il connaissait bien[26] (cat. 40, 41, 55 à 57). Ce qui pose inévitablement la question de la qualité picturale et fait alors entrer en jeu la *connoisseurship* qui n'est pas et ne peut être «scientifique» et dont les conclusions ne sont pas infaillibles. La contribution que peut apporter un œil expérimenté et un esprit ouvert ne doit pourtant pas être ignorée.

Depuis sa jeunesse, Goya combinait vitesse et facilité avec une grande implication personnelle et une maîtrise de la technique impressionnante. Son coup de pinceau, bien inspiré, était à la fois capable d'une exquise délicatesse ou de larges effets dramatiques. Avant 1808, il utilisa rarement le couteau, toujours pour parvenir à des effets calculés. Ses contemporains remarquaient cependant ses méthodes peu orthodoxes. Au milieu des ragots et des fausses informations recueillis par le comte suédois Gustaf de la Gardie qui visita, en son absence, l'atelier de Goya le 2 juillet 1815, on relève son intérêt pour la technique «hardie et particulière» du peintre dont «certaines peintures sont faites sans utiliser le pinceau, seulement avec les doigts ou le couteau»[27]. Il rejoignait ainsi Ceán Bermúdez, qui avait observé que Goya peignait «avec ses doigts et la pointe d'un couteau[28]». Après la mort de Goya, son fils commença à écrire qu'il avait peint ses peintures préférées au couteau plutôt qu'au pinceau puis, avec son propre fils Mariano, il raconta que Goya peignait avec de petits couteaux en jonc qu'il était, selon eux, fier d'avoir inventés[29]. On peut cependant remarquer que les peintures effectivement réalisées avec des couteaux en jonc, portant pour certaines la marque de l'inventaire de 1812, sont franchement inférieures en qualité aux œuvres reconnues de Goya. Force est donc d'en conclure qu'au moins certaines des toiles citées comme des peintures de l'inventaire ont dû être substituées aux véritables toiles de Goya après que celles-ci ont été vendues.

L'«œuvre» de Goya ne fait pas encore l'unanimité[30]. Plusieurs auteurs possibles, du propre fils de Goya, Javier (1784-1854), à Leonardo Alenza (1807-1845), ont été avancés pour les tableaux rejetés qui semblent figurer dans l'inventaire de 1812 et dans les suivants. On sait que, dans les années 1830 et 1840, Alenza a copié et imité des œuvres de Goya[31]. Mais peut-être faut-il penser l'impensable. Goya lui-même, assisté peut-être d'un artiste aussi accompli qu'Asensio Juliá, pourrait-il avoir été responsable de la production d'œuvres d'atelier destinées au marché des collectionneurs? Aurait-il accepté de laisser de tels tableaux passer pour originaux pourvu que lui et sa famille en tirent profit? Notre respect de son génie ne doit pas écarter cette idée simplement parce qu'elle est assez repoussante.

Le 28 juin 1825, le poète et auteur dramatique Moratín écrivit: «Goya est en grande forme et il peint aussi vite qu'il peut sans même corriger ce qu'il fait.» Dans une note biographique publiée en 1828, quelques semaines avant la mort du peintre, Juan Agustín Ceán Bermúdez disait à propos de son vieil ami que «Goya [...] est encore en vie, à plus de quatre-vingts ans. C'est [...] un artiste original d'un tempérament et d'une imagination exceptionnels; son talent pour se servir des couleurs et sa façon d'utiliser le pinceau, le burin, l'eau-forte et, récemment, la lithographie sont remarquables. Il recherche ses effets dans la nature et crée un inimitable sentiment d'illusion, de suspense et de vérité[32].» Si nous voulons honorer dignement son génie, il faut donc analyser méticuleusement la technique de Goya et identifier les peintures qui sont véritablement autographes.

Je voudrais exprimer toute ma reconnaissance aux collègues avec lesquels j'ai pu parler de ce travail, en particulier à Jeannine Baticle, dont la biographie consacrée à Goya (Paris, 1992) fournit tant d'informations sur l'artiste. Je suis également très redevable à Enriquetta Harris, Nigel Glendinning, Véronique Gerard Powell et Claudie Ressort pour leur aide constante, à David Degener pour ses conseils et commentaires.

✳

1. Lorsque furent établis les premiers catalogues (Matheron, 1858 ; Yriarte, 1867), l'image « romantique » de Goya était déjà bien établie ; en 1887, le comte de la Viñaza, auteur du premier catalogue sérieux de l'œuvre de l'artiste, déplorait le grand nombre d'attributions fausses.

2. Mis à part une monographie accompagnée d'un catalogue désormais dépassé (Soria, 1957), l'œuvre d'Esteve a été très peu étudié et aucune exposition monographique ne lui a été consacrée.

3. Lafuente Ferrari, 1946, p. 152-154 ; Valence, 1993, p. 81-83, 175 (avançant l'hypothèse de l'attribution à Goya de nombreuses œuvres dues à Juliá) ; Gil Salinas, 1996.

4. Felipe Abas, Luis Gil Ranz, León Ortega, Dionisio Gómez et Miguel Arrojo sont documentés comme élèves ou assistants de Goya. Pour Esteve, Juliá, Gil Ranz, Abas, Gómez, voir Lafuente Ferrari, 1946, p. 151-156 ; pour Miguel Arrojo, voir Mena, 1984, p. 47-56 ; pour les autres, voir notes 22-23.

5. Goya peignit des portraits de profil de María Teresa de Vallabriga en une heure et de son mari, l'infant don Luis, en trois heures (Gassier-Wilson, 1970-1971, p. 206-207) ; Francisco Bayeu l'accusait d'avoir peint l'une des énormes coupoles du Pilar trop vite (en seulement quarante sessions) et trop librement (Viñaza, 1887, p. 465) ; son fils rappela l'étonnement de Mengs devant l'extraordinaire facilité de l'artiste (Harris, 1969, p. 23 ; Madrid-Londres-Chicago, 1993-1994, p. 69-70 ; Tomlinson, 1994, p. 307).

6. Note autobiographique, vers 1826-1828 (Harris, 1969, p. 23 ; Glendinning, 1977, p. 31) ; note biographique de Javier Goya, 13 mars 1831 (Harris, 1969, p. 23-24 ; Tomlinson, 1994, p. 307).

7. Dans le texte et les notes qui suivent, les sources sont identifiées par leurs dates ; on peut en trouver la transcription dans les ouvrages de Calleja, 1924, de Sambricio, 1946, de Luna, 1980, de Canellas López, 1981 et 1991, dans ceux qui sont consacrés à la correspondance entre Goya et Zapater (Agueda et Salas, 1982 ; Ansón Navarro, 1995), à Fray Manuel Bayeu (Calvo Ruata, 1993) et dans les annexes documentaires de quelques catalogues raisonnés (Morales, 1995 pour Francisco Bayeu, 1996 pour Maella). Pour les documents cités ici, voir le mémoire de Goya destiné au conseil de fabrique de la basilique du Pilar de Saragosse, 17 mars 1781 (Viñaza, 1887, p. 159-177 ; Symmons, 1988, p. 186-192) ; un rapport envoyé à l'académie royale des beaux-arts San Fernando, le 14 octobre 1792 (Harris, 1969, p. 28-29 ; Glendinning, 1977, p. 45-46 ; Tomlinson, 1992, p. 191-194, 1994, p. 306-307), un autre rapport sur les restaurations de peintures envoyées aux autorités du palais le 2 janvier 1801 (Gallego, 1993, p. 169-178 ; Harris, 1969, p. 29-30 ; Bédat, 1973, p. 391-394). Les lettres de Goya comprennent aussi celles à Floridablanca, 22 septembre 1781 (Madrid-Londres-Chicago, 1993-1994, p. 134), à Bernardo de Iriarte, secrétaire de l'académie royale, à propos de la série de peintures « d'imagination » peintes après sa maladie (Gassier-Wilson, 1970-1971, p. 108-110, 382) et au général Palafox, 14 décembre 1814 et 4 janvier 1815.

8. Voir notes 29 à 31.

9. La Casa de Rebeque prit son nom de Charles de Montmorency, prince de Robecq, ambassadeur de Hollande à la cour de Philippe V ; à la mort de sa veuve, en 1739, la demeure fut utilisée d'abord comme atelier de sculpture puis comme ateliers pour les peintres de la cour et comme dépôt et atelier de restauration des peintures des collections royales. Voir Bottineau, 1962 (1993), p. 343 ; Tárraga Baldó, 1992, p. 41-52 ; Tovar Martín, 1922, p. 70-73 (Rebeque), 80-82 (Cadena).

10. Cet ensemble est décrit par Ponz, 1776 (1947, p. 533). Voir Bédat, 1973, p. 279-283.

11. De toutes les esquisses de carton faites par Goya dans les années 1770, fort estimées et recherchées, une seule, la Rixe à l'auberge du coq (coll. part.), dans les connaissances actuelles, a survécu : Gassier-Wilson, 1970-1971, n° 77 ; Madrid-Londres-Chicago, 1993-1994, n° 7.

12. Voir note 7.

13. voir note 5.

14. Goya avait mis en vente, en février 1799, la série de gravures les Caprices, dans la boutique d'un parfumeur et marchand de liqueurs du rez-de-chaussée du 1 de la Calle del Desengaño. On en sait presque aussi peu sur les maisons de Goya que sur ses ateliers. Les certificats de baptême de ses enfants (Bueno, 1947 ; Cuaderno italiano, p. 67-68, 112-115 ; Madrid-Londres-Chicago, 1993-1994, p. 97) et ses lettres à Zapater révèlent les adresses de la famille. Goya et Josefa vécurent à partir de janvier 1775 à Madrid avec les frères Bayeu au 7-9 de la Calle del Reloj ; en janvier 1777, à la naissance du troisième fils, la famille « vivait et résidait rue del Espejo, maison de don José Vargas, n° 1 » ; le 7 octobre 1778, Goya demandait à Zapater de lui envoyer ses lettres « Carrera de San Jerónimo, maison de la marquise de Campollano, appartement n° 4 » ; le 9 octobre 1779, la famille avait déjà déménagé Calle del Desengaño, à l'angle de Fuencarral. Pour un premier résumé de ces informations, voir Gassier-Wilson, 1970-1971, p. 385.

15. Jouant le jeu de la bureaucratie, Goya exigeait que la commande et les dimensions des tapisseries lui soient communiquées par son chef, le marquis de Valdecarzana, Sumiller de corps, plutôt que

par Maella, avec lequel il se retrouvait maintenant sur un pied d'égalité, tous deux étant peintres de la cour.

16. Une mauvaise lecture de date – *enero* («janvier») au lieu de *marzo* («mars») – d'une lettre de Zapater à Sebastián Martínez est à l'origine de confusions sur la maladie de Goya ; voir Madrid-Londres-Chicago (éd. anglaise), 1994, p. 354 (correction de la p. 189, texte écrit à un stade antérieur de la recherche) et l'essai de Jeannine Baticle au début de ce catalogue.

17. Cités dans la facture de Goya du 1er juillet 1801 comme «deux portraits en pied de Leurs Majestés pour être envoyés à Paris». Ce devait être un cadeau pour Napoléon Bonaparte selon la commande par Charles IV du portrait équestre de Bonaparte par David (Malmaison, Musée national) ; voir Paris-Versailles, 1989, p. 381-386.

18. On sait qu'Esteve réalisa aussi des portraits à mi-corps, non identifiés aujourd'hui, des souverains comme du prince et de la princesse de Parme, à partir probablement des esquisses pour le portrait de famille : Soria, 1957, p. 37.

19. Lorsque, en 1815, accusé de «collaboration» durant le «règne» de Joseph Bonaparte, Maella perdit son titre, ce ne fut pas Goya mais Vicente López qui occupa son atelier.

20. Baticle, 1992, p. 260-264 (description de la maison à partir de plans inédits), p. 364 (cite un document inédit concernant un officier français avec un billet de logement chez Goya, 1809).

21. Le 20 juin 1803, le peintre Jacinto Gómez Pastor (1746-1812) sollicita une bourse semblable pour son petits-fils qui est peut-être le «fils du défunt don Jacinto», payé en août 1812 pour clouer le portrait équestre de Wellington sur son cadre à l'académie royale : voir Lafuente Ferrari, 1947, p. 154 ; Baticle, 1992, p. 90.

22. Baticle, 1992, p. 329 et note 40.

23. Voir note 4 ; Rincón García (1998, p. 99-112) reproduit des documents sur les origines et la formation d'Abas à Saragosse et à Madrid, publie un portrait signé tout en admettant que l'on ignore presque tout de lui après son passage à l'école de l'académie San Fernando.

24. Voir note 3 ; Carderera, 1870, p. (2), note 1.

25. Les documents légaux de 1812 présentaient une erreur de numérotation des peintures de l'inventaire (répétition des nombres 14 et 15) rectifiée en 1814 (Cruz Valdovinos, 1987, p. 139-140). Les peintures ont pu être marquées soit pour s'assurer qu'elles resteraient dans Madrid lors du déménagement de Goya à la Quinta, soit pour montrer qu'elles appartenaient à Javier si Goya les avait prises avec lui, soit encore, après le départ définitif de Goya, peut-être même après sa mort, pour identifier les peintures alors marquées avec les nombres de l'inventaire corrigé. On peut se demander si Goya, qui utilisa toujours une belle calligraphie, aurait toléré des marques blanches si maladroites et peu discrètes sur des tableaux accrochés chez lui. Aucune trace de marque n'apparaît sur des peintures mentionnées dans l'inventaire et vendues de son vivant (cat. 48 et 49) mais la marque X 13 qui aurait pu identifier ses «porteuse d'eau et son compagnon [rémouleur]» apparaît sur une autre porteuse d'eau, en fait une petite esquisse pour un carton de tapisserie (voir Madrid-Londres-Chicago, 1993-1994, n° 30).

26. Les *Peintures noires* sont trop endommagées pour être prises en compte. Sur ces questions, Wilson-Bareau (1996a et 1996b) rejette, à cause de leur style, quelques peintures marquées d'un X et donc identifiées avec l'inventaire de 1812 et met en question la validité comme la «logique» de ces marques et des tableaux qu'elles identifient.

27. Le journal de la Gardie, en suédois, a été publié en anglais par Bjurström, 1962 ; voir Glendinning, 1977, p. 55.

28. Ceán critiquait l'utilisation par le peintre de moyens inappropriés même dans l'idée d'obtenir un «bon effet». Voir Glendinning, 1977, p. 54.

29. Voir note 6, note autobiographique de Javier Goya ; pour les «souvenirs» de père Tomás López, chartreux d'Aula Dei, qui visita la maison d'un «fils de Goya» à Madrid dans les années 1840 ou 1850, voir Viñaza, 1887, p. 462-465 ; pour l'authentification de X 28 par Mariano Goya en 1868, voir Beruete, 1917, p. 97.

30. Le dernier «catalogue raisonné» de Goya (Morales, 1994 [1997]) propose un *corpus* de 529 œuvres avec une annexe de 37 attributions possibles. Nous enlèverions plus de cent œuvres de ce *corpus* tout en y replaçant le n° 557 de l'annexe (cat. 8). Les autres peintures de l'annexe n'ont rien à voir ou presque avec Goya.

31. Wilson-Bareau, 1996a et 1996b.

32. Passage du texte manuscrit *Histoire de l'art* de J. A. Ceán Bermúdez publié par S. Miñano en 1828 ; voir Glendinning, 1977, p. 55, 311, note 62.

ARNAULD BREJON DE LAVERGNÉE

Fortune critique
des *Jeunes* et des *Vieilles*
du musée de Lille

L'entrée des deux tableaux (cat. 53 et 52) de Goya au musée de Lille, a
été mouvementée. Le génial conservateur Édouard Reynart (1802-
1879), après avoir vu les tableaux chez le marchand parisien Warneck,
désira se porter acquéreur des toiles pour le compte du musée dont il
avait la charge. Les deux noms sont connus dans l'histoire de l'institution: Reynart a contribué de façon essentielle au développement du
musée: c'est lui qui est à l'origine de l'entrée de la *Médée* de Delacroix et
de l'*Après-dînée à Ornans* de Courbet dans les collections; c'est lui qui
convainc la mairie de construire un nouveau musée. Quant à Warneck, il
a déjà vendu plusieurs tableaux au musée de Lille, dont une toile du
Génois Asseretto.

Le conservateur devait soumettre tout projet d'acquisition à la commission administrative du musée de peinture de Lille, formée de
peintres, d'amateurs, de représentants de la bourgeoisie locale. Jules
Lenglart, auteur du dernier *Catalogue des tableaux du musée de Lille* paru en
1893, a retracé dans l'introduction les circonstances de l'acquisition:
«Deux ans plus tard (donc en 1874), c'étaient les Goya pour lesquels
Reynart forçait l'entrée de notre galerie. Par la persuasion, il avait décidé
la majorité de ses collègues à acquérir *les Jeunes,* mais pour *les Vieilles* cette
même majorité s'était montrée inflexible. Furieux de se voir refuser le
meilleur de ces deux merveilleux tableaux, loin de se laisser aigrir par sa
noble colère, il réclame l'aide de ses amis et, s'inscrivant lui-même pour
une bonne somme, il achète la toile et l'offre triomphalement en don
gratuit; qui plus est, il garde l'anonymat, ainsi que ses généreux associés
comme nous le voyons dans son catalogue de 1875.» Les noms des trois
généreux donateurs des *Vieilles* sont connus depuis longtemps: il s'agit,
rappelons-le, de Reynart lui-même et de deux de ses amis, Sauvaige et
Gentil. Bien que cela ne soit pas consigné dans les procès-verbaux de la
commission administrative, si le marchand parisien Warneck lègue au

musée en 1875 un *Portrait d'homme* du peintre hollandais Adriaen de Vries (fig. 1), c'est sans doute pour remercier le responsable du musée d'avoir acquis chez lui deux tableaux.

Ce n'est pas deux mais trois tableaux de Goya que le musée de Lille possède ou croit posséder jusque dans les années 1930-1950. En effet, Reynart, non content d'avoir acquis *les Jeunes* et *les Vieilles,* acheta un an plus tard, en 1875, *le Garroté* (cat. 59). Le tableau est attribué depuis peu à Eugenio Lucas. *Les Jeunes* avaient été acquises auprès de Warneck pour la somme de 6 000 francs et *Garroté* pour la somme de 3 000 francs !

Fig. 1
Adriaen de Vries
Portrait d'homme
Lille, palais des Beaux-Arts

La présentation des tableaux

Nous savons à peine comment étaient présentées *les Jeunes* et *les Vieilles* dans le musée à la fin du XIXe siècle. Grâce à un plan d'accrochage des salles de peintures conservé dans les archives du musée, nous nous apercevons que les tableaux de Goya étaient disposés en «tapisserie» de part et d'autre d'une grande porte (fig. 2) et qu'ils étaient entourés de toiles de Giambettino Cignaroli *(Mort de Rachel)* et de Imperiale Grammatica (l'*Amour vainqueur*) : soit des tableaux secondaires, le premier étant même une copie ancienne. Malgré cette présentation banale qui ne correspond plus à notre sensibilité actuelle, les tableaux sont remarqués par quelques critiques et peintres, mais, faute de témoignages, nous ignorons s'ils ont été appréciés par les Lillois.

Les critiques d'art

Trois livres de Gonse, de Duthil et de Benoît, différents d'esprit, ont servi pendant plusieurs générations de référence pour les amateurs de l'institution muséale. Les deux premiers, la chose est stupéfiante, ne soufflent mot des Goya. Le critique Louis Gonse dans *les Chefs-d'œuvre des musées de France* présente un panorama des plus belles œuvres d'art conservées dans les musées de province. L'école espagnole du musée de Lille a droit à quelques lignes assez sommaires : «Les plus rares morceaux, nous les rencontrerons surtout dans les écoles flamande et française ; l'Italie et l'Espagne, néanmoins, ne doivent pas être passées sous silence. L'Espagne s'inscrit sous un Ribera de première qualité, un *Saint Jérôme* signé et daté 1643. Quant à l'Italie, sa contribution, si modeste qu'elle soit, n'est pas sans intérêt.» Visiblement, Gonse préfère les Flamands, de Bouts et Rubens à Van Dyck.

Fig. 2
Reconstitution
de la présentation des Goya
au musée de Lille
avant la guerre de 1914

Fig. 3
Michel Versteegh
La Lampe, huile sur toile
Lille, palais des Beaux-Arts

Quel n'a pas été notre étonnement de constater que le vade-mecum des Lillois, *Petit Guide populaire aux musées du palais des Beaux-Arts. Sculpture, Industries d'Art, Peinture, Dessins* (Lille, 1892) de Jules Duthil ignore les deux chefs-d'œuvre de Goya. Le silence est d'autant plus stupéfiant que l'auteur ne manque pas de signaler les œuvres importantes possédées par le musée. Au détour d'une phrase, nous apprenons que *la Lampe* de Versteegh est l'œuvre «la plus populaire du musée» (fig. 3)!

Seul François Benoît (1909) analyse avec profondeur et justesse les deux toiles de Goya. Il leur donne un sous-titre commun, «Grandeur et décadence de la courtisane», dresse un long échantillonnage des couleurs, cite la copie des *Vieilles* qu'il a vue dans une collection madrilène; d'excellentes photographies en noir et blanc accompagnent son commentaire. L'analyse de Benoît nous semble d'autant plus méritoire que les tableaux de Goya n'étaient pas mis à l'honneur sur les cimaises du musée. Ce que nous avions entrevu grâce à la reconstitution de l'accrochage est confirmé par des articles parus dans des journaux à l'occasion de la réouverture du musée en janvier 1898, à la suite de quelques travaux d'amélioration qui avaient dû être effectués.

Parmi les articles consacrés au musée auxquels nous avons eu accès, retenons celui qui fut publié dans *l'Écho du Nord* le 1ᵉʳ février 1898. Le journaliste donne son impression en ces termes : «Les Goya sont rares, très rares, même dans les meilleurs musées. Nous avons la chance d'en avoir trois : *le Garroté, les Jeunes* et *les Vieilles*. On voudrait pour les toiles de Goya, où la magie de la couleur le dispute à l'adresse de la composition, une place un peu mieux en rapport à la fois avec leur incontestable originalité et leur rareté très grande». Même son de cloche dans le journal du lendemain sous la plume du critique Arsène Alexandre : «Puisque nous en sommes au chapitre des critiques, disons que certains tableaux paraîtraient mal appréciés à leur valeur par la Ville de Lille, si on les laissait aux places sacrifiées que, dans la fièvre des remaniements, la conservation leur a attribuées : tels les Goya, le Brekelenkam, le Corot, le Chardin, le Bellegambe... Il faut savoir qu'ils existent pour les découvrir.»

Les peintres

Et pourtant, le peintre Henri Matisse, jeune, les a découverts en arpentant le musée. L'artiste, qui est né au Cateau en 1869, a passé sa jeunesse dans le Nord. Après des études secondaires au collège de Saint-Quentin, il suit les cours de la Faculté de droit de Paris en 1887-1888. Clerc d'avoué dans une étude de Saint-Quentin en 1889, il commence à peindre en 1890 des copies de chromos au cours d'une convalescence consécutive à une opération de l'appendice. C'est à cette date qu'il décide de se consacrer davantage à la peinture : il fréquente d'abord l'école Quentin-La-Tour de Saint-Quentin puis revient à Paris en 1892 pour s'inscrire à l'académie Julian. La visite au musée de Lille doit dater de ces années 1890-1892. Une cinquantaine d'années plus tard, en mars 1947, il enverra au conservateur du musée de l'époque, Pierre Maurois, le livre de Marianna Alcaforado (1946), *Lettres portugaises,* orné de lithographies originales faites par lui-même ; la dédicace apposée par Matisse sur la première page de l'ouvrage est éloquente (fig. 4) : «En hommage au Musée des Beaux-Arts de Lille dans lequel je me suis senti pour la première fois près de la vraie peinture avec «Jeunes» et «Vieilles» de Goya, il y a un demi-siècle, H. Matisse, mars 1947.» Cette reconnaissance de Matisse à l'égard de Goya constitue le plus beau témoi-

Fig. 4
Henri Matisse, dédicace
des *Lettres portugaises*
Lille, palais des Beaux-Arts

gnage de vitalité artistique dont puisse s'enorgueillir l'institution. Henri Matisse, jeune étudiant en droit, mais déjà artiste, arrive à distinguer ces deux merveilles parmi l'accumulation de toiles que nous décrivions. Avec cette affirmation de Matisse, le musée retrouve sa vocation seconde de susciter la création, la première étant bien sûr la transmission du patrimoine aux générations futures. Matisse se confie un jour au critique Escholier : « Je passais mes journées au musée [le Louvre] et ensuite je retrouvais dans mes promenades des jouissances analogues à celles que j'avais ressenties dans la peinture. Vous voyez, j'étudiais selon mes attirances, les maîtres comme dans les lettres on étudie les auteurs avant de se décider pour l'un ou pour l'autre ; surtout sans le désir de piger des trucs, mais par culture d'esprit. J'allais d'un Hollandais à Chardin, d'un Titien à Poussin. »

Un autre peintre du Nord allait lui aussi regarder, admirer les toiles de Francisco de Goya, Édouard Pignon (1905-1993). Pignon, peintre célèbre de l'après-guerre a vécu au cœur des grands débats artistiques et politiques qui ont bouleversé la France de cette époque. Né à Bully-les-Mines en 1905, ouvrier mineur puis cimentier plafonneur, il aime dessiner à ses moments de loisir. Avant de gagner Paris en 1927 et de fréquenter avec assiduité le musée du Louvre, il se rend dans le proche musée de Lille et réussit à dénicher les toiles de l'artiste espagnol. Bien des années plus tard, il publie en, 1966, un livre de réflexion sur le métier de peintre intitulé *la Quête de la réalité*. Nous pouvons y lire : « Un jour, je suis allé au musée de Lille et j'ai vu *les Jeunes* et *les Vieilles* de Goya. Je suis revenu de là tout triste. La peinture était une chose magnifique, extraordinaire. Mais elle me paraissait inaccessible, impossible à conquérir. » Encore une fois, et pour notre bonheur, le musée joue son rôle indispensable, n'ayons pas peur du mot, d'éducateur.

Récemment, le dessinateur et photographe Henri Cartier-Bresson a dessiné une copie des *Vieilles* (fig. 5) lors de la présentation de cette œuvre à Paris (cat. exp. Paris, 1995). Il nous écrit à cette occasion : « Goya a vécu, il a vu et il a tout dit, avec fougue et générosité. Un côté implacable dans la dénonciation et dévoilant un secret ineffable dans ses portraits. Il atteint dans la « Maya vestida » le comble de la sensualité. Quant à la question « Que Tal ? » des deux vieilles du Musée de Lille, un silence éternel y répond. »

Terminons en mentionnant le « travail » de Sigmar Polke : « La peinture, pour Polke, est une *fantasmagorie,* c'est-à-dire, au sens strict, l'art de nous faire voir des fantômes. « Ce qui m'intéresse, c'est de savoir si on se trouve dessus ou dessous. » » À partir des *Vieilles,* qu'il découvrit au musée de Lille dans les années 1980, Polke s'est livré à une véritable

Fig. 5
Henri Cartier-Bresson
dessin d'après *les Vieilles*
Paris, collection particulière

« alchimie de l'image » particulièrement révélatrice de la manière qu'il a de concevoir et d'envisager sa propre peinture. À partir de photographies agrandies, Polke essaie de faire remonter les « dessous » de la peinture en les enrichissant de dessins cabalistiques.

Deux vieilles en grand costume de bal s'entretiennent de ce qu'elles furent jadis. Deux jeunes filles. L'une lit distraitement une lettre pendant que l'autre ouvre un grand parasol ; plus loin, des lessiveuses et des linges séchant sur des cordes. Seul un grand artiste est capable de transcender de tels sujets. Goya l'a fait pour notre bonheur, pour celui de Matisse et de bien d'autres artistes à venir.

JEANNINE BATICLE

À la découverte
de la biographie véridique de Goya
État de la question

L'histoire de la vie et de l'œuvre de Goya pourrait être comparée à celle d'une statue colossale de l'Antiquité égyptienne que des archéologues dégagent peu à peu de l'ensablement des temps écoulés et dont ils parviennent enfin à percer la véritable identité.

En effet, il aura fallu attendre près d'un siècle et demi après sa mort pour que l'on soit en mesure de tracer un portrait véridique de la personnalité sans égale du maître aragonais, et il manque, à notre avis, encore bien des repères, qui demeurent enfouis dans les « sables des archives ». Un seul fait est significatif : on savait que Francisco Goya y Lucientes était né en 1746 à Fuendetodos, petite bourgade de l'Aragon, mais, jusqu'à l'année 1928 (centenaire de sa mort à Bordeaux, le 16 avril 1828), on n'avait pas recherché l'existence de son acte de baptême, daté du 31 mars 1746, qui fut alors publié avec photographie à l'appui[1] ; heureusement, car ce précieux document a été détruit lors de la guerre civile, en 1936, et pourtant sa référence avait été indiquée par Zapater y Gómez en 1868 et par le comte de la Viñaza, en 1888. Imagine-t-on que c'est seulement en 1918 qu'un autre remarquable spécialiste de Goya, Aureliano de Beruete, prouva que le recueil de gravures des *Caprices* avait paru en février 1799[2] !

Dans la seconde moitié du XIXᵉ siècle, deux Français, Laurent Matheron en 1858 et Charles Yriarte en 1867, furent les auteurs des premières monographies sur Goya, assorties de catalogues, au cours d'une période où l'Espagne était toujours soumise à la dictature artistique de la famille de Madrazo, qui réprouvait en peinture et en gravure la forte expression des passions politiques et sociales contemporaines. Matheron et Yriarte donnaient un certain nombre d'informations inédites, puisées parfois à des sources directes entremêlées de commentaires fantaisistes qui ont servi à établir la légende « picaresque » de la vie du peintre[3]. Le gros ouvrage d'Yriarte suscita « l'ire » vengeresse de Francisco Zapater y Gómez, que l'on supposait être le neveu de l'ami fraternel de Goya, Martín Zapater y Claveria (1747-1803), alors que l'on vient de découvrir qu'il était le petit-neveu de celui-ci. Zapater y Gómez possédait cent trente-cinq lettres de Goya à Martín Zapater et fit paraître en 1868 des *Notices biographiques*[4] remplies d'erreurs sur le maître aragonais. Elles étaient parsemées d'extraits de lettres héritées de son grand-oncle, mais comme il ne l'avait pas connu, il écrivait forcément de seconde main ; les renseignements fiables lui manquaient, d'autant plus que les derniers témoins, Javier Goya ou Antonio de Brugada, étaient morts dans les décennies qui avaient précédé ses *Notices biographiques.* Malheureusement, son interprétation fautive et partisane de la correspondance de Goya passe encore aujourd'hui comme une preuve authentique du comportement de ce dernier.

Matheron, en 1858, avait été le seul à signaler la véritable profession du père de l'artiste, José Goya, qui exerçait à Saragosse le métier de maître doreur dès 1739. Personne n'y prêta attention et, jusqu'à une date récente, on a vu certains auteurs affirmer que le jeune Francisco, «fils de laboureur», avait gardé les moutons quand il était gamin, oubliant une règle générale en art : les grands maîtres ont toujours déployé leur génie parce que tout enfant ils avaient été placés auprès de professeurs compétents.

De nombreux travaux dus, ces dernières années, à des historiens de l'art aragonais ont démontré, documents à l'appui, que José Goya, artisan réputé, ne vivait pas à Fuendetodos, village natal de son épouse Gracia Lucientes, et qu'il s'y trouvait fortuitement en 1746 lors de la naissance de son fils Francisco, puisque les archives paroissiales de Saragosse y attestent la présence constante du maître doreur de 1736 à 1781 ; il s'y était marié d'ailleurs en 1736 à San Miguel de los Navarros. En 1751, Francisco Goya et son frère, Tomas, recevaient à l'église San Gil de la capitale aragonaise le sacrement de confirmation. Le futur grand peintre comptait alors cinq ans[5]. «Adieu» moutons, veaux, vaches, couvées !

On ignorait également à peu près tout de sa formation, sauf qu'il avait été l'élève dès l'âge de treize ans (selon son propre témoignage en 1819) de José Luzán, excellent peintre aragonais, qui avait étudié cinq ans en Italie et dont on doit la «résurrection» à la volumineuse monographie que lui a consacrée Arturo Ansón Navarro en 1986[6].

En revanche, on a su très tôt que Goya avait décoré en 1771, à son retour de Rome, un plafond de la basilique du Pilar, le célèbre pèlerinage de Saragosse, mais la totalité des archives de ce sanctuaire concernant les fresques de Goya a seulement été publiée en 1982[7]. Il paraît incroyable que jusqu'en 1872 les amateurs d'art ont été privés d'une partie essentielle de l'œuvre du maître, les admirables cartons de tapisserie, qui étaient demeurés roulés depuis leur exécution, entre 1775 et 1792, dans les réserves du palais royal à Madrid. Leur composition n'était connue qu'à travers leur version tissée, accrochée d'ailleurs dans les demeures royales et accessible à un public restreint. Et pourtant, ces cartons offrent un panorama incomparable de l'évolution du style de la facture du maître pendant les dix-sept années de son ascension professionnelle. De la célèbre *Rixe à l'auberge* (1776 ; Madrid, Museo del Prado), qui possède encore une tonalité relativement ténébriste, peinte dans une pâte épaisse, aux fameuses *Vendanges* (cat. 13), dont les couleurs transparentes et la lumière merveilleuse assurent une éternelle délectation, se place la décennie triomphale où désormais Goya maîtrise entièrement sa palette et son écriture.

En 1900 eut lieu à Madrid la première rétrospective de l'œuvre de Goya. Auparavant, même les historiens de l'art n'avaient pas été en mesure de voir la plupart de ses portraits, ni les *Peintures noires* par exemple[8]. D'autre part, il était enfin permis au grand public d'admirer la *Maja nue* (Madrid, Museo del Prado), que l'on avait tenu cachée à l'académie San Fernando de Madrid, dans une pièce obscure. Or, contrairement à ce que l'on pourrait penser, cet événement unique ne modifia pas vraiment la vision stéréotypée de la production de Goya – d'autant plus que les idées reçues sont beaucoup moins fatigantes pour l'esprit que la découverte esthétique d'œuvres méconnues et dérangeantes –, même dans une période où, cependant, naissait le cubisme. N'oublions pas, non plus, que le nom de l'artiste aragonais était essentiellement associé, depuis le début du XIXᵉ siècle, aux diableries des gravures des *Caprices,* seules compositions que la majeure partie des amateurs d'art connaissaient. On ne pouvait croire qu'il avait été également capable de représenter de jolis enfants, de charmantes femmes et de beaux hommes.

Et pourtant, dès 1887, une grande étape avait été franchie, du point de vue scientifique, comme on le dit aujourd'hui, par le comte de la Viñaza, qui publiait alors une remarquable biographie de Goya complétée d'un excellent catalogue[9]. Il avait pris la peine de recueillir des documents inédits, sans se livrer à des conclusions hâtives, mais tout en cédant parfois à des légendes tenaces comme l'origine «labourienne» des parents de Goya. Il a toujours été tentant même pour des esprits éclairés de démontrer que le génie de l'artiste avait transcendé ses origines terriennes, alors que le miracle réside dans le fait qu'il est, avec Velázquez, l'un des deux grands génies que l'Espagne a vu naître en un siècle et demi.

Les travaux se multiplièrent alors. Ainsi, l'historien allemand August L. Mayer permettait enfin aux spécialistes de connaître l'œuvre entier de

Goya (assorti d'un certain nombre d'attributions erronées ou douteuses), grâce à une illustration du catalogue avec des photographies de qualité, en noir et blanc ; cet ouvrage a été particulièrement précieux pour la localisation actualisée des œuvres [10]. Puis, en 1928, on célébrait en Espagne le centenaire de la mort de l'artiste : une grande exposition eut lieu à Madrid, dont le catalogue fut confié à Enrique Lafuente Ferrari, l'un des meilleurs historiens internationaux de Goya [11]. Notons en passant la savante mais parfois confuse biographie de la duchesse d'Albe, due à Joaquín Ezquerra del Bayo, datée également de 1928 [12].

ÉTAPES DE LA RECONSTITUTION DE LA VIE ET DE L'ŒUVRE DE GOYA ENTRE 1946 ET 1996

Les manifestations organisées en 1946 pour le deuxième centenaire de la naissance du maître relancèrent en Espagne, d'une manière définitive, la recherche fondamentale concernant Goya après la découverte de documents clés. On nous reprochera peut-être d'attacher une trop grande importance aux textes d'archives, mais grâce à certains d'entre eux la véritable histoire des *Peintures noires,* pour ne citer qu'un seul exemple, a été enfin mise au jour.

On conservera une éternelle gratitude au savant historien de l'art espagnol des années 1930-1960, Francisco Javier Sánchez Cantón, également directeur du Museo del Prado, qui en 1946 exhumait trois pièces d'archives capitales [13]. En premier lieu, l'inventaire après décès de l'épouse de Goya, Josefa Bayeu, établi en 1812, dont les listes accompagnées de numéros ont permis ensuite de dater et de repérer la genèse de compositions majeures, comme les *Vieilles* du palais des Beaux-Arts de Lille ou les *Majas au balcon* (Suisse, collection particulière), qui portent encore le numéro d'inventaire donné par Goya [14]. Ce document a prouvé aussi que l'artiste vivait dans l'aisance.

Dans cette même publication, Sánchez Cantón donnait la transcription de l'acte d'acquisition de la maison du Sourd, propriété située à Carabanchel aux environs de Madrid, que Goya avait achetée en 1819, et non dix ans auparavant comme on le croyait alors. C'est là que, dans les années 1820, le maître exécute les fameuses *Peintures noires,* brossées à l'huile, directement sur les murs, dans deux salles de la maison ; on les supposait datant de l'année 1812, d'où les explications inventées. Enfin, le troisième document, l'acte de donation de la maison du Sourd à

Mariano Goya, petit-fils de l'artiste (né en 1806) en septembre 1823, démontrait que le peintre, qui en mai 1824 allait s'établir à Bordeaux, n'était plus propriétaire de «sa villa de campagne». Ce qui changeait aussi toutes les historiettes contées à ce sujet dans les ouvrages antérieurs.

Enfin, encore en 1947, Enrique Lafuente Ferrari, avec un ouvrage intitulé *Antecedentes, coincidencias e influencias del arte de Goya,* abordait un chapitre négligé jusqu'alors, concernant la formation du maître, les influences qu'il avait pu subir, les coïncidences avec des artistes contemporains et la mesure exacte que son art avait exercée sur les peintres espagnols du XIXe siècle. Beaucoup de documents importants publiés à ce moment-là furent négligés jusqu'à nos jours[15].

En 1948 paraissait un ouvrage fondamental, sans équivalent à notre avis dans l'histoire de l'art européen, dont l'auteur était un historien archiviste, Valentín de Sambricio, qui l'avait intitulé modestement *Tapices de Goya*[16]. On y trouve relevés avec une exactitude exemplaire les arrêtés de nomination qui jalonnent l'ascension professionnelle du maître, entre autres, sa nomination de peintre du roi en 1786 (il a quarante ans), l'obtention du poste de peintre de chambre en avril 1789 après l'avènement du roi Charles IV et de celle du poste de premier peintre de chambre en 1799 avec un traitement de 50 000 réaux par an (un jardinier gagnait environ 300 réaux par an). Toutes les commandes passées à l'artiste par la cour d'Espagne y sont intégralement publiées ; elles cessent en 1802, on ignore pourquoi. Les documents rassemblés dans ce recueil par Valentín de Sambricio apportent aussi des précisions incontournables sur les années de guerre 1808 – 1813-1814, où Goya ne touchera pas son traitement pendant cinq ans, preuve qu'il n'a pas été «collaborateur» et n'a pas travaillé pour le roi «intrus» Joseph Bonaparte. Les papiers concernant son épuration en 1814-1815 ont été souvent «oubliés» par bien des auteurs ; de même ceux qui sont relatifs aux autorisations d'absence des années 1824-1825 et sa mise à la retraite officielle, en 1826, qui prouve qu'il a été en congé régulier à Bordeaux et non réfugié. Bref, un ouvrage indispensable qui est encore souvent délaissé de nos jours et qui comprend quelques pièces d'archives hors contexte, comme l'acte de mariage inédit (jusqu'en 1948) de Goya avec Josefa Bayeu à Madrid en 1773 ; celle-ci était la sœur de Francisco Bayeu, tout-puissant peintre de chambre à la cour et mentor jaloux de la jeunesse de notre artiste, qui freinera d'abord la carrière palatine de son beau-frère. On y retrouve enfin une lettre essentielle de Goya concernant sa maladie écrite en janvier 1793 aux ducs d'Osuna[17]. Ce sera seulement en 1950 que Xavière Desparmet Fitz-Gerald publiera l'inventaire de la maison du Sourd, retrouvé par son père en 1875 et qu'il croyait établi en 1828 par Antonio de Brugada, car il ignorait que, Goya n'ayant pas désigné d'exécuteur testamentaire, ce document avait dû être rédigé en 1823 lors de la donation de la maison du Sourd à Mariano Goya, son petit-fils.

Au cours des années 1950-1960, d'autres recherches furent poursuivies patiemment par des savants espagnols tel le marquis del Saltillo, qui rassembla les textes des actes de baptême, de mariage et de décès de la famille de Goya, et rectifia bien des erreurs biographiques[18].

Il faut également citer Manuel Núñez de Arenas, dont les travaux dispersés ont été réunis en 1963 par Robert Marrast, qui, en 1950, dans son article « La suerte de Goya en Francia » avait révélé l'existence de pièces d'archives importantes sur le séjour de Goya à Bordeaux, en particulier la déclaration du consul d'Espagne qui se rendit en avril 1828 au domicile de l'artiste, rue des Fossés-de-l'Intendance, au troisième étage, précision qui permet de localiser l'appartement où logeait le défunt et qui a échappé à bien des biographes[19].

La décennie 1960-1970 joue un rôle capital pour une meilleure connaissance stylistique de la production picturale de Goya. D'abord une grande exposition organisée par la municipalité de Madrid au Casón del Buen Retiro, dont le catalogue rédigé par Valentín de Sambricio fournissait des informations inédites et un excellent état de la question concernant la majorité des œuvres présentées[20]. Puis, en 1963-1964, une grande manifestation due à la Royal Academy de Londres intitulée *Goya and his Time,* la première rétrospective organisée en Europe hors d'Espagne, par des savants anglais, après la Seconde Guerre mondiale, révélait aux amateurs d'art des aspects ignorés du génie du maître[21].

En 1970, nous avons assuré le commissariat de l'exposition *Goya* organisée par Adriaen B. de Vries, directeur du Mauritshuis à La Haye et des Musées de France, qui eut lieu ensuite à Paris, au musée de l'Orangerie. Elle présentait trois œuvres majeures de Goya jusqu'alors non réunies, le portrait de *la Marquise de la Solana* (Paris, musée du Louvre) le *Portrait de la comtesse de Chinchón* (Madrid, collection particulière) et le *Portrait de la Tirana* (Madrid, académie San Fernando). En outre, il avait été possible d'exposer l'original des *Majas au balcon* (collection particulière), portant le numéro d'inventaire de 1812, que la plupart des spécialistes n'avaient jamais eu l'occasion de voir. Trois *corpus,* qui sont devenus les ouvrages de référence de la production énorme de Goya (surtout les deux premiers), furent édités à Oxford en 1964 et à Fribourg en 1970. Il s'agit d'abord du catalogue raisonné des gravures et des lithographies du maître aragonais établi par Tomas Harris d'une manière exemplaire[22], et absolument exhaustive, ensuite du monumental catalogue (et biographie) de Goya dû à Pierre Gassier et Juliet Wilson-

Bareau, qui pour la première fois associait chronologiquement peintures, gravures, dessins, chaque fiche, avec note à l'appui, étant accompagnée d'une petite illustration photographique, permettant un repérage immédiat[23]. Par ailleurs, Pierre Gassier, en 1973 et en 1975, faisait paraître à Paris deux volumes sur les dessins de Goya. Le troisième *corpus* des peintures est l'œuvre de José Gudiol, qui comprend quatre volumes parus en 1970, dont la documentation photographique de qualité et les localisations gardent toute leur utilité[24].

DEUXIÈME GRANDE ÉTAPE DE LA RECONSTITUTION DE LA VÉRITABLE PERSONNALITÉ DE GOYA, ANNÉES 1980

En 1981 se produisait la révélation de la correspondance de Goya, enfin accessible aux chercheurs grâce à la compilation monumentale de cette correspondance privée et officielle due à un remarquable érudit aragonais, Angel Canellas López. Celui-ci avait pris la peine de réunir chronologiquement les lettres professionnelles et personnelles de l'artiste, celles qu'on lui avait adressées, dans un ouvrage intitulé *Diplomatario de Goya,* ce qui, avec le Sambricio de 1948, a permis de dégager la statue du maître aragonais de son ensablement séculaire, d'autant que Canellas Lopez – qui était archiviste – avait vérifié la plupart des transcriptions, mais pas toujours sur les documents originaux[25].

Un autre événement majeur survint au cours de la même période. Le Museo del Prado acheta cent cinquante lettres de Goya provenant de la collection du marquis de Casa Torres, adressées en grande partie à Martín Zapater, ce qui mettait enfin à la disposition des spécialistes les originaux de cette correspondance souvent mal relevée auparavant et parfois tronquée ; on sait que le brave Francisco Zapater y Gómez (petit-neveu !) s'était évertué en 1868 à supprimer ou à dissimuler les passages des lettres de Goya qu'il jugeait trop subversifs. En 1982, Mercedes Agueda et Xavier de Salas, autre grand connaisseur de Goya et ancien directeur du Museo del Prado, faisaient paraître la correspondance acquise par le Prado adressée à Martín Zapater ainsi que des missives provenant d'autres collections[26]. Ces travaux de première urgence ont permis de découvrir le véritable caractère de l'artiste, pratique, farceur, primesautier, qui parle peu de son art et beaucoup de ses intérêts financiers ; il sait observer une prudente discrétion en ce qui concerne ses contacts avec la cour, tout cela rédigé en des termes lapidaires, qui valent un long discours. Il dit à deux ou trois reprises à Zapater qu'il lui racontera de vive voix certains événements, preuve de sa lucidité.

Entre 1993 et 1996, les sources documentaires s'enrichissent à nouveau. D'abord par la découverte sensationnelle du *Carnet italien,* manuscrit où Goya recense différentes étapes de son séjour en Italie (1770-1771), accompagné de nombreux croquis et agrémenté de quelques informations personnelles; «unicum» acheté par le Museo del Prado en 1993, qui en a tiré une édition fac-similé. On apprend ainsi le nom des villes que le jeune artiste a visitées (il a vingt-six ans), Gênes, Rome, Venise, pour ne citer que les principales, alors qu'il n'a vu que de loin ou de l'extérieur Turin, Pavie, Milan, etc. Nous avons prouvé que le jeune maître avait logé à Rome au palais Tomati (aujourd'hui Via Sistina), où vivait Piranèse, le seul graveur italien dont Goya possédera des estampes, et où descendait Raphael Mengs lors de ses séjours romains[27].

Dans ce carnet italien est indiquée la date de naissance de son premier enfant, Antonio, né à Saragosse en 1774, et le jour de son départ définitif pour Madrid, le 3 janvier 1775. Cette même année 1993 était présentée au Museo del Prado une exposition intitulée *Goya : el capricho y la invención,* organisée par Juliet Wilson-Bareau et Manuela Mena, qui rassemblait la majorité des peintures de petits formats de l'artiste.

En 1995, convaincue que la différence d'âge entre Goya et son ami Martín Zapater n'était pas de sept ans comme on le disait partout, car ils devaient être proches pour aller à l'école ensemble, nous avons demandé au chanoine Tomás Domingo, archiviste de l'archevêché de Saragosse, de bien vouloir rechercher l'acte de naissance de Zapater, dont nous avions repéré le quartier où habitait sa famille. Cet acte a été retrouvé dans les registres de la Madeleine à Saragosse, daté du 11 novembre 1747, ce qui prouvait qu'il y avait seulement un an et demi de différence entre les deux amis[28]. Par ailleurs, en 1992, nous avions déjà découvert l'acte de décès de Martín Zapater, qui a mis sur la piste de son testament.

En 1996, un jeune érudit espagnol, Jesus María Alía Plana, faisait paraître sa thèse de doctorat en volume mécanographique consacrée à l'iconographie des uniformes de l'armée espagnole de 1700 à 1814, qui apporte entre autres des précisions biographiques inestimables sur les grades et les tenues militaires des officiers supérieurs représentés par Goya. Grâce à lui, pour la première fois, la carrière de Godoy à l'armée est correctement tracée[29]. De l'année 1997 date un ouvrage également «nécessaire» sur Goya et sa famille à Saragosse, dû à un jeune historien aragonais, José Luis Ona González, lequel a retrouvé aux archives diocésaines les copies de registre de *matricula* des paroisses dépendant de l'archevêché de Saragosse qui, depuis 1747, devaient y être déposées, de sorte qu'il a pu reconstituer, par exemple, l'histoire de Tomás Goya, frère aîné de Francisco, mort à Fuendetodos en 1822. Cela permet de comprendre pourquoi Goya s'y était réfugié en 1808. Il a aussi rassemblé une documentation sans égale sur les domiciles de José Goya, le maître doreur, ceux de ses enfants et de ses amis[30].

Nous terminerons ce rapide survol de la résurrection scientifique de l'œuvre et de la vie de Goya en apportant notre propre contribution inédite à propos du processus de sa maladie en 1792-1793. Nous avons retrouvé dans les archives d'Osuna[31] un relevé de comptes des années 1788-1805 qui résume les factures que Goya présenta aux ducs d'Osuna, que différents auteurs ont déjà publiées; il confirme le libellé de la lettre que Goya écrivit à Madrid le 17 janvier 1793. Cela nous a conduite à reprendre la question et à rectifier les erreurs de calendrier à ce sujet. En effet, la surdité de Goya n'est pas due à une crise de saturnisme comme on l'a affirmé récemment, par simple analogie médicale, sans preuves réelles, car l'incubation de cette maladie ne peut durer trente ans: l'artiste était en contact permanent avec le blanc de plomb mêlé aux couleurs depuis sa prime jeunesse et, en 1790-1792, sa production est considérablement ralentie[32].

Par ailleurs, la datation exacte et récente d'une lettre de Martín Zapater à Sebastían Martínez, riche négociant de Cadix qui avait soigné et recueilli le peintre, arrivé gravement malade à Séville, vient donc rectifier le calendrier de ses déplacements en 1793. Cette lettre avait été faussement datée du 19 janvier 1793 à la suite d'une mauvaise lecture du mois, lors de sa publication en 1917. Mais la vérification opérée récemment sur l'original a permis de voir qu'il s'agissait du 19 mars 1793 et non du 19 janvier[33]. De sorte que lorsque Goya écrit de Madrid au trésorier des ducs d'Osuna le 17 janvier 1793 pour solliciter une aide financière, il se trouve toujours dans la capitale espagnole (ce document publié par Sambricio en 1948 n'a pas été bien utilisé jusqu'à présent). Goya dit au trésorier qu'il a été malade, deux mois au lit atteint de *« dolores colicos »*, et qu'il va se rendre à Séville avec une autorisation d'absence (de la cour). Celle-ci lui est en effet accordée en janvier 1793 par le duc de Frias, grand chambellan. Notre document inédit est un extrait du relevé des comptes de Goya avec la maison d'Osuna, daté de Madrid du 18 janvier 1793, où il est dit que l'on «doit, au dit Francisco de Goya dix mille réaux (pour des travaux exécutés) dont la somme sera tirée sur Andres de Coca», membre du conseil municipal de Séville; à charge de celui-ci bien entendu de la remettre au peintre dès son arrivée en Andalousie[34].

En résumé, si Goya affirma de Madrid en janvier 1793 avoir été malade et alité deux mois, cet accident est survenu à la fin de l'année 1792 (novembre, décembre). On sait que sa présence à l'académie San Fernando est attestée seulement jusqu'en octobre 1792. Puis, silence complet. On entend aujourd'hui par *dolores colicos* des coliques hépatiques, mais il se peut que ces coliques aient été la conséquence d'une maladie infectieuse car, selon les voyageurs étrangers à cette période, les épidémies sévissaient alors en Espagne – paludisme, typhoïde, etc. –, dues aux migrations de la Révolution française, disait-on.

En tout cas, pour une raison que l'on ignore, Goya, à peine rétabli, décide de se rendre à Séville en plein hiver (sept jours de voyage). Selon le petit-fils du maître, il aurait été victime d'un accident de voiture dans la Sierra Morena, région montagneuse entre la Castille et l'Andalousie. Or, comme c'est le 19 mars et non le 19 janvier 1793 que Martín Zapater écrit à Sebastián Martínez pour le remercier de l'hospitalité donnée à Goya et lui dire que sa lettre du 5 mars le laissa aussi préoccupé au sujet de la santé du peintre que la première qu'il avait reçue. C'est donc que l'artiste était déjà parvenu en Andalousie en février et était retombé malade à Séville, toujours selon la lettre de Zapater. Le 29 mars 1793, Sebastián Martínez adresse encore une lettre à l'ami fraternel de Goya, lui disant que l'état du malade s'améliore lentement : « Les bourdonnements dans la tête et la surdité n'ont pas cédé, mais il voit mieux maintenant et n'est plus en proie aux étourdissements qui lui faisaient perdre l'équilibre. Déjà, il monte et descend les escaliers et fait des choses qu'il ne pouvait plus faire. » L'artiste serait rentré à Madrid en avril 1793, mais son épouse, dit Martínez, était terriblement inquiète [35].

Selon l'avis du corps médical actuel, il ne s'agissait sûrement pas d'une véritable attaque de paralysie car, dans ces conditions, il n'aurait pas pu récupérer sa vision ni son habileté manuelle, qui, à partir de 1794, vont se manifester d'une manière éclatante, produisant dans la décennie qui suit des œuvres d'une qualité technique et stylistique de haut niveau. On a songé à des troubles de l'oreille interne, qui peuvent entraîner la surdité et provoquer les malaises signalés par Sebastián Martínez. Il nous paraît imprudent de vouloir fournir une explication clinique valable de cette crise majeure qu'a subie Goya et qui le rendra définitivement sourd à l'âge de quarante-sept ans. On le compare souvent à Beethoven, mais la surdité, pour le musicien, représentait un arrêt définitif de ses possibilités créatives, alors que le peintre avait gardé toutes les siennes du point de vue plastique. Il arrivera souvent par la suite que Goya tombe à nouveau gravement malade, et c'est une congestion cérébrale qui l'emportera à Bordeaux, où il meurt le 16 avril 1828, octogénaire indomptable, qui, en 1827 a exécuté sa dernière toile, l'image d'une belle jeune fille appelée *Laitière de Bordeaux* (Madrid, Museo del Prado).

Outre son génie exceptionnel, le maître aragonais offre l'exemple rare d'un infirme qui en dépit de son état (ou peut-être à cause de lui, disent les psychologues optimistes) s'est montré capable de peindre un nombre impressionnant de chefs-d'œuvre immortels, qui suivent d'ailleurs les heurs et malheurs de l'actualité contemporaine, comme *la Famille de Charles IV* (Madrid, Museo del Prado) les *Maja nue* et *Maja vêtue* (Madrid, Museo del Prado) les *Deux Mai 1808* et *Trois mai 1808* (Madrid, Museo del Prado) les *Peintures noires* (Madrid, Museo del Prado) pour ne citer que les plus célèbres.

✳

1. *Aragón,* 1928, p. 112.
2. Beruete, 1918, t. III, p. 183.
3. Matheron, 1858 ; Yriarte, 1867.
4. Zapater y Gómez Goya, 1868.
5. García de Paso et Rincón, 1981.
6. Ansón Navarro, 1986.
7. Torra, 1982.
8. Madrid, 1900.
9. Viñaza, 1887.
10. Mayer, 1924.
11. Madrid, 1928.
12. Ezquerra del Bayo, 1928.
13. Sánchez Cantón, 1946b, p. 73-109.
14. Sánchez Cantón et Salas, 1963 ; Desparmet Fitz-Gerald, 1928-1950.
15. Si l'on avait consulté les annexes de cet ouvrage, bien des erreurs auraient été évitées dès 1947.
16. Sambricio, 1948, n° 158, p. CVIII.
17. *Id., op. cit. ;* auparavant, Cruzada Villaamil, avec un ouvrage également intitulé *Tapices de Goya,* avait déjà apporté une documentation d'archives notable sur Goya.
18. Saltillo, 1952.
19. Núñez de Arenas, 1950.
20. Madrid, 1961.
21. En outre étaient présentées des œuvres de Vicente López, Leonardo Alenza, Eugenio Lucas, dit alors faussement y Padilla, en réalité y Velázquez, né en 1816 et non en 1824.
22. Harris, 1964.
23. L'ouvrage de Gassier et Wilson a paru la même année (en 1970) que l'exposition *Goya* dont le catalogue a bénéficié de l'aide précieuse de Juliet Wilson-Bareau.
24. Gudiol, 1974.
25. Canellas López, 1987.
26. *Cartas a Martín Zapater,* 1982.
27. Madrid, 1994.
28. Baticle, 1992 (1995).
29. Alía Plana, 1996.
30. Ona González, 1997.
31. Archivo Histórico Nacional, sección Osuna, Madrid, documents relatifs aux paiements du peintre don Francisco Goya, 1787-1805.
32. La plupart des auteurs qui ont adopté la thèse du saturnisme, ont oublié ou ignoré qu'entre 1775 et 1786 Goya a exécuté 38 cartons de tapisserie sur les 63 qu'il a peints, mais que c'est seulement à partir de 1787 qu'il présente les factures pour les fournitures de couleurs, car il vient d'être nommé peintre du roi. Or, étant fonctionnaire de la cour d'Espagne, il n'a plus le droit de lui vendre ses tableaux comme auparavant. Entre 1790 et 1792, il exécute les 7 derniers cartons de tapisserie de sa carrière dont deux grands seulement.
33. Gimeno, 1917, corrigé dans Madrid-Londres-Chicago, 1993-1994, p. 354.
34. AHN, Madrid, *op. cit.*
35. Sambricio, 1948, n° 159, p. CVIII.

cat. 35, détail

Catalogue

Les notices ont été rédigées par

JEAN-LOUIS AUGÉ
conservateur en chef des musées Goya et Jaurès, à Castres
(notices 1, 9, 19, 29 à 37, 40, 41, 54 à 58)

ARNAULD BREJON DE LAVERGNÉE
conservateur général du patrimoine
chargé du palais des Beaux-Arts de Lille
(notices 52, 53)

VÉRONIQUE GERARD POWELL
maître de conférence à l'université Paris-IV Sorbonne
(notices 2 à 7, 10 à 18, 20, 21, 23 à 28, 38, 39, 48 à 51)
et rédaction des notices techniques pour les portraits
en respectant les datations données par Jean-Louis Augé

MANUELA MENA MARQUÉS
chef du département des Peintures espagnoles du XVIIIᵉ siècle
et de Goya au Museo del Prado
(notices 8, 22)

DR. DES BODO VISCHER
(notices 42 à 47)

JULIET WILSON-BAREAU
(notice 59)

Avertissement

Les dimensions des œuvres sont exprimées en centimètres.

Les références aux trois principaux catalogues raisonnés
sont citées comme suit :
– Gassier-Wilson, 1970 : G-W
– Gudiol, 1970, 1ʳᵉ éd. / 1980, 2ᵉ éd. : Gud. 1ʳᵉ éd. / 2ᵉ éd.
– De Angelis, 1974 : DeA.

La bibliographie générale ne retient que les publications essentielles.

1   ∗   *Autoportrait*

Vers 1770-1775 – Huile sur toile – 58 x 44
Saragosse, collection Ibercaja
G-W 26 ; Gud. 36 / 39 ; DeA. 38

Parmi les nombreux autoportraits de Goya, celui-ci est le premier que
l'on connaisse, exécuté avant ou après le retour d'Italie et, en tous les cas,
avant le départ définitif pour Madrid, le 3 janvier 1775[1]. José Gudiol a
émis l'idée que Goya s'est représenté à l'occasion de son mariage,
en 1773, avec Josefa Bayeu (1747-1812), sœur de Francisco Bayeu y Subías
(1734-1795). Rien ne permet cependant de l'affirmer avec certitude.
Toujours est-il que Goya, âgé de moins de trente ans, se trouve à un
moment décisif de sa carrière de peintre. Jusqu'ici, il a essuyé deux échecs
au concours de l'académie San Fernando de Madrid et il a à son actif la
peinture de la fresque l'*Adoration du nom de Dieu par les anges* (1772 ; Saragosse, Coreto de la basilique du Pilar) et des peintures religieuses, notamment celle de la chartreuse de l'Aula Dei.

Ce portrait se révèle important à plus d'un titre car il nous offre
une image intimiste réduite à l'essentiel sur un fond très sombre. La
touche en est énergique et enlevée, l'économie de moyens si caractéristique de la palette du peintre renforce l'expression du visage. Le regard
oblique, intense, ressemble à celui de l'*Autoportrait aux lunettes* (vers 1800 ;
Castres, musée Goya) alors que transparaît la forte personnalité du peintre
ainsi que son aptitude extraordinaire à scruter le monde.

Découverte assez tard par Valentín de Sambricio, cette œuvre peut
aussi être rapprochée de l'*Autoportrait* conservé au musée des Beaux-Arts
d'Agen, daté de 1782-1783, où l'on retrouve à huit ans d'intervalle la
même intensité de caractère, la même énergie. De façon évidente, nous
nous situons dans la droite ligne d'une série d'images successives (nous
pensons aussi à l'*Autoportrait* de 1815 conservé à l'académie San Fernando)
conçues dans le même esprit et probablement à usage privé mais où, plus
que du mystère, le peintre cherche à capter, au-delà de ce regard interrogateur qu'il pose sur lui-même, l'essentiel de sa vie et de son devenir.

Plusieurs copies ou répliques sont attestées dès le XIXe siècle dans
les collections de Marie-Christine de Bourbon, épouse de Ferdinand VII,
du duc de Rivas, grande figure du romantisme en Espagne, et chez le
peintre Carlos de Haes. Le City Art Museum de Saint-Louis (Missouri) en
possède également une réplique ; ce qui n'est pas sans poser, une fois de
plus, le problème des œuvres «goyesques».

1. Notons que Juan J. Luna, comme Wilson-Bareau (1993, p. 67), n'exclut pas l'hypothèse
d'une exécution de l'œuvre avant le départ pour l'Italie ; voir Saragosse, 1996, p. 52, n° 4.

HISTORIQUE
Coll. Mariano Ena y Villalba, Saragosse –
1947, coll. marquis de Zurgena, puis marquise
douairière de Zurgena, Madrid – coll. marquise de la Solana, 1955 – coll. comte de Elda
– 1998, coll. Ibercaja, Saragosse.

EXPOSITIONS
Madrid, 1961, n° XXVI, 1983, n° 1 ; Madrid-
Boston-New York, 1988-1989, n° 3 ; Madrid,
1991, n° 6 ; Madrid-Londres-Chicago, 1993-
1994, p. 66-67 (texte) ; Madrid, 1995-1996,
n° 1 ; Saragosse, 1996, p. 52.

BIBLIOGRAPHIE
Viñaza, 1887, p. 254 ; Beruete, 1916, n° 12 ;
Mayer, 1924, n° 292 ; Ezquerra, 1928, n° 1,
p. 310 ; Gallego, 1978, p. 22-24 ; Morales,
1994 (1997), n° 36 ; Ansón Navarro, 1995,
p. 104-105.

✳ *Le Parasol*

Mars-août 1777 – Huile sur toile – 104 x 152
Madrid, Museo del Prado – Inv. : 773
G-W 80 ; Gud. 67 / 73 ; DeA. 75

Arrivé à Madrid en janvier 1775 pour travailler comme peintre pour la manufacture de tapisserie de Santa Barbara, Goya avait aussitôt réalisé une première série de cartons pour le palais de l'Escurial, sur des thèmes de chasse et de pêche, sous la direction des peintres Anton Raphael Mengs et Francisco Bayeu. Dès l'année suivante, les neuf cartons destinés au décor du palais du Pardo, résidence favorite du prince des Asturies, le futur Charles IV, étaient, aux dires du peintre, «de sa propre invention». Sur un thème fourni par le roi – «les divertissements et les costumes de notre époque», en l'occurrence –, Goya avait donc conçu lui-même les modèles, aux dimensions exactes, des tapisseries destinées à la salle à manger. Selon la reconstitution proposée par Sancho, *le Parasol,* comme son pendant, *le Buveur* (Madrid, Museo del Prado), était un dessus-de-porte. Cela explique que leurs compositions juxtaposent un petit monticule central et une brusque dénivellation de l'arrière-plan qui font ressortir le personnage principal, inscrit dans une pyramide, traité d'ailleurs avec une monumentalité exceptionnelle dans les cartons de Goya.

Dans son mémorandum destiné au paiement, il décrivait le sujet comme étant «une jeune fille assise sur un petit monticule avec un petit chien sur la jupe et un jeune garçon debout à ses côtés qui lui fait de l'ombre avec un parasol». Les gestes opposés des deux protagonistes révèlent que la scène galante sert surtout à montrer les costumes, satisfaisant ainsi la requête de Charles III. Avec son balandran fourré et son faux costume de bergère, aux coloris proches de ceux de Tiepolo, la jeune femme est l'une de ces nombreuses *petimetras* («précieuses») cherchant à suivre la mode française. À l'opposé, chez le garçon, la résille, le foulard noué sur la poitrine ou la ceinture signalent le costume national des turbulents *majos* qu'aimaient adopter de nombreux Espagnols. Le jeu du parasol, plaçant délicatement le visage dans l'ombre, a de nombreux précédents dans la scène galante, dont les gravures ont pu inspirer Goya[2], à commencer par celle du *Vertumne et Pomone* de Jean Ranc (Montpellier, musée Fabre). Il devait le reprendre magistralement trente ans plus tard dans *les Jeunes* (cat. 53).

1. Sur l'histoire de la «découverte» tardive des cartons, voir dans ce catalogue l'essai de Janis A. Tomlinson.
2. Pour un récapitulatif des nombreuses sources proposées, voir Madrid, 1996a, n° 12.

HISTORIQUE
12 août 1777, facture (1 500 réaux) et livraison du carton destiné à la salle à manger des princes des Asturies au palais du Pardo – conservé dans la manufacture de tapisserie de Santa Barbara, puis, à partir de 1856-1857, au palais royal, Madrid – 15 février 1870, entré au Museo del Prado[1].

EXPOSITIONS
Mexico, 1978, n° 30 ; Bordeaux-Paris-Madrid, 1979-1980, n° 13 ; Leningrad-Moscou, 1980, n° 26 ; Munich-Vienne, 1982, n° 16 ; Florence, 1986, n° 88 ; Madrid, 1996a, n° 12.

BIBLIOGRAPHIE
Cruzada Villaamil, 1870, n° 6 ; Viñaza, 1887, p. 307 ; Sambricio, 1946, n° 15 ; Pita Andrade, 1979, p. 236 ; Bozal, 1983, p. 66-69 ; Arnáiz, 1987, n° 19C ; Tomlinson, 1989, p. 50-52, 1993, p. 72-75 ; Bozal, 1994, p. 94-96 ; Morales, 1994 (1997), n° 64 ; Herrero-Sancho, 1996, p. 181-182.

3 ✳ *Les Enfants à la charrette*

1778-1779 – Huile sur toile – 145,4 x 94
Toledo (Ohio), The Toledo Museum of Art, purchased with funds from the Libbey Endowment,
Gift of Edward Drummond Libbey – Inv. : 59.14
G-W 129 ; Gud. 80 / 86 ; DeA. 86

Le 5 janvier 1779, Goya livra six cartons, dont celui-ci, destinés au décor de la chambre à coucher des princes des Asturies au palais du Pardo. Reprenant le thème des scènes de la vie populaire, il consacra le carton principal, livré en juillet 1779, au *Jeu de pelote* et quatre autres à la *Foire de Madrid,* fête annuelle aussi importante que la Saint-Isidore (voir cat. 20). Comme dans la salle à manger, deux autres scènes, destinées chaque fois à des dessus-de-porte, représentaient des jeux d'enfants : les tapisseries des *Enfants à la charrette* et des *Enfants jouant aux soldats* (Madrid, Museo del Prado) devaient se faire face.

Goya décrivit lui-même le sujet, dans sa facture : « Quatre enfants en train de jouer : deux dans un chariot, un autre vêtu à la hollandaise joue du tambour, un cinquième souffle dans une petite trompette » (le « cinquième » est une simple étourderie). Qu'ils participent ou non à l'effervescence de la foire, ces bambins respectent l'un des thèmes requis par Charles III pour le décor du Pardo, celui des costumes nationaux (voir cat. 2). Goya nous présente un catalogue de mode enfantine : le costume de fête, à la hollandaise, du joueur de tambour – que porte également le petit garçon de *l'Escarpolette* (Madrid, Museo del Prado) dans l'antichambre voisine ; le costume de *majo* du jeune cocher ; la robe et le bonnet, que les bambins des deux sexes portaient jusqu'à l'âge de deux ou trois ans. Jouet typique du XVIIIᵉ siècle européen et petit clin d'œil au carrosse qui traverse la tapisserie du *Marchand de vaisselle* sur la paroi opposée, le chariot en miniature défile, salué par la fanfare enfantine. Goya rend avec un extrême naturalisme les attitudes des enfants : la main tendue retenant parfaitement une rêne invisible, le regard tendu et le corps légèrement ployé traduisent tout l'effort d'attention du petit cocher. Le choix des coloris et la distribution de la lumière montrent bien l'influence qu'exerçaient alors sur Goya les œuvres de Velázquez qu'il était en train de graver ; le grand arbre qui ferme la composition sort du *Baltasar Carlos à la chasse* dont il venait de faire un dessin (Hambourg, Kunsthalle).

Ce carton est l'un de ceux (sept au moins) qui furent volés au palais royal – où avait été déménagé, vers 1856, l'ensemble des cartons conservés à la manufacture – durant la révolution de 1868[1]. Ce vol, signalé dans les journaux madrilènes en janvier-février 1870, a provoqué le transfert immédiat de tous les autres cartons de Goya au musée du Prado, qui, par la suite, a récupéré trois des œuvres dérobées.

1. Et non 1869, comme il est souvent écrit. C'est en septembre 1868 que la reine Isabelle se réfugia en France et que les « volontaires de la liberté » occupèrent le palais royal.

HISTORIQUE
5 janvier 1779, facture (1 000 réaux) et livraison du carton destiné à la chambre des princes des Asturies au palais du Pardo – conservé dans la manufacture de tapisserie de Santa Barbara puis, à partir de 1856-1857, au palais royal de Madrid – 1868, volé au palais pendant les journées révolutionnaires – Philip Hofer, Boston – Wildenstein, New York – 1959, The Toledo Museum of Art.

EXPOSITIONS
Dallas 1982-1983, nᵒ 1 ; Indianapolis, 1996-1997, nᵒ 32 ; Madrid, 1996a, nᵒ 23.

BIBLIOGRAPHIE
Cruzada Villaamil, 1870, nᵒ XVI ; Viñaza, 1887, p. 312 ; Mayer, 1924, nᵒ 712 ; Sambricio, 1946, nᵒ 26 ; Toledo, 1976, p. 66 ; Salas, 1978, nᵒ 73 ; Arnáiz, 1987, nᵒ 30C ; Tomlinson, 1989, p. 87-88, 1993 ; Morales, 1994 (1997), nᵒ 80.

4 ✳ *Les Lavandières*

1779 – Huile sur toile – 218 x 166
Madrid, Museo del Prado – Inv. : 786
G-W 132 ; Gud. 87 / 93 ; DeA. 90

Après la chambre, l'antichambre. Goya fournit un premier carton le
20 juillet 1779 et les onze autres, dont celui-ci, le 24 janvier 1780[2]. S'il
peignit encore des scènes de divertissements, Goya orienta nettement,
pour la première fois, son décor vers la représentation de types sociaux
caractérisés par leur métier : *les Bûcherons, la Garde du tabac, les Lavandières,
le Médecin…* À moins de se lancer dans des interprétations hasardeuses,
force est de constater que nos lavandières se rapprochent davantage de la
tradition folklorique que du constat social ou de la critique allégorique.
Dans le mémorandum, Goya précise bien, sans en donner la raison, qu'il
a représenté des lavandières au repos, l'une endormie, deux autres cherchant à la réveiller en poussant vers elle l'un de ces moutons qui errent
toujours dans la campagne castillane. Comme il le fera plus tard pour *l'Été*
(cat. 11), il encadre cette scène de repos des témoignages de leur travail
presque achevé : au premier plan, la pierre sur laquelle elles ont pu battre
le baluchon de linge placé à côté ; la zone pierreuse où elles sont assises
près de la rivière ; le linge qui sèche et la femme qui en emporte une partie. Sous les couleurs délicates des jupes et des tabliers, la massivité des
corps rappelle la force physique qu'exige une telle besogne. La délicatesse
du paysage, particulièrement profond, avec de multiples effets lumineux
sur l'eau et la montagne, lointaine, renforce le caractère élégiaque du
tableau, typique de la scène de genre du XVIIIᵉ siècle et radicalement éloignée du réalisme révolutionnaire des lavandières à l'arrière-plan des *Jeunes*
(cat. 53), œuvre beaucoup plus tardive.

1. Sur l'histoire de la «découverte» tardive des cartons, voir dans ce catalogue l'essai de
Janis A. Tomlinson.
2. Pour la localisation précise de la tapisserie dans l'antichambre, voir Herrero-Sancho,
1996, p. 50-51.

HISTORIQUE
24 janvier 1780, facture (1 500 réaux) et
livraison du carton destiné à l'antichambre des
princes des Asturies au palais du Pardo –
conservé dans la manufacture de tapisserie
de Santa Barbara, puis, à partir de 1856-1857,
au palais royal de Madrid – 15 février 1870,
entré au Museo del Prado[1].

EXPOSITIONS
Paris, 1919, n° 20 ; Madrid, 1996, n° 26.

BIBLIOGRAPHIE
Cruzada Villaamil, 1870, n° 20 ; Viñaza, 1887,
p. 314 ; Sambricio, 1946, n° 29 ; Pita Andrade,
1979, p. 237 ; Arnáiz, 1987, n° 33C ;
Tomlinson, 1989, p. 101-103, 1993, p. 134-
137 ; Morales, 1994 (1997), n° 64 ; Herrero-
Sancho, 1996, p. 50-51.

5 　✳ 　*Le Médecin*

1779 – Huile sur toile – 95,8 x 120
Édimbourg, National Gallery of Scotland – Inv. : 1628
G-W 142 ; Gud. 93 / 99 ; DeA. 100

Comme *les Lavandières* (cat. 4), *le Médecin* appartient au groupe des
«métiers» dans la série de cartons que Goya réalisa en 1779 pour l'antichambre des princes des Asturies au palais du Pardo. Destiné à une tapisserie placée en dessus de porte, il avait pour pendant *le Rendez-vous* (fig. 1),
qui devait lui faire face[2]. Leurs compositions, similaires, dégageant un seul
personnage solidement campé, devant quelques silhouettes et un paysage
en contrebas à l'arrière-plan, se répondaient d'autant mieux que les deux
protagonistes ont une attitude pensive. Dans le mémorandum, Goya
décrivait : «un médecin assis, qui se réchauffe à un brasero, quelques livres
par terre près de lui ; derrière lui, deux étudiants». Ce tableau, qui a beaucoup souffert, était à l'origine plus large ; une balustrade sur le côté,
visible sur la tapisserie, devait amoindrir l'impression de solitude que
dégage la scène. Sous ces lueurs de nuit tombante, dans le cadre hivernal
qui transforme le médecin en allégorie de l'hiver, elle n'en illustre pas
moins les contraintes physiques et les exigences intellectuelles – rappelées
par les livres ouverts au premier plan – de ce métier auquel aspirent les
deux jeunes gens. Malgré son usure, la peinture révèle encore la faible
mais chaude lumière que procure le brasero, magnifiquement rendue par
la masse rouge flamboyante de la cape contrastant avec le blanc vif de la
chemise, le jeu des ombres sur les visages et les reflets dorés sur la canne
et la nature morte. Dans la pure tradition espagnole, cette dernière, l'une
des toutes premières dans une œuvre de Goya, juxtapose les éléments suivant un ordre géométrique. Les livres, dont les signets et les pages
ouvertes soulignent leur utilité, semblent être les seuls qu'il ait jamais
peints.

1. Sur le vol de ce carton, voir le texte du cat. 3.
2. Pour la localisation précise de la tapisserie dans l'antichambre, voir Herrero-Sancho, 1996,
p. 50-51.

HISTORIQUE
24 janvier 1780, facture (1 000 réaux) et
livraison du carton destiné à l'antichambre des
princes des Asturies au palais du Pardo –
conservé dans la manufacture de tapisserie de
Santa Barbara, puis, à partir de 1856-1857,
au palais royal de Madrid – 1868, volé au
palais pendant les journées révolutionnaires[1] –
début du XXᵉ siècle, acheté à Saragosse
par V. N. Linker (Bilbao) – vendu à
MM. Durlacher Bros., Londres – 1923, acheté
chez Durlacher par la National Gallery of
Scotland.

EXPOSITIONS
Londres (Burlington), 1928 ; Paris, 1961-
1962, n° 14 ; Londres, 1963-1964, n° 49,
1981, n° 63 ; Saragosse, 1992, n° 7 ; Stockholm, 1994, n° 6 ; Madrid, 1996a, n° 34.

BIBLIOGRAPHIE
Cruzada Villaamil, 1870, n° 30 ; Viñaza, 1887,
p. 318 ; Sambricio, 1946, n° 39 ; Gaya Nuño,
1958, n° 870 ; Nordström, 1962, p. 22-26 ;
Brigstocke, 1978, p. 54, 1993, p. 73-74 ;
Salas, 1979, p. 174 ; Arnáiz, 1987, n° 41C ;
Tomlinson, 1989, p. 121, 1993, p. 157-160 ;
Herrero et Sancho, 1996, p. 49-51 ; Morales,
1994 (1997), n° 95.

Fig. 1
Le Rendez-vous
1779-1780
huile sur toile
100 x 151
Madrid, Museo del Prado

✳ *Apparition de la Vierge du Pilar*

Vers 1780 – Huile sur toile – 120 x 98
Collection particulière
G-W 160 ; Gud. 100 / (ne figure plus) ; DeA. 64

En juillet 1780, Goya écrivait à son ami Zapater, riche négociant de Sara-gosse : « Je n'ai guère besoin de meubles pour ma maison. Il me semble qu'avec une gravure de la Vierge du Pilar, une table, cinq chaises, une poêle, une outre, une petite guitare, une broche et une lampe à huile, tout le reste est superflu[1]. » Il se préparait alors à rentrer à Saragosse pour par-ticiper au décor à fresque de la nouvelle basilique du Pilar, achevée sous la direction de *Don Ventura Rodríguez* (cat. 9) et consacrée en 1772. Comme la plupart de ses concitoyens, le peintre avait donc une dévotion marquée pour la patronne de Saragosse, qu'il avait déjà représentée vers 1771 sur une petite toile certainement destinée à ses parents (fig. 1).

Pour ce tableau Goya adopte l'iconographie la plus propre à la méditation, celle que l'on retrouvait sur les gravures pieuses et les certifi-cats de visite de la basilique[2]. Elle réunit tous les éléments de la tradition de l'apparition miraculeuse de la Vierge à saint Jacques le Majeur ; celui-ci venait de convertir à Saragosse le plus grand nombre de disciples (sept) depuis qu'il évangélisait l'Espagne[3]. Devant un horizon très bas qui évoque les rives de l'Èbre près desquelles ils s'étaient retirés, le soir venu, Jacques, reconnaissable à son habit de pèlerin, et ses disciples vénèrent la Vierge à l'Enfant placée – selon la tradition codifiée à la fin du XIIIe siècle – sur une colonne de marbre et « entourée de la milice céleste des anges ». Comme dans sa *Vierge du Pilar* ou dans ses fresques pour la basilique, Goya donne aux angelots, qui forment une ronde autour du sommet de la colonne, de toutes petites ailes lumineuses de papillon. Même s'il peint la mère et l'enfant avec des chairs rosées, il ne représente pas la Vierge elle-même mais, suivant la pratique établie à la suite d'une vision de la mys-tique sœur María de Agreda connue par sa *Mística Ciudad de Dios* (Madrid, 1670) et qu'il avait déjà adoptée dans sa première petite toile, la statue du début du XVe siècle conservée dans la Sainte Chapelle. Le corps est certes plus élancé, mais les gestes de Jésus retenant un oiseau d'une main et le manteau maternel de l'autre sont identiques.

L'harmonie toute classique de la composition et l'emphase conte-nue des gestes de surprise ou de vénération des disciples, sans nul doute marquées par l'œuvre de Mengs, tout comme l'élégance des corps et des drapés la rapprochent de peintures religieuses, telle l'esquisse de l'*Imma-culée Conception* pour le Colegio de Calatrava à Salamanque (1783-1784 ; Madrid, Museo del Prado) que Goya réalisa au début des années 1780. La gamme chromatique, riche et subtile, rappelle celle de ses esquisses pour la coupole de la basilique du Pilar dédiée à *María, Regina Martirum* (1781 ; Saragosse, Museo Pilarista) : brossées avec une grande fluidité, les cou-leurs détachent les formes sur un même fond bleu et or. Du halo doré de l'apparition céleste plonge un cône de lumière qui éclaire le cercle des personnages tandis que plusieurs plages de blanc – l'écharpe de l'un des

HISTORIQUE
Coll. Aureliano Beruete y Moret, Madrid ? – coll. Bosch Caterineu – depuis plus de soixante ans dans la même collection particulière.

EXPOSITION
Jamais exposé.

BIBLIOGRAPHIE
Salas, 1974, p. 67 ; Morales, 1990, p. 54, 1994 (1997), n° 51.

Fig. 1
Vierge du Pilar
vers 1771-1775
huile sur toile
56 x 42,5
Saragosse, Museo de Zaragossa

disciples, la rivière, le dernier éclat de lumière sur la crête des collines — repoussent l'horizon.

Plus imposant que dans ses petites peintures de dévotion, le format de ce tableau, voisin de celui des toiles peintes vers 1771 pour la chapelle du palais de Sobradiel à Saragosse, semble le destiner au décor d'un oratoire privé. Pour qui Goya réalisa-t-il une œuvre si subtile et achevée ? Pourrait-il s'agir de la peinture de la Vierge promise à son ami Zapater durant son séjour à Saragosse en 1780-1781 et qu'il n'avait pas encore pu achever en 1784 ? La remarquable qualité de cette toile, jamais exposée jusqu'ici et à peine citée par les spécialistes, pourrait autoriser à le penser [4].

1. *Cartas a Martín Zapater*, n° 13, p. 56 : « *Para mi casa no necesito de muchos muebles, pues me parece que con una estampa de la Virgen del Pilar, una mesa, cinco sillas, una sartén, una bota y un tiple y asador y candil, todo lo demás es supérfluo.* »
2. Voir *El Pilar de Zaragoza*, fig. 19, p. 35.
3. Sur l'histoire de l'apparition et les grandes orientations iconographiques, voir l'essai de Ricardo Centellas dans *El Pilar de Zaragoza*, p. 159-168, et dans Saragosse, 1995-1996, p. 133-151.
4. Cette hypothèse a été émise par Manuela Mena Marqués (communication orale), que nous remercions de ses conseils pour la rédaction de cette notice.

7 ❋ *Apparition de la Vierge du Pilar à saint Jacques le Majeur*

1782-1783 – Huile sur toile – 46,7 x 33
Étiquette sur le châssis avec l'inscription : *Boceto de D.ⁿ Fran.ᶜᵒ Goya, restaurado en 1867. 1.500*
Espagne, collection particulière
G-W 194 ; Gud. 280 / 170 ; DeA. 144

Cette esquisse est un précieux témoignage du premier tableau d'autel de Goya, qui était en même temps sa première commande par un aristocrate espagnol. Il fut détruit en 1936, pendant la guerre civile espagnole [1].

Lors de la visite pastorale qu'il effectua le 9 mai 1776 sur les terres du duc de Hijar, Mgr Sáenz de Buruaga, archevêque de Saragosse, dénonça le mauvais état de l'église paroissiale d'Urrea de Gaén. Le duc en confia la reconstruction à l'architecte Sainz, chargé également des églises de La Puebla de Hijar et de Vinacei, dont les peintures des tableaux d'autel avaient été commandées à Ramón Bayeu, beau-frère de Goya, qui jouissait alors d'une excellente réputation en Aragon. Pour San Pedro d'Urrea, achevée en 1782 et dont le plan en ellipse était conforme à la mode imposée par l'architecte Ventura Rodríguez, Hijar fit réaliser les peintures à Madrid. Suivant peut-être le parti adopté pour le décor de San Francisco el Grande [2], il répartit la commande entre trois peintres au moins, Ramón Bayeu, José del Castillo et Goya. Dans son *Viage de España,* Ponz ne parle que de trois retables et ne donne à Goya qu'un *Saint Blaise* [3].

Ici, Goya a recours au traitement « baroque » de l'iconographie de la « venue » miraculeuse de la Vierge [4]. Le succès de la gravure que Philippe

HISTORIQUE
Vers 1782-1783, commande du duc de Hijar pour l'église San Pedro de Urrea de Gaén (Teruel) – Juan Eugenio Hartzenbusch (1808-1880), Madrid – 1883, María Ubón López, Madrid – vers 1920, Purificación Capdevilla Moyano, Madrid – avant 1951, coll. García Rodríguez, Valladolid.

EXPOSITIONS
Madrid-Londres-Chicago, 1993-1994, n° 10 ; Madrid, 1995-1996, n° 4 ; Saragosse, 1996, p. 82.

BIBLIOGRAPHIE
Lozoya, 1951, p. 8-9 ; Morales, 1990, p. 172, 1994 (1997), n° 102.

Thomassin avait tirée, en 1615, d'une peinture de Carlo Saraceni, sur le même thème, dans l'église espagnole Santa Maria in Monserrato de Rome (disparue), avait développé la représentation de la Vierge assise sur des nuages, indiquant du doigt à saint Jacques l'endroit où construire la Sainte Chapelle[5]. La colonne du miracle se retrouva entre les bras d'un ange. On passait du récit hagiographique à l'évocation de la relique conservée dans la basilique. Apparut bientôt un autre ange, qui portait l'image de la statuette tant vénérée, dont on assurait maintenant que c'était une relique laissée par la Vierge.

En s'inspirant d'une scène d'apparition dessinée dans son *Carnet italien,* Goya conçut une composition monumentale mais vivante, qui rassemble tous les éléments iconographiques et où les convertis participent à la surprise du miracle. Épais ou très légers, les coups de pinceau suggèrent les formes et délimitent les coloris, sourds ou lumineux. Dernier souvenir de l'influence de Giaquinto ou de González Velázquez, l'ange portant la colonne est remplacé dans la peinture finale, connue uniquement aujourd'hui par la photographie (fig. 1), par une figure étrange de jeune garçon ployant sous le poids de la relique. Hormis cette intrusion, la composition finale, plus statique et même classique, privilégiait le dialogue entre le saint – placé devant le pont traditionnel et non plus derrière les branchages hivernaux et la Vierge – laissant penser que le retable auquel elle était destinée était dédié à saint Jacques de Compostelle.

Notons que le premier propriétaire connu de cette esquisse était le dramaturge Juan Eugenio Hartzenbusch, auteur des *Amants de Teruel,* adaptation la plus célèbre de la légende.

1. Cette œuvre a été restaurée en 1993 à l'occasion de l'exposition Madrid-Londres-Chicago ; elle était exposée pour la première fois et fut étudiée par Juliet Wilson-Bareau.
2. Voir l'essai dans ce catalogue de Xavier Bray.
3. Ponz, 1788, t. XV, lettre V, § 17.
4. Sur l'histoire du miracle, voir cat. 6.
5. Sur l'iconographie de la « venue » de la Vierge, voir Centellas dans Saragosse, 1995-1996, p. 133-151. Poussin s'est également inspiré de cette gravure pour son tableau destiné à l'église des Espagnols de Valenciennes (Paris, musée du Louvre).

Fig. 1
Apparition de la Vierge du Pilar
à saint Jacques le Majeur
vers 1782-1783 (détruit)
huile sur toile

✳ *Doña María Teresa de Vallabriga y Rozas*

1783 – Huile sur bois – 66,7 x 50,5
Inscriptions peintes, en bas à droite : 6 en rouge, puis 89 en blanc
Mexico, collection particulière
Gud. 153 / (non retenu)

L'infant don Luis de Borbón fut l'un des premiers et des plus importants mécènes de Goya. Ses aventures galantes, encore enveloppées de mystère, conduisirent son frère le roi Charles III à lui imposer un mariage morgana-tique qui l'exilait obligatoirement de la cour madrilène. L'épouse choisie pour l'infant fut doña María Teresa de Vallabriga y Rozas (1759-1820), de petite noblesse aragonaise et plus jeune de presque trente-cinq ans. Goya passa l'été de 1783 puis celui de 1784 au palais d'Arenas de San Pedro, près de la montagne de Gredos, où l'infant vivait avec sa famille. Les lettres de Goya à Martín Zapater relatent les œuvres qu'il y réalisa, essen-tiellement des portraits de l'infant, de sa femme et de leurs enfants, un portrait équestre de María Teresa, aujourd'hui perdu et connu par l'es-quisse conservée à Florence, à la Galleria degli Uffizi, et le grand portrait de famille où l'infant et son épouse apparaissent entourés de leurs enfants, de leur petite cour, de leurs serviteurs et de Goya, lui-même, assis devant son chevalet.

Presque inconnu du public, alors qu'il est cité dans les inventaires de l'infant et mentionné dans la bibliographie de Goya, ce tableau est un magnifique exemple de la manière de peindre de l'artiste lors de ses débuts de portraitiste, activité pour laquelle ses liens avec don Luis jouè-rent un rôle important. En 1797, l'inventaire des biens du testament de don Luis cite et estime pour la première fois le portrait : « Un autre tableau avec la figure à mi-corps de l'Illustrissime doña María Teresa de Vallabriga y Rozas peint sur bois avec son cadre doré et un verre qui mesure deux pieds et six doigts et demi de haut, un pied et trois [pour treize] doigts et demi de large : son auteur don Francisco Goya en......10300[2]. » María Teresa ayant voulu que ses biens demeurent après sa mort dans le palais familial de Boadilla del Monte, le tableau apparaît sous le numéro 89, encore visible aujourd'hui sur l'œuvre, dans l'inventaire après décès des biens de sa petite-fille Carlota Luisa, fille de la comtesse de Chinchón. Le fait qu'il soit, dans cet inventaire tardif, cité comme copie de Goya et que Viñaza reprenne cette affirmation dans sa monographie de Goya détermina certainement le peu d'intérêt que lui accorda la bibliographie postérieure, d'autant qu'il n'était jamais illustré, et son absence de la monographie de l'artiste par Gassier et Wilson.

Il s'agit d'une œuvre extrêmement fine qui révèle les débuts de portraitiste de Goya et d'un style très proche du portrait de profil de la même María Teresa, acquis récemment par le Museo del Prado. Il emploie alors pour ses portraits une technique très semblable à celle des cartons de tapisserie de la même époque, comme *les Vendanges* (cat. 13), peint en 1786 pour l'ensemble de la salle de Conversation des princes des Asturies au Pardo.

HISTORIQUE
1783, peint pour l'infant don Luis de Borbón, palais de Boadilla del Monte, Arenas de San Pedro – jusqu'en 1904, chez les héritiers de l'infant, palais de Boadilla del Monte – la bibliographie existant ne permettant pas de corroborer le passage de l'œuvre dans la collection du prince Camilo Ruspoli (Florence) après 1904, puis dans une coll. part. italienne et ensuite dans une coll. part. anglaise, nous ne retenons pas ces provenances[1] – 22 mai 1992, vente Christie's, New York, n° 342 – coll. part., Mexico.

EXPOSITION
Saragosse, 1996, p. 112-115.

BIBLIOGRAPHIE
Viñaza, 1887, n° XXXV ; Beruete, 1916, p. 22-23 ; Mayer, 1924, n° 181 ; Gassier, 1979, p. 9-22 ; Morales, 1990, p. 172, 1994 (1997), n° 559.

Comme dans tous les autres portraits que Goya fit de María Teresa, son attitude et son habillement sont d'une grande simplicité ; elle est de face et à mi-corps, dans une pose qui rappelle les bustes antiques de dames romaines, et fixe le spectateur de son regard rêveur. Goya la représente vêtue d'un mantelet de soie bleue, avec une étole de fourrure sombre dont le contraste avec le vêtement et le visage fait ressortir la blancheur de la peau et le rose des joues juvéniles. Ce n'est pas par hasard que Goya, comme pour le portrait du Prado (fig. 1), choisit le bois comme support. La peinture acquiert sur ce matériau un aspect émaillé, avec lequel l'artiste recherchait sans nul doute à rendre la luminosité juvénile du visage de la belle épouse de l'infant.

Le nettoyage du tableau a révélé la délicatesse de la technique et l'utilisation du dessin sur la préparation, principalement autour des yeux, pour mettre en place la figure. La radiographie montre un changement radical dans le vêtement[3] : de la robe ajustée, avec un col de dentelle et des manches resserrées aux poignets, il est passé à ce mantelet de soie bleue avec l'étole de fourrure, ce qui est plus en accord avec la simplicité et même une certaine liberté, évidente dans ses autres portraits, qui caractérisent sa façon de s'habiller (fig. 2). Il reflète aussi la mode de l'époque, puisqu'il est semblable à celui que porte la jeune fille du *Parasol* (cat. 2), carton de tapisserie daté 1777.

Si le portrait fut peint en 1783, Goya a peut-être réalisé ce surprenant changement un an plus tard, lors de son second séjour à Arenas pendant l'été de 1784. C'est alors qu'il peignit le grand portrait de famille, où l'attitude de María Teresa est très proche de celle de notre portrait. Il est pratiquement impossible qu'il l'ait retouché plus tardivement, après la mort de don Luis, en 1785 : à partir de là et jusqu'en 1800, date du *Portrait de la comtesse de Chinchón* (Madrid, collection particulière), aucune relation entre la famille du prince et Goya n'est documentée. Sur les côtés du tableau, les essais de couleur du peintre, les tons beiges de la préparation et le bleu du mantelet sont cachés par le cadre.

1. Ces provenances sont mentionnées dans le catalogue de vente Christie's de 1992 et reprises dans le catalogue d'exposition de Saragosse, 1996 mais ne sont corroborées ni par des documents d'archives ni par la bibliographie qui la mentionne pour la dernière fois à Boadilla del Monte.
2. Archivo Histórico Nacional, Madrid, P° 20822, Martínez Salazar : « Otro quadro con media figura del retrato de la Yª. Dª. María Teresa
Vallabriga y Rozas pintado en tabla con su marco dorado y cristal que por alto tiene dos pies y seis dedos y medio y por ancho un pie y tres (por trece) dedos y medio : su autor Dn. Francisco Goya en...... 10300. »
3. Les renseignements techniques proviennent de l'excellente étude du catalogue de la vente Christie's réalisée sous la direction de Juliet Wilson-Bareau.

Fig. 2
Radiographie de *María Teresa de Vallabriga*
Madrid, Museo del Prado

9

✳ *Don Ventura Rodríguez*

1784 – Huile sur toile – 107 x 81
Signé et daté : *1784* – Inscription : *Retrato original de D. ⁿ Ventura Rodríguez, / Arquitecto del Sereni. ᵐᵒ S. ʳInfante D [*
Luis y Maestro Mayor de la villa de / Madrid que de orden de la mui ILLᵃ / S. ʳᵃ Esposa de S.A.pinx. Dⁿ Fran [?] / Goya año de I
Stockholm, Nationalmuseum – Inv. : NM 4574
G-W 214 ; Gud. 157 / 110 ; DeA. 172

Le portrait de l'architecte Ventura Rodríguez peut être considéré comme le premier d'une longue série de portraits psychologiques d'une rare intensité. Don Ventura Rodríguez naquit en 1712 et mourut en 1785, juste un an après avoir été peint par Goya. En tant qu'architecte, il se révèle un excellent représentant du courant baroque académique. Il travailla en compagnie de Felipe Juvara et de Juan Bautista Sachetti au nouvel alcazar de Madrid mais fut remplacé par Francisco Sabatini, que lui préféra Charles III. En 1754, il entreprit l'œuvre de sa vie : la construction de la Santa Capilla de la basilique Notre-Dame du Pilar à Saragosse, l'un des chantiers les plus prestigieux d'Espagne, œuvre qu'il acheva en 1765. Nous ne serons donc pas surpris de trouver le plan de cette chapelle entre les mains du modèle. L'inscription précise que c'est sur ordre de l'épouse de l'infant don Luis, frère de Charles III, que ce portrait a été peint. María Teresa Vallabriga avait épousé morganatiquement don Luis (1727-1785) en 1776, à l'âge de dix-sept ans alors que son mari en avait quarante-neuf. Cette mésalliance ajoutée à une jeunesse assez tumultueuse avait valu à l'infant sa disgrâce à Arenas de San Pedro, à cent quatre-vingts kilomètres de Madrid dans la Sierra de Gredos. Nous savons, en outre, que María Teresa Vallabriga offrit au trésor de la basilique du Pilar l'œillet de diamant que lui avait donné son époux lors de leurs noces[1].

Le respect de don Luis pour Ventura Rodríguez était considérable : selon l'*Éloge de don Ventura Rodríguez* prononcé à Madrid, le 19 janvier 1788, par Jovellanos, il nous est dit que le prince voulait avoir constamment sous les yeux le portrait de l'architecte. Nous comprenons mieux, dans ce contexte où Goya fait l'apprentissage de la haute société de son temps, ce qui lie le peintre à son modèle, puisque, entre 1783 et 1784, Goya se rend à deux reprises à Arenas de San Pedro pour portraiturer l'infant et sa famille[2].

Ce portrait nous offre une image d'une grande sobriété, dans les tons gris-vert. Outre le rendu très fidèle de la carnation, l'éclat de la chemise, c'est l'expression bienveillante et la grande intelligence du modèle qui nous frappent. Perceptible dans le regard ainsi que dans le léger sourire, cette vivacité d'esprit se teinte d'une réelle complicité avec le peintre, chose que l'on retrouve dans d'autres portraits plus tardifs mais tout aussi inspirés par un environnement révélateur.

1. López González, 1977, p. 279 ; Baticle, 1995, p. 79.
2. Outre les portraits individuels, Goya exécute alors le portrait collectif *la Famille de l'infant don Luis* (Parme, Corte di Mamiano, fondation Magnani-Rocca), chef-d'œuvre laissé inachevé par la mort de l'infant.

HISTORIQUE
1784, commande de María Teresa de Vallabriga – Boadilla del Monte – coll. comte d'Altamira, Madrid – coll. marquis de Castro Monte, Madrid – prince de Wagram, Paris – Boussot et Valadon, Montaignac, Trotti, Paris – Heilbuth Copenhague – Dr Wendland, Paris – Duveen, New York – donné au National-museum de Stockholm par le major Amundson et l'antiquaire Bukowski.

EXPOSITIONS
Londres, 1901, n° 68 ; Stockholm, 1959-1960, n° 133 ; Paris, 1961-1962, n° 25 ; Londres, 1963-1964, n° 53 ; Bordeaux-Paris-Madrid, 1979-1980, n° 16 ; Saragosse, 1992, n° 12 ; Stockholm, 1994, n° 7 ; Oslo, 1996, n° 5.

BIBLIOGRAPHIE
Jovellanos, s. d., note 16 ; Araujo, 1896, n° 206 ; Beruete, 1916, n° 79 ; Mayer, 1924, n° 401 ; Strömbom, 1949, p. 54-55 ; Norden-falk, 1949-1950, p. 60-62 ; Baticle, 1992, p. 114, 1995, p. 79 ; Morales, 1994 (1997), n° 131.

10

Annonciation

1785 – Huile sur toile – 42 x 26
Boston, Museum of Fine Arts, William Francis Warden Fund – Inv. : 1988.218
G-W 235 ; Gud. 166 / 181 ; DeA. 178

HISTORIQUE
1785, commande par le duc de Medinaceli d'un nouveau retable dans la chapelle de San Antonio del Prado, Madrid – Eduardo Lucas Moreno, Madrid – de 1908 à 1951 au moins, marquis de Casa Torres, Madrid – entre 1960 et 1964, Wildenstein, Londres – coll. part., Barcelone – 29 juin 1979, Christie's, Londres, n° 73 – 11 décembre 1981, Christie's, Londres, n° 67 – S. J. Abat Jr, Boston – 1988, acquis par le Museum of Fine Arts.

EXPOSITIONS
Berlin, 1908, n° 2 ; Vienne, 1908, n° 18 ; Bordeaux, 1951, n° 7 ; Londres, 1960, n° 25, 1963-1964, n° 56 ; La Haye-Paris, 1970, n° 6b ; Madrid-Boston-New York, 1988-1989, n° 7 ; Madrid-Londres-Chicago, 1993, n° 14.

BIBLIOGRAPHIE
Ponz, 1776, t. V, p. 296-297 ; Sánchez Cantón, 1946, p. 290 ; Morales, 1990, p. 176-179 ; Tomlinson, 1992, p. 29, 1993, p. 44 ; Morales, 1994 (1997), n° 138.

Le retable baroque de la chapelle de San Antonio del Prado à Madrid menaçant de s'effondrer, le duc de Medinaceli, protecteur du couvent des capucins, demanda en 1785 à Sabatini, architecte de la cour, de concevoir un nouveau décor pour le sanctuaire, dans le style néoclassique, qui s'imposait alors. Le succès du *Saint Bernardin* que Goya venait de peindre pour San Francisco el Grande[1] dut conduire le duc à lui commander la peinture de l'*Annonciation,* pièce maîtresse du retable. La toile, rendue lors la destruction de l'église conventuelle, en 1890, à la famille Medinaceli et conservée depuis lors par leurs descendants (fig. 1), dominait le nouveau maître-autel et rejoignait la voûte comme l'indique son format cintré, nettement suggéré sur l'esquisse. Comme à Urrea de Gaén (cat. 7), Goya rassembla directement ses premières idées sur une petite esquisse peinte très librement, servant à la fois à définir la composition et le choix des couleurs, particulièrement claires et lumineuses ici. Sur la préparation beige, à peine recouverte parfois par les légers coups de pinceau, il a placé ses figures en quelques coups de crayon, rectifiant au pinceau les poses – en repliant le manteau de la Vierge sous le lutrin ou en amincissant la robe de l'ange, à gauche – et donnant le volume par l'opposition très nette entre les coups de pinceau sombres, vigoureux et larges, les coloris lumineux, fondés sur une gamme très restreinte, et les rehauts de blanc, qui leur donnent de l'épaisseur.

Goya soumet sa composition à l'emplacement élevé du retable, sous une source de lumière : dès l'esquisse, il cherche à prolonger la lumière naturelle par la coulée de blanc qui irradie en cône la colombe symbolisant l'Esprit-Saint. La peinture finale va beaucoup plus loin : la colombe volette sous un rideau de lumière dont la source est à l'extérieur du tableau, rappelant la solution de Bernin dans la *Transverbération de sainte Thérèse,* que Goya avait vu à Rome. Comme dans ce groupe sculpté, l'ange occupe une position surélevée par rapport à la Vierge, très rare dans l'iconographie de l'Annonciation mais que Goya avait pu aussi remarquer dans le retable de Greco au Colegio Doña María de Aragón à Madrid (Madrid, Museo del Prado) ; les marches semblent servir de socle. Cette monumentalité, adoucie par l'apparition divine traitée en teintes très légères, et l'expression retenue des sentiments, remarquable dès l'esquisse, rappellent les dernières peintures de Tiepolo à San Pascual d'Aranjuez. Goya s'écarte de l'iconographie traditionnelle en Espagne de l'Annonciation, où l'ange vénère la Vierge qui vient d'accepter la mission divine. Il reprend la tradition classique italienne apportée en Espagne par Mengs, dans laquelle la Vierge se recueille pendant que l'ange lui apporte le message de Dieu. En inversant la scène et en supprimant la gloire céleste, le tableau final exalte le grand mystère qui s'accomplit.

Fig. 1
Annonciation
1785
huile sur toile, 300,5 x 180,5
Séville, collection
de la duchesse d'Osuna

1. Voir dans ce catalogue l'essai de Xavier Bray.

11

✳ *L'Été* ou *l'Aire*

Juin-décembre 1786 – Huile sur toile – 33,5 x 79,5
Madrid, Museo Lázaro Galdiano – Inv. : M.2510
G-W 257 ; Gud. 216 / 228 ; DeA. 196

Le 18 juin 1786, Goya était nommé peintre du roi et affecté à la manufacture de tapisserie. En septembre, six ans après les derniers cartons réalisés
pour les palais royaux, il entreprit le décor de la salle de Conversation[2] des
princes des Asturies au palais du Pardo et présenta les esquisses à la famille
royale avant la mi-décembre. Salarié, il n'avait plus à produire de mémorandum – si utiles pour notre compréhension du sujet – mais obtenait le
remboursement de ses fournitures, dont les factures permettent d'établir
la chronologie et la nature du chantier. Suivant le vœu de Charles III, il
devait peindre les cartons pour six panneaux, six dessus-de-porte et une
pièce d'angle sur «des sujets plaisants et spirituels propres à ce type de
palais» et choisit donc le thème traditionnel des saisons pour les quatre
tapisseries principales.

Le décor original, installé en 1788, n'est plus en place mais une
proposition de reconstitution situe *l'Été*, dont le carton (fig. 1) mesure
276 x 641, sur le long mur qui fait face aux fenêtres[3]. Ces imposantes
dimensions expliquent la composition en frise, scandée en groupes reliés
par des jeux de regard et dirigée vers le centre par le triangle de la charrette, alors que la meule, sur la droite, et le château fortifié, à gauche,
creusent progressivement l'espace. La fraîcheur des coloris et la vivacité
des touches laissent apparaître par endroits le dessin préparatoire. Goya
illustre ici, sur un mode pastoral qui semble mêler l'âge d'or et l'âge d'argent d'Ovide, la pause des paysans en pleine moisson sous un soleil de
midi, qui laisse de rares ombres. La situation de l'aire, à l'extérieur du village, sous le château seigneurial, la haute meule, les outils agricoles – le
rouleau, la faucille symboliquement placée au centre et la fourche brandie
vers le ciel –, le paysan ratissant et même celui qui dort illustrent les
contraintes et les différentes phases de ce labeur vital de l'été. Mais les
rires des hommes, les gamins qui affolent leur mère, le bébé jouant avec la
barbe de son père, celui qui refuse la bouillie ou les adolescents donnant à
boire au simplet du village traduisent une joie de vivre et un amour de
l'enfance tout aussi réels chez Goya, dont le fils Javier avait deux ans, que
chez les princes des Asturies, parents alors de quatre jeunes enfants.

1. Sur cet achat, voir cat. 12 et 21.
2. Sancho (1996) a prouvé qu'il s'agit de la «pièce de conversation» et non de la «salle à
manger» comme l'écrivait Goya, qui avait pourtant fourni les cartons de cette pièce en 1777.
3. Agueda, 1984, p. 41-45 ; Wilson-Bareau dans Madrid-Londres-Chicago, 1993-1994,
n° 20.

HISTORIQUE
L'une des six esquisses réalisées pendant
l'été de 1786 pour le décor de la salle de
Conversation des princes des Asturies au palais
du Pardo – vendue par Goya au duc d'Osuna[1]
pour sa demeure La Alameda (facture du
6 mai 1798 ; paiement du 26 avril 1799) –
18 mai 1896, vente Osuna, Madrid, n° 76 ;
achat par Richard Traumann (3 000 pesetas) –
vers 1926, acquis par José Lázaro – 1951,
Museo Lázaro Galdiano.

EXPOSITIONS
Madrid, 1896, n° 76 ; Grenade, 1955, n° 90 ;
Madrid, 1961, n° LI ; Paris, 1961-1962, n° 29 ;
La Haye-Paris, 1970, n° 7 ; Bruxelles, 1985,
n° 10 ; Lugano, 1986, n° 10 (non exposé) ;
Madrid-Londres-Chicago, 1993-1994, n° 20.

BIBLIOGRAPHIE
Yriarte, 1867, p. 85, n° 143 ; Sambricio, 1946,
n° 41a ; Camón Aznar, 1952, p. 7 ; Nordström,
1962 (1989), p. 37-42 ; Salas, 1979, p. 169-
170 ; Arnáiz, 1987, n° 45 B ; Tomlinson,
1989, p. 163-165, 1993, p. 214-216 ;
Herrero-Sancho, 1996, p. 52-54 ; Morales,
1994 (1997), n° 155.

Fig. 1
L'Aire ou la Moisson
1786-1787
huile sur toile
276 x 641
Madrid, Museo del Prado

✳ *L'Automne* ou *les Vendanges*

Juin-décembre 1786 – Huile sur toile – 33,8 x 34
Williamstown (Massachussets), Sterling and Francine Clark Art Institute – Inv. : R.S.C. 1939
G-W 258 ; Gud. 218 / 230 ; DeA. 198

Mettant toutes deux en scène une jeune femme et un enfant élégamment habillés, les tapisseries du *Printemps* et de *l'Automne* se faisaient vraisemblablement face, au centre de chacun des petits côtés de la salle de Conversation[1] des princes des Asturies au Pardo[2]. Particulièrement clairs dans cette esquisse, les traces de dessin sous-jacent et les nombreux repentirs sont, tout comme l'utilisation très libre des rehauts, caractéristiques de la spontanéité de l'invention chez Goya. Avec leur groupe pyramidal central et leur arrière-plan fermé par un pan de montagne et envahi par un vaste ciel, rappelant les arrière-plans des portraits équestres de Velázquez, *le Printemps* et *l'Automne* renvoient l'un vers l'autre. Au ciel clair et laiteux du premier (Madrid, collection particulière), répond l'épais nuage blanc rosé du second, masquant le bleu profond du ciel. Les coloris frais du *Printemps* (fig. 1) contrastent avec les teintes brunâtres et sourdes du vignoble et de la montagne. Mêlée d'ombre, la lumière se concentre sur le premier plan, où s'étalent des pampres symboliques, et sur le groupe central. Indifférente, la jeune paysanne portant le panier de grappes sert à la fois d'allégorie et de liaison entre la scène paysanne et la scène galante : une jolie jeune femme reçoit la grappe que lui tend un élégant jeune homme et que son jeune fils, vêtu comme le petit *Manuel Osorio* peint à la même époque par Goya (cat. 19), tente d'attraper. Assis sur une barrique, autre symbole du temps des vendanges, retenant d'une main un panier plein de grappes, ce jeune homme ne serait-il pas un Bacchus[3] ? Et la scène, parmi d'autres significations possibles, une allégorie du goût répondant à celle de l'odorat qu'illustrerait *le Printemps*?

Le duc d'Osuna, qui avait acheté l'ensemble des esquisses de cette salle en 1798, se sépara, pour des raisons encore inconnues, de *l'Automne*, qu'obtint le baron Alquier, ambassadeur de Napoléon auprès du roi Joseph. En décrivant la bibliothèque de La Alameda, Yriarte remarque cette absence et identifie l'esquisse avec une toile mise alors en vente à Paris par Goupil. Sa description ne correspond cependant pas à notre tableau, qui était encore à l'époque dans la famille Alquier.

1. Sur cette appellation, voir cat. 11, note 2.
2. Pour l'historique de la réalisation et pour la reconstitution de la pièce, voir cat. 11.
3. Hypothèse développée par Wilson-Bareau dans Madrid-Londres-Chicago, 1993-1994, nº 20.

HISTORIQUE

L'une des six esquisses réalisées pour le décor de la salle de Conversation des princes des Asturies au palais du Pardo, pendant l'été de 1786 – vendue par Goya au duc d'Osuna pour sa demeure La Alameda (facture du 6 mai 1798 ; paiement du 26 avril 1799) – acquis par le baron Alquier vers 1808-1813 – coll. Alquier, Nantes – 1939, Knoedler & Co, New York – 1939, acquis par Sterling Clark – 1955, Sterling and Francine Clark Art Institute.

EXPOSITIONS

Dallas, 1982-1983, nº 4 ; Madrid-Londres-Chicago, 1993-1994, nº 20.

BIBLIOGRAPHIE

Yriarte, 1867, p. 143 ; Cruzada Villaamil, 1870, p. 139 ; Sambricio, 1946, nº 42a ; Nordström, 1962 (1989), p. 42-48 ; Arnáiz, 1987, nº 46 B-I ; Tomlinson, 1989, p. 159-163, 1993, p. 211-214 ; Morales, 1994 (1997), nº 157.

Fig. 1
Le Printemps
1786-1787
huile sur toile
277 x 192
Madrid, Museo del Prado

13 ✳ *L'Automne* ou *les Vendanges*

1787 – Huile sur toile – 275 x 190
Madrid, Museo del Prado – Inv. : 795
G-W 264 ; Gud. 219 / 231 ; DeA. 199

Les esquisses achevées ayant été fort appréciées par la famille royale, Goya entreprit de les transposer sur cartons dès la fin de l'année 1786. Des variations significatives entre ces derniers et plusieurs des esquisses révèlent son explicitation progressive de sujets dont il ne nous livre pourtant pas toutes les clefs. *L'Automne* est typique de ce processus. La scène de l'arrière-plan, où s'activent davantage de vendangeurs, est bien reliée au trio principal, d'abord par le regard de l'homme qui s'est relevé puis par la pose de la jeune paysanne : plus élégamment vêtue que dans l'esquisse, elle est certes séparée du groupe par le parapet de pierre mais semble, par la pose de sa main près du poignet du jeune homme, accompagner son geste d'offrande. Ce dernier paraît plus jouer au *majo* qu'être un vrai *majo*. Bien sûr, il porte la résille caractéristique mais le costume est trop élégant, tout comme la cape sur laquelle il est assis ; la pose ressemble trop à une pose de salon pour qu'il n'appartienne pas à la même couche sociale que la jeune femme qui reçoit, avec une certaine révérence, la grappe qu'il lui offre. Faut-il donc contester l'inventaire contemporain qui y voit «une femme et son mari qui tient une grappe de raisins et un enfant qui essaie d'attraper un grain et au milieu une servante portant une corbeille de raisins sur la tête»? En séparant davantage que dans l'esquisse ces quatre personnages, Goya met mieux en valeur les gestes souples de leurs bras et de leurs mains se réunissant près de la grappe. L'enfant, plus calme, attire moins l'attention sur lui. Goya souligne ainsi l'acte d'offrande des «fruits de la terre» du propriétaire et des serviteurs à la jeune «maîtresse des lieux». De l'autre côté de la salle, sa compagne du *Printemps* reçoit une fleur.

La lumière dorée qui baigne l'ensemble s'accroche sur les quelques plages de couleur sombre – la robe noire, la chevelure de l'enfant, les yeux, les grappes et la cape – qui font ressortir la fraîcheur et le raffinement des autres coloris et joue un rôle capital dans cette vision idyllique, typique d'un certain XVIIIe siècle, des saisons et de la vie familiale.

1. Sur l'histoire de leur «découverte» tardive, voir dans ce catalogue l'essai de Janis A. Tomlinson.

HISTORIQUE
Carton réalisé en 1787 pour le décor de la salle de Conversation des princes des Asturies au palais du Pardo – conservé dans la manufacture de tapisserie de Santa Barbara, puis, à partir de 1856-1857, au palais royal de Madrid – 15 février 1870, entré au Museo del Prado[1].

EXPOSITIONS
Bordeaux-Madrid-Paris, 1979-1980, n° 19 (15) ; Madrid, 1996a, n° 37.

BIBLIOGRAPHIE
Cruzada Villaamil, 1870, n° 33 ; Sambricio, 1946, n° 42 ; Nordström, 1962 (1989), p. 55-62 ; Held, 1971, p. 60 ; Pita Andrade, 1979, p. 238 ; Agueda, 1984, p. 43-45 ; Arnáiz, 1987, n° 46C ; Tomlinson, 1989, p. 159-163 ; 1993, p. 211-214 ; Herrero-Sancho, 1996, p. 52-54, n° 81 ; Morales, 1994 (1997), n° 158.

14 ✳ *L'Hiver* ou *la Tempête de neige*

Juin-décembre 1786 – Huile sur toile – 31,7 x 33
Chicago, The Art Institute, Bequest of Mrs Verde C. Graff – Inv. : 1990.558
G-W 259 ; Gud. 220 / 232 ; DeA. 215

L'art occidental traite rarement l'allégorie de l'hiver avec légèreté, *a fortiori* dans une scène en plein air, qui s'imposait pourtant ici à Goya : toutes les autres tapisseries de la salle de Conversation[1] des princes des Asturies au palais du Pardo sont des scènes d'extérieur et deux d'entre elles, *la femme et les enfants à la fontaine* et *le Maçon ivre* devaient encadrer *l'Hiver,* de chaque côté des fenêtres. Goya choisit, en fait, un thème traditionnel de la peinture nordique et de la littérature – le voyageur dans la tempête – qu'il traite sans complaisance. À la joie et au bonheur des paysans de *l'Été,* de l'autre côté de la pièce, répondent la souffrance et la misère de leurs compagnons, qui se partagent une couverture pour tenter, en vain, de s'abriter de la tempête de neige. Malgré les maigres bourses accrochées à la ceinture de deux d'entre eux, il semble qu'ils n'aient rien pu rapporter de leur expédition. En revanche, en contrebas, un voyageur drapé dans sa cape, précédé d'un serviteur bien emmitouflé, tourné contre le vent, conduit un mulet chargé d'une énorme carcasse de porc, nourriture essentielle durant les froids hivers castillans. Aveuglés par la tempête, les deux groupes ne voient même pas qu'ils vont se heurter. Dans le carton (fig. 1), Goya ajoute un nouvel élément d'angoisse : le serviteur porte un fusil – rappel des multiples dangers de la route –, qui affole le chien.

Goya rend avec un naturalisme extraordinaire la réalité de la tempête. Une lumière froide montre le rideau de neige, dense et serré à droite, s'éclaircissant à gauche, sous un ciel d'un gris plus pâle, qui laisse à peine deviner une maison et quelques arbres dépouillés contre la montagne blanche. Dans le carton, les contraintes de la tapisserie l'ont certainement poussé à rendre la tempête par un horizon plus vaste et encore plus vide, ponctué de quelques arbres battus par le vent. Les ronces mortes, au premier plan de l'esquisse, sont la triste contrepartie des fleurs, des bottes de paille et des pampres des autres saisons ; l'arbre ployé sous le vent, près des voyageurs, répond à celui qui reverdit dans *le Printemps.* Les visages marqués et accablés s'opposent aux expressions joyeuses des autres scènes. L'abandon de toute élégie prouve que Goya veut avant tout rendre la réalité de la vie – bonheurs ou malheurs, durs labeurs ou divertissements –, qui transparaît sous l'apparence idyllique des autres saisons.

1. Sur cette appellation, voir cat. 11, note 2.

HISTORIQUE
L'une des six esquisses réalisées pendant l'été de 1786 pour le décor de la salle à manger des princes des Asturies au palais du Pardo – vendue par Goya au duc d'Osuna pour sa demeure La Alameda (facture du 6 mai 1798 ; paiement du 26 avril 1799) – 18 mai 1896, vente Osuna, Madrid, n° 74 ; achat par Cerbera (2 000 pesetas) – vers 1910, acquis par X. Desparmet Fitz-Gerald, Paris – Demotte, Paris – 1936-1942, E. & A. Silberman Gallery, New York – 1942, acquis par Everett D. Graff – 1977-1990, prêt à l'Art Institute, Chicago – 1990, don de Mrs Verde C. Graff à l'Art Institute of Chicago.

EXPOSITIONS
Madrid, 1896, n° 74 ; Chicago, 1941, n° 12 ; Toledo, 1941, n° 85 ; New York, 1950, n° 4 ; La Haye-Paris, 1970, n° 8 ; Madrid-Londres-Chicago, 1993-1994, n° 22.

BIBLIOGRAPHIE
Yriarte, 1867, p. 143 ; Desparmet Fitz-Gerald, 1928-1950, n° 153 ; Sambricio, 1946, n° 43a ; Nordström, 1962, p. 48-50 ; Arnáiz, 1987, n° 47 B ; Tomlinson, 1989, p. 165-168, 1993, p. 216-218 ; Herrero-Sancho, 1996, p. 52-54 ; Morales, 1994 (1997), n° 159.

Fig. 1
L'Hiver ou *la Tempête de neige*
1786-1787
huile sur toile
275 x 293
Madrid, Museo del Prado

15 ✳ *La Chute*

1786-1787 – Huile sur toile – 169 x 100
Madrid, collection particulière
G-W 250 ; Gud. 234 / 246 ; DeA. 188

Aristocrates éclairés, les ducs d'Osuna furent, après la famille royale, les
plus importants mécènes de Goya, qui travailla pour eux dès 1785.
En 1783, la duchesse avait acquis une propriété dans la campagne, à
l'ouest de Madrid, connue dès lors comme La Alameda de Osuna, où elle
fit construire un petit palais néoclassique, El Capricho, achevé en 1787.
Dès 1786 probablement, elle avait commandé à Goya une série de sept
scènes de genre pour y décorer la galerie de son appartement. Elle suivait
ainsi la mode française, dont le meilleur exemple en Espagne étaient alors
les paysages que Claude-Joseph Vernet venait de réaliser (1782) pour la
Casita du prince des Asturies à l'Escurial. Le développement du paysage et
l'échelle réduite des personnages rappellent les modèles français, mais
l'anecdote occupe une place aussi importante que dans les cartons réalisés
par Goya à la même époque. À côté de scènes de divertissements populaires, *le Mat de cocagne, l'Escarpolette* (Madrid, collection particulière), de
coutumes campagnardes, *la Procession, le Choix des taureaux* (collection particulière), trois des toiles – *l'Attaque de la diligence* (Madrid, collection particulière), *la Construction* (Barcelone, collection éd. Planeta) et *la Chute*
font référence à des drames plus ou moins graves qui ont pu se dérouler
près de La Alameda. Notamment cette chute qui, selon la description
même de Goya dans sa facture du 12 mai 1787, représente «une excursion
dans une région montagneuse, avec une femme qui s'est évanouie en tombant d'une mule, que secourent un abbé et une autre personne... [1]». Il est
tentant d'imaginer que la duchesse elle-même a pu être victime d'un inci-
dent si caractérisé. Goya reprend ici tous les éléments du paysage idéal,
dominé par ces pins parasols hors d'échelle qui projettent une ombre déri-
soire et renforcent l'idée de l'impuissance des voyageurs. «Exprimant le
sentiment», comme il le revendique dans sa facture, il suggère la peine et
l'affolement des deux autres femmes, assises sur des selles de voyage, ainsi
que l'attention et l'efficacité des serviteurs et de l'abbé, vêtu comme un
parfait petit abbé de cour. Cette série présente les mêmes caractéristiques
stylistiques que les cartons contemporains de la salle de Conversation du
Pardo.

1. Texte original publié par Sentenach, 1895, p. 198.

HISTORIQUE
12 avril 1787, livraison par Goya à La Alameda
des ducs d'Osuna, Madrid – 18 mai 1896,
vente Osuna, n° 70 ; achat par le duc de
Montellano – coll. Montellano, Madrid –
coll. part., Madrid.

EXPOSITIONS
Madrid, 1896, n° 70, 1900, n° 28 ; Londres,
1920-1921, n° 110 ; Madrid, 1928, n° 64 ;
Bordeaux, 1956, n° 115 ; Stockholm, 1959-
1960, n° 137 ; Madrid, 1961, n° L ; Paris,
1961-1962, n° 35 ; Londres, 1963-1964,
n° 60 ; Madrid, 1983, n° 15 ; Lugano, 1986,
n° 12 ; Stockholm, 1994, n° 10 ; Madrid, 1995-
1996, n° 8.

BIBLIOGRAPHIE
Yriarte, 1867, p. 83-86 ; Viñaza, 1887, p. 279 ;
Sentenach, 1895, p. 192 ; Ezquerra del Bayo,
1928, p. 152-154 ; Sánchez Cantón, 1951,
n° 35 ; Glendinning, 1977, p. 135-136.

✳ *Saint Bernard*

16

1787 – Huile sur toile – 220 x 160
Valladolid, monastère de San Joaquín y Santa Ana
G-W 238 ; Gud. 248 / 255 ; DeA. 216

En 1779, Charles III confia à l'architecte de cour Francisco Sabatini la reconstruction du monastère royal des bernardines de Valladolid, qui, vieux de deux siècles, menaçait ruine[1]. Il conçut une église de plan ovale scandée par des travées régulières – trois sur chacun des longs côtés – juste assez profondes pour abriter un retable. Il semble que la commande de nouvelles peintures, adaptées à ces retables et au style néoclassique de l'édifice, avait été envisagée dès le départ. En avril 1787, Sabatini suggéra les noms de Ramón Bayeu et de Goya, peintres du roi, qui ne seraient pas rémunérés pour cette tâche, puisqu'elle relevait de leur salaire. Sa suggestion fut aussitôt acceptée ; les trois tableaux de l'aile droite commandés à Goya et ceux de l'aile gauche à Bayeu devaient être achevés pour le 25 juillet, jour de la Sainte-Anne, patronne du monastère[2]. Goya, qui n'avait pas encore commencé les siens le 6 juin, dut à peine les avoir finis pour le 1er octobre. Il tint cependant remarquablement compte des souhaits de Sabatini : la monumentale simplicité des trois toiles s'adapte d'autant plus à la structure décorative néoclassique que Goya y a traité la lumière en fonction des sources extérieures, lanternon et œil-de-bœuf (fig. 1). Il a également su adapter chaque composition, avec ses personnages grandeur nature, à son emplacement dans l'ellipse : proche de l'entrée, *Sainte Lutgarde* est, comme le fidèle qui pénètre dans l'église, agenouillée en direction du maître-autel vers lequel elle tend les bras, au-delà du crucifix qu'elle vénère ; au centre, les lignes orthogonales de *la Mort de Saint Joseph* (cat. 18) s'adaptent à la partie la plus plane de l'ellipse ; près du maître-autel, *Saint Bernard* tend les bras vers l'homme agenouillé devant lui, mais aussi vers la foule, dans un geste qui répond à celui de la sainte. Un équilibre tout classique donc, renforcé par les correspondances avec les tableaux de Bayeu.

HISTORIQUE
Avril 1787, commandé par Charles IV pour le monastère Santa Ana de Valladolid – 1er octobre 1987, consécration de l'église et des retables – *in situ*.

EXPOSITIONS
Madrid, 1961, n° LXVII ; Paris, 1961-1962, n° 31 ; Tokyo-Kyoto, 1971-1972, n° 17 ; Madrid, 1988, n° 54 ; Saragosse, 1992, n° 15 ; Madrid, 1995-1996, n° 9.

BIBLIOGRAPHIE
Diario Pinciano ; Bosarte, 1804, t. 1, p. 150 ; Yriarte, 1867, p. 129 ; Zapater, 1868, p. 51-52 ; Viñaza, 1887, p. 204-209 ; Tormo, 1911-1912, p. 522-526 ; Agapito y Revilla, 1914, p. 32-35 ; Beruete, 1917, II, n° 46 ; Mayer, 1924, n° 34 ; Sánchez Cantón, 1951, p. 36-37 ; *Diplomatario,* p. 241 ; *Cartas a Zapater,* p. 79, n° 29 ; Martín González, 1987, p. 14 ; Tomlinson, 1989, p. 148-150 ; Morales, 1990, n° 75, 1994 (1997), n° 170.

Fig. 1
Intérieur de l'église du monastère Santa Ana, Valladolid

Assisté d'un moine plus âgé qui, légèrement en retrait, tient une cruche, Bernard (1091-1153), saint patron des religieuses du monastère, bénit un homme dévotement agenouillé devant lui, une béquille sous le bras. On a longtemps voulu voir saint Robert, le fondateur de Cîteaux – abbaye réformée où entra Bernard avant de fonder Clairvaux –, dans le vieux moine. L'absence d'auréole et sa position montrent qu'il est un simple compagnon du saint, peut-être Godefroy, le secrétaire de Bernard. Comme l'indiquent les bandages de sa jambe droite et la béquille, l'homme agenouillé est blessé ou handicapé ; cependant, le fait qu'il s'appuie fermement sur sa jambe blessée révèle que le saint moine, la main levée dans un geste de prière, vient d'accomplir une guérison miraculeuse. Ses hagiographes rapportent en effet que lors de ses multiples voyages – à Milan ou à Constance, notamment – Bernard attirait des foules immenses et opérait de nombreux miracles.

Le blanc de l'habit cistercien se découpant sur le fond sombre et les visages émaciés peuvent, à première vue, évoquer Zurbarán. Mais la souplesse et l'élégance des plis, la finesse des visages et la retenue des gestes, qui rappellent les œuvres romaines de Subleyras, montrent à quel point Goya a su, pendant son séjour à Rome assimiler le grand exemple du classicisme italien.

1. Les bernardines récolètes sont l'une des ramifications féminines de l'ordre de Cîteaux.
2. Ramón Bayeu et Goya venaient de réaliser de la même manière les retables d'Urrea de Gaén, également de plan ovale (cat. 7).

17 * *La Mort de saint Joseph*

1787 – Huile sur toile – 54,5 x 41,1
Flint (Michigan), The Flint Institute of Arts,
Gift of Mr. and Mrs William L. Richards through the
Viola E. Bray Charitable Trust, Fund. – Inv. : 67.19
G-W 237 ; Gud. 245 / 252 ; DeA. 213

(Voir cat. 18.)

HISTORIQUE
1787, esquisse pour la commande d'une *Mort de saint Joseph* par Charles IV pour le monastère Santa Ana de Valladolid – à partir de 1908 au moins, coll. Aureliano de Beruete, Madrid – 1929, acheté par Otto Gerstenberg à la veuve de Beruete – Peter Nathan, Zurich – 1967, acquis par le Flint Institute of Arts.

EXPOSITIONS
Berlin, 1908, n° 1 ; Vienne, 1908, n° 15 ; Madrid, 1928, n° 78 / 11 ; Londres, 1963-1964, n° 65 ; Paris, 1979, n° 9 ; Dallas, 1982-1983 (1.3) ; Madrid-Boston-New York, 1988-1989, n° 14 ; Madrid-Londres-Chicago, 1993-1994, n° 15.

BIBLIOGRAPHIE
Bosarte, 1804, t. 1, p. 150 ; Agapito García, 1928, p. 200-206 ; Sánchez Cantón, 1951, p. 32-33 ; Tomlinson, 1989, p. 148-150 ; Morales, 1990, p. 183-193, 1994 (1997), n° 172.

✳ *La Mort de saint Joseph*

1787 – Huile sur toile – 220 x 152
Valladolid, monastère San Joaquín y Santa Ana
G-W 236 ; Gud. 246 / 253 ; DeA. 214

La dévotion des bernardines à la Sainte Famille, symbolisée par la consécration du monastère aux parents de la Vierge, s'étendait évidemment à saint Joseph, dont le culte s'était imposé en Espagne avec sainte Thérèse d'Avila. Le thème commandé par les religieuses à Goya – *El Tránsito de SnJosef,* selon ses propres mots – est beaucoup plus rare que sa représentation en protecteur de l'Enfant Jésus.

Les différences entre l'esquisse et le tableau final sont telles que l'on a pu penser que les deux peintures n'étaient pas liées. Cependant, l'esquisse est bien la toute première pensée de Goya pour la réalisation de cette commande, illustrant à nouveau comment il cherchait directement sur la toile sa conception de l'œuvre. S'inspirant vraisemblablement d'une gravure d'une peinture du même thème par Giuseppe Maria Crespi (Saint-Pétersbourg, musée de l'Ermitage), Goya conçoit une scène dont l'intimité est suggérée par les attitudes très naturelles de Jésus et de Joseph. Cette Trinité terrestre inversée, où Jésus tient maintenant le rôle de protecteur, s'inspire certes de l'hagiographie traditionnelle, qui veut que Joseph se soit endormi paisiblement dans la mort, veillé par Marie et son Fils tandis que les anges venaient chercher son âme. Toute l'expérience humaine et la foi de Goya transparaissent dans la tendresse avec laquelle Jésus soutient la tête de Joseph, à la fois craintif, confiant et si faible, et retient sa main dans la sienne. Le travail d'élaboration est clairement visible dans les traits rapides à la mine de plomb qui suggèrent des formes que les couleurs très légères construisent de manière parfois différente. Comme pour l'*Annonciation* (cat. 10), il travaille ici la composition, les couleurs, très douces, mais aussi l'expression.

Le changement total de composition – mais non d'approche spirituelle – dans l'œuvre finale est certainement lié aux directives de Sabatini visant à intégrer le mieux possible ces retables à la conception architecturale du bâtiment. Le développement de la scène dans un système de lignes orthogonales parallèles à la surface de la toile, adouci par le triangle du voile de Marie, s'adapte à la position du retable au centre de l'aile, dans la partie la plus plane de l'ellipse. Cette adéquation à l'architecture est renforcée par la coulée de lumière divine tombant sur Joseph, qui rend son âme à Dieu. Elle renforce la lumière naturelle provenant de l'œil-de-bœuf situé en haut à gauche du retable. En juin 1787, Goya reçut du tissu bleu et rose avec lequel il fit confectionner une tunique et une robe, ce qui laisse supposer qu'il composa les figures si monumentales du tableau final à partir de mannequins[1]. Placée strictement de profil, la figure de Jésus acquiert le même type de volume que celles de Bernard et de Lutgarde. La distribution très simple des couleurs, subtiles à l'origine mais assez affadies aujourd'hui, renforce le caractère sculptural de l'ensemble. La scène a perdu son intimité narrative pour donner la première place au mystère chrétien de la mort.

1. Voir Wilson-Bareau dans Madrid-Londres-Chicago, n° 15.

HISTORIQUE

Avril 1787, commandé par Charles IV pour le monastère Santa Ana de Valladolid – 1er octobre 1987, consécration de l'église et des retables – *in situ.*

EXPOSITIONS

Madrid, 1961, n° LXVII ; Paris, 1961-1962, n° 30 ; Madrid, 1972, n° 142, 1988, n° 55 ; Venise, 1989, n° 24 ; Saragosse, 1992, n° 16 ; Madrid, 1996a, n° 70.

BIBLIOGRAPHIE

Diario Pinciano; Bosarte, 1804, t. 1, p. 150; Yriarte, 1867, p. 129; Zapater, 1868, p. 51-52; Viñaza, 1887, p. 204-209; Tormo, 1911-1912, p. 522-526; Agapito y Revilla, 1914, p. 32-35; Beruete, 1917, II, n° 45; Mayer, 1924, n° 51; Sánchez Cantón, 1951, p. 36-37; *Diplomatario,* p. 241; *Cartas a Zapater,* p. 79, n° 29; Martín González, 1987, p. 14; Tomlinson, 1989, p. 148-150; Morales, 1990, p. 75, 1994 (1997), n° 171.

18

19

✳ *Don Manuel Osorio Manrique de Zuñiga*

1788 – Huile sur toile – 127 x 101
Signé sur la carte de visite, dans le bec de la pie : *D^n Fran^{co} Goya* –
Inscription : *EL S. ^{r} D. ^{n} MANVEL OSORIO MANRRIQUE DE ZVÑIGA S ^{r} DE BINES NACIO EN ABR A II DE 1784*
[señor don Manuel Osorio Manrique de Zuñiga, seigneur de Ginés (îles Canaries), né le 2 avril 1784]
New York, The Metropolitan Museum of Art, The Jules Bache Collection, 1949 – Inv. : 49.7.41
G-W 233 ; Gud. 251 / 262 ; DeA. 229

Cet incontestable chef-d'œuvre fait partie d'une série de portraits exécutée par Goya entre 1787 et 1788 pour le compte de l'une des plus prestigieuses grandes familles d'Espagne : les comtes d'Altamira.

Le chef de famille, don Vicente Isabel Osorio de Moscoso Álvarez de Toledo était d'origine galicienne. Marquis d'Astorga, lieutenant général de Castille et de la ville de Madrid, il joua un rôle très important au sein de la banque San Carlos, puisqu'il fut l'un de ses directeurs. Fort cultivé, il avait été élu académicien de San Fernando en 1796 et conseiller l'année de sa mort, en 1816.

Dans son portrait (1787 ; Madrid, Banco de España), Goya parvient habilement à atténuer l'infirmité du comte : il était nain, et un témoin de l'époque, lord Holland, en disait qu'il «était un homme [le] plus petit que j'ai vu en société, plus petit que les nains que l'on exhibe dans les foires». Son épouse, María Ignacia Álvarez de Toledo, fut également peinte par Goya en 1788, tenant dans ses bras sa fille María Agustina Osorio, née le 21 février 1787. Cette œuvre délicate est conservée au Metropolitan Museum of Art, à New York. L'aîné des fils, don Vicente Osorio de Moscoso, comte de Transtamare, portraituré à son tour, à l'âge de dix ans, complète cette série homogène (vers 1786-1787 ; Suisse, collection particulière). L'aîné des enfants se présente déjà comme un adulte, la main droite dans le gilet, la main gauche sur la garde de son épée, en compagnie d'un petit chien qui vient apporter une note de fantaisie à cette image établie. En revanche, le cadet, Manuel Osorio, est représenté de manière très extraordinaire. L'âge de l'enfant, trois ans, n'est pas étranger au charme indéniable de cette peinture, révélatrice à bien des égards de l'amour du peintre pour les enfants, lui qui perdit les siens en bas âge, à l'exception de son fils Javier. L'incontestable beauté du modèle, vêtu de rouge sur un fonds gris-vert, témoigne d'une grande audace picturale. Le jeune garçon semble auréolé d'un nimbe de lumière alors que le col de dentelle, la ceinture et les chaussures de satin blanc confèrent à cette vision le charme d'une image irréelle. Le visage aux grands yeux sombres, la chair blanche et délicate, la bouche fine et les cheveux légèrement ondulés sont autant de détails finement observés et traduits.

Cela dit, le tableau nous surprend par son contenu symbolique très différent des autres portraits de la série. Goya représente à droite de Manuel Osorio trois chats, dont un noir. À sa gauche, nous découvrons une cage verte contenant six chardonnerets. L'enfant tient au bout d'un fil une pie qui porte dans son bec une petite carte avec une palette, des pinceaux et la signature de Goya.

Cette représentation n'est en aucune façon fantaisiste ou gratuite mais plutôt d'ordre allégorique et symbolique. En effet, dans l'iconologie

HISTORIQUE
Coll. Altamira, Madrid (vente Drouot, Paris, 30 mars 1878, n° 10, 1 200 francs) – coll. Bernstein, Paris – E. Jonas, Paris – Duveen, New York – coll. Jules Bache, New York – 1949, donné au Metropolitan Museum, New York, par Jules Bache.

EXPOSITIONS
New York, 1955, n° 166 ; La Haye-Paris, 1970, n° 10 ; Venise, 1989, n° 25 ; Stockholm, 1994, n° 8 ; New York, 1995, p. 67 ; Oslo, 1996, n° 6.

BIBLIOGRAPHIE
Loga, 1903, n° 290 ; Mayer, 1925, n° 365 ; Glendinning, 1987, p. 239 ; Pressley, 1992, p. 12-20 ; Baticle, 1992, p. 132, 1995, p. 91 ; Morales, 1994 (1997), n° 178 ; Tomlinson, 1994, p. 64-65 ; Stein, 1995, p. 55-56 ; Augé, 1996, p. 44-45.

de l'époque, le chat représente la liberté, la ruse et parfois les forces du mal. Le fait que ces animaux soient au nombre de trois illustre la notion du tout, l'accomplissement, la relation entre la pensée et l'être. Situés à droite du modèle, leur attitude vigilante face à la pie demeure significative. La cage verte – couleur du destin et de l'espérance – nous rappelle la notion de délivrance dans la pensée chrétienne qui met en œuvre cette image contemplative dans l'attente de la Résurrection. Le chiffre six pour les chardonnerets, chiffre parfait, illustre à la fois le nombre des jours de la création divine et celui des œuvres charitables. Le chardonneret demeure par ailleurs l'un des symboles du Christ enfant, image de l'âme chrétienne sauvée par le Christ de la Passion. Ce passereau, selon la tradition, aurait trempé son bec dans le sang de Jésus, d'où la couleur de sa tête. En dernier lieu, la pie captive représente le vol, le bavardage inutile, mais surtout la persécution et la mort prématurée. Elle s'incline devant ce nouvel Emmanuel vêtu de rouge, couleur de la vie, du pouvoir sur terre, de l'amour et de la lumière du soleil.

Il va de soi qu'une telle représentation ne pouvait être exécutée sans l'accord des commanditaires. Quels espoirs reposaient sur ce tout jeune enfant quand on sait que les aînés étaient traditionnellement destinés à la carrière des armes et les cadets à l'Église ?

La composition, très savante, nous laisse à penser qu'il y a là une sorte de rébus, de jeu de l'esprit tel que ceux des *Caprices*. Mais l'énigme demeure aussi surprenante que le regard fixe de l'enfant, qui semble perdu dans une pensée intérieure, en un monde irréel, celui de l'enfance précieuse. Rarement Goya a su transcender la réalité à ce point.

cat. 19 (détail)

20

✳ *La Prairie de Saint-Isidore*

Mai-juin 1788 – Huile sur toile – 41,9 x 90,8
Madrid, Museo del Prado – Inv. : 750
G-W 272 ; Gud. 252 / 263 ; DeA. 246

Ce paysage idyllique de Madrid sous le soleil couchant devait, une fois transposé en tapisserie, être la pièce maîtresse du décor de la chambre des infantes au palais du Pardo. Goya, qui avait reçu la commande avant février 1788, hésitait encore, à la fin de mai[1], sur la manière d'aborder le sujet – la fête de la Saint-Isidore qui se déroule, chaque 15 mai, sur une colline proche de l'ermitage voué au saint patron de Madrid –, qu'il conçut ensuite très rapidement. La mort de Charles III, en décembre, interrompit l'entreprise.

Les dimensions imposantes prévues pour le carton (330 x 725) expliquent la composition en plans parallèles allongés et la précision des détails qui donnait au roi une idée précise du résultat final. La ribambelle de personnages disposés sur les deux pans dénudés, au premier plan, guide l'œil vers le creux de la colline, où les regards et les gestes de deux jeunes filles nous invitent à la fête. Partant de ce petit groupe à flanc de coteau, le paysage se déploie progressivement, dévoilant la foule amassée dans la prairie, le lit du Manzanares, ruban lumineux au milieu de la toile, et la montée vers Madrid : depuis le pont de Ségovie, à l'extrême gauche, la silhouette de la ville, scandée par la masse du palais royal et le dôme de San Francisco, referme légèrement la composition. Influencé, certes, par les vastes horizons de Michel-Ange Houasse et les *vedute* d'Antonio Joli, Goya soumet l'organisation, très élaborée de l'espace, jouant sur les lignes horizontales et les diagonales, à la lumière, qui recrée l'atmosphère de cette soirée printanière. Le soleil couchant illumine des mêmes couleurs les figures du premier plan et l'horizon, tout en soulignant les ombres allongées de la foule en contrebas. Il répond aussi à la lumière vive de midi qui inonde *l'Ermitage* (fig. 1), où se déroule le pèlerinage à la source miraculeuse, premier rituel de la journée. Goya ordonne, à petits coups précis de pinceau, le spectacle des divertissements succédant aux dévotions, en minuscules scènes parallèles dont la diversité, propre à réjouir les jeunes destinataires de la tapisserie, traduit l'effervescence caractéristique de cette fête : près des tentes et des carrosses, *majos* et bourgeois dansent, goûtent et flânent côte à côte, comme le proclame le costume des silhouettes du premier plan.

1. Pour une analyse approfondie, voir Wilson-Bareau dans Madrid-Londres-Chicago, 1993-1994, n° 26.

HISTORIQUE
L'une des cinq esquisses réalisées en mai-juin 1788 pour le décor de la chambre des infantes au palais du Pardo – vendue par Goya au duc d'Osuna pour sa demeure La Alameda (facture du 6 mai 1798 ; paiement du 26 avril 1799) – 18 mai 1896, vente Osuna, Madrid, n° 66 ; achat par le ministère des Travaux publics et de l'Instruction publique (estimé à 15 000 pesetas) pour le Museo del Prado ; entré le 5 juin 1896.

EXPOSITIONS
Madrid, 1896, n° 66 ; Genève, 1939, n° 29 ; Bordeaux-Paris-Madrid, 1979-1980, n° 21 (17) ; Leningrad-Moscou, 1980, n° 28 ; Madrid-Boston-New York, 1988-1989, n° 16 ; Madrid, 1992-1993, n° 51 ; Madrid-Londres-Chicago, 1993-1994, n° 26 ; Madrid, 1996a, n° 49.

BIBLIOGRAPHIE
Yriarte, 1867, p. 85, 143 (gravure) ; Sambricio, 1946, n° 53 ; Sánchez Cantón, 1951, p. 39 ; Dowling, 1977, p. 314-342 ; Salas, 1979, p. 169-170 ; Arnáiz, 1987, n° 58B ; Held, 1987, p. 41-43 ; Tomlinson, 1989, p. 180-182, 1993, p. 232-234 ; Pita Andrade, 1989, p. 109-110 ; Baticle, 1992, p. 140 ; Morales, 1994 (1997), n° 187.

Fig. 1
L'Ermitage de saint Isidore
1788
huile sur toile
41,8 x 43,8
Madrid, Museo del Prado

21

✳ *Le Pique-nique*

Mai-juin 1788 – Huile sur toile – 41,3 x 25,8
Londres, The National Gallery of Art – Inv. : 1471
G-W 274 ; Gud. 254 / 265 ; DeA. 248

Tout comme *la Partie de colin-maillard* (fig. 1), cette esquisse – restaurée en 1987 – évoquait la fête de la Saint-Isidore en développant l'un des divertissements auxquels *la Prairie* (cat. 20) faisait déjà allusion. La fraîcheur des tons, la délicatesse des silhouettes et le thème apparemment badin de ce pique-nique rappellent les «scènes galantes» du XVIIIe siècle français. Le petit drame qui s'y déroule lui donne, cependant, une saveur beaucoup plus réaliste : reconnaissables aux tricornes ou à la résille, un groupe de *majos,* accompagné d'une *maja* qui nous jette un regard coquin, a envahi le bosquet à l'ombre duquel s'est installé un couple élégant. Après avoir bousculé le jeune homme, qui gît impuissant et affolé devant son panier ouvert, et s'être servi un verre de vin, l'un d'eux cherche, avec une pose avantageuse, à séduire la jeune femme légèrement apeurée[1]. Goya semble ainsi évoquer, en passant, les avatars du mélange social caractéristique de cette journée, illustré de manière idyllique au premier plan de *la Prairie.* Le dramaturge Ramón de la Cruz (1731-1795) venait de traiter avec verve certains incidents semblables dans sa saynète *la Prairie de saint Isidore.* La présence d'anecdotes dans les esquisses de cette série – le *majo* offrant à boire dans *l'Ermitage,* la jeune fille cachée derrière le chapeau de son amie dans *la Partie de colin-maillard,* le chat apeuré dans *le Chat sur l'arbre* (Madrid, Museo del Prado), dernière péripétie sur le chemin du retour – apporte une note ludique qui permet à Goya d'adapter son sujet à la jeunesse de ses destinataires.

La rapidité de la touche, la vivacité des rehauts, l'utilisation de coups de pinceau noir – visibles sur les photographies infrarouges – pour dessiner le corps du *majo* traduisent mieux encore que dans les autres esquisses la géniale hâte du peintre. En fixant la résidence du prince des Asturies, devenu Charles IV, au palais royal de Madrid, la mort de Charles III, en décembre 1788, stoppa certainement l'entreprise. Goya n'avait alors transposé sur carton que *la Partie de colin-maillard.* Acquis par le duc d'Osuna en 1799 avec deux autres esquisses de la série et celles des Saisons, notre tableau[2] orna tout au long du XIXe siècle la bibliothèque de La Alameda, superbe demeure familiale à quelques kilomètres de Madrid.

1. Tomlinson (1989, p. 184-185) pense qu'à cause de sa trivialité cette esquisse ne pouvait être destinée à une chambre de jeunes filles, alors que ses dimensions correspondent au troisième des châssis que reçut Goya. L'absence de fausse pudeur dans l'éducation du XVIIIe siècle est pourtant bien connue.
2. Cité et gravé dans Yriarte, 1867, p. 83-85, 144.

HISTORIQUE
L'une des cinq esquisses réalisées en mai-juin 1788 pour le décor de la chambre des infantes au palais du Pardo – vendue par Goya au duc d'Osuna pour sa demeure La Alameda (facture du 6 mai 1798 ; paiement du 26 avril 1799) – 18 mai 1896, vente Osuna, Madrid, n° 78 ; achat par la National Gallery de Londres (190 livres et 11 shillings) ; légèrement agrandie sur le pourtour lors du réentoilage consécutif à l'achat.

EXPOSITIONS
Madrid, 1896, n° 78 ; Londres, 1947, n° 8, 1981, n° 66 ; Madrid-Londres-Chicago, 1993-1994, n° 27.

BIBLIOGRAPHIE
Yriarte, 1867, p. 144 ; Sambricio, 1946, n° 56 ; MacLaren-Braham, 1970, p. 9-11 ; Arnáiz, 1987, n° 61B ; Tomlinson, 1989, p. 184-185, 1993, p. 237 ; Morales, 1994 (1997), n° 188.

Fig. 1
La Partie de colin-maillard
1788
huile sur toile
41,6 x 43,9
Madrid, Museo del Prado

22

✳ La Reine Marie-Louise

1789, repris entre 1799 et 1801 – Huile sur toile – 153 x 110
Saragosse, collection Ibercaja
Gud. 309 / 343 ; DeA. 240c

Curieusement, ce tableau n'a figuré jusqu'à présent que dans certains ouvrages sur Goya, les moins sélectifs en général, et, depuis sa disqualification dans la monographie prestigieuse de Gassier et Wilson, en 1970[1], n'a pas été accepté par les autres auteurs de catalogues. La contradiction apparente entre l'aspect juvénile du visage de la reine – suggérant une date proche de celle de son accession au trône d'Espagne, en 1788, et des portraits officiels de 1789 – et l'élégante robe de gaze blanche typique de la mode de l'extrême fin du XVIIIe siècle – avec le cordon de l'ordre de Charles-III dans la forme adoptée à partir de 1792 – a fait douter certains historiens quant à son attribution, d'autant que cette œuvre n'était plus visible depuis l'exposition de 1928. Cependant, le tableau restait le meilleur témoignage en faveur d'une attribution à Goya.

Une étude réalisée récemment au Museo del Prado a permis de répondre à certaines des énigmes qui rendaient le tableau difficile à apprécier et lui reconnaissant son statut d'œuvre majeure et de document historique exceptionnel. Plaidait contre lui le fait que l'on n'ait pu l'identifier de manière sûre dans aucun inventaire, y compris celui des biens de Goya, réalisé à la mort de sa femme, en 1812, et que sa première apparition soit bien tardive, au début du XXe siècle, dans la collection du marquis de Casa Torres. Le document radiographique a révélé des changements très intéressants qui, une fois interprétés, mettent en évidence une partie de sa véritable histoire[2].

Son état de conservation est excellent, ce qui a permis de l'étudier dans les meilleures conditions possible : n'ayant pas été réentoilé, le tableau a conservé avec une grande pureté toute la qualité des touches, depuis les empâtements originaux les plus épais, qui montrent la trace du pinceau, jusqu'aux petits coups de pinceau les plus fins. N'ayant été soumis ni à la chaleur ni au contact avec des matières étrangères qu'implique un réentoilage, ses pigments – et donc son coloris et ses qualités tonales – n'ont pas subi d'altérations graves.

La radiographie révèle une peinture sous-jacente, qui présente la reine dans l'attitude des portraits officiels de 1789 (fig. 1), dont l'un des meilleurs exemplaires est celui que conserve la Real Academia de Historia de Madrid : son bras droit est tendu vers la gauche du tableau, la main tenant un éventail ; sa robe est serrée à la taille puis se déploie en une large jupe ; le décolleté, en pointe, est orné d'une fine dentelle, visible sur le document radiographique.

Sur le portrait officiel, la reine porte un volumineux chapeau fait de plumes, de rubans et d'autres ornements qui n'apparaît pas sur la radiographie, peut-être à cause des pigments employés. Dans le tableau tel qu'il est aujourd'hui, le grand espace vide au-dessus de la tête pourrait signifier que, dans la première version, il y avait bien un chapeau, peut-être seulement ébauché et donc moins lisible dans la radiographie.

HISTORIQUE
Depuis 1908 au moins, coll. marquis de Casa Torres, Madrid – 1985, coll. part., Madrid – 1998, Ibercaja, Saragosse.

EXPOSITION
Madrid, 1928, n° 27 (cat. illustré n° 10, pl. XXII).

BIBLIOGRAPHIE
Calvert, 1908, n° 28 (pl. 16) ; Beruete, 1916, p. 169, n° 24 ; Mayer, 1924, n° 146 ; Desparmet Fitz-Gerald, 1928-1950, n° 548s.

Fig. 1
La Reine Marie-Louise
1789
huile sur toile
130 x 94
Madrid, Tabacalera

Tant dans les couches sous-jacentes que sur la surface picturale, le visage de la reine est peint avec une grande précision et avec délicatesse, avec une variété étonnante de touches et de coups de pinceau, avec un soin évident de la part du peintre, qui le fait ressortir afin qu'il devienne le point central de la composition. La technique comme la vivacité du visage indiquent qu'il a été peint « au naturel ». Ce tableau doit donc être le portrait original, réalisé par l'artiste devant le modèle vivant, et c'est à partir de celui-ci qu'ont été créés les nombreux portraits officiels de la souveraine, peints par Goya et ses aides, que réclamaient les institutions et les aristocrates pour orner leurs palais.

Dix ans plus tard, en 1799, Charles IV et la reine Marie-Louise décidèrent l'exécution de nouveaux portraits[3], les changements de mode mais aussi le vieillissement des traits des souverains rendant la première série désuète. Goya ne pouvait plus recourir à l'esquisse, trop ancienne, de la reine, et repartit du modèle vivant, comme en témoigne la correspondance entre la reine et Godoy. C'est alors qu'il dut actualiser le portrait de 1789, certainement jugé inutilisable et laissé dans l'atelier. D'où les changements qu'il effectua sur son premier original, de manière géniale et sans traces évidentes sur la surface picturale. Il « rhabilla » la reine selon la mode Empire, qui avait cours alors, la décora du cordon de l'ordre de Charles-III – qui ne figurait pas dans les portraits officiels de 1789 – et la coiffa d'un petit turban, simplement orné, cachant d'un coup de pinceau rapide le grain de beauté postiche sur la tempe gauche, signe d'une mode révolue. Le bras droit, qui était tendu et tenait l'éventail, fut replié pour s'appuyer sur la taille, dans une attitude presque identique à celle que Goya donna à la célèbre artiste *la Tirana* dans son portrait de 1799 (Madrid, Real Academia San Fernando), l'année même des nouveaux portraits royaux. Les gazes transparentes et la lumière qui émane du modèle, devant le fond obscur d'un rideau, rappellent les figures féminines des anges dans les fresques de San Antonio de la Florida[4].

Les spécialistes de Goya ont toujours lié ce tableau à un portrait de Charles IV qui figurait aussi dans la collection Casa Torres aujourd'hui conservé au Museo de Bellas Artes d'Oviedo[5]. On ignore si cette paire fut conservée dans l'atelier des peintres du roi au palais royal ou par Goya. Le roi les offrit peut-être à un aristocrate qu'il appréciait ou peut-être Goya lui-même vendit-il un tableau « oublié » dans son atelier.

Le portrait est peint de manière rapide, précise et directe. Le visage, d'une précision de miniature, est absolument intact ; il n'a pas été retouché dans la seconde version, alors que le reste l'a été de façon très libre. Repeint sommairement, le rideau du fond présente les ombres noires caractéristiques de Goya, appliquées au-dessus de tons verts, brossés d'une main sûre mais délicate. La précision de la main de Goya est parfaitement claire dans sa façon de rendre la couronne, modifiée dans la seconde version et placée plus à gauche, en quelques coups de pinceau magistraux, appliqués un à un, avec une variété suffisante de rehauts et de lumière pour restituer son volume et son aspect métallique.

Nous pouvons dire la même chose du vêtement, si différent d'une version à l'autre. Goya a été capable de dissimuler le costume du XVIIIᵉ siècle et de réaliser, par-dessus, une gaze fine et transparente de style Empire, le poids délicat des fleurs dorées qui l'ornent et les vibrants rehauts lumineux de la poitrine. Le cordon féminin de l'ordre de

Charles-III, seule décoration que porte la reine, est mis en valeur par le brillant calculé de la soie, si différent de l'aspect mat de la gaze. Nous remarquons comment, de manière rapide, Goya a séparé le bras gauche du corps, changeant à peine la position originale, lui donnant le volume nécessaire en quelques coups de pinceau noirs, larges, légers et précis. Il utilisa sur la partie extérieure des touches de lumière sur le vert du rideau pour suggérer la texture de la peau et le mouvement. Tout cela s'ajoute à un dessin très rigoureux presque néoclassique des bras, dont, selon les sources contemporaines, la reine était si fière, et de l'exquise petite main aux doigts potelés.

Goya donne ainsi à son nouveau portrait un impressionnant sens de l'espace, avec la figure féminine, vêtue simplement et éclairée avec force, qui se détache sur un fond sombre et indéfini, mais richement nuancé, soulignant son isolement, que nous pouvons comparer à celui de *la Comtesse de Chinchón* (1800 ; Madrid, collection particulière).

Ici, nulle trace de critique envers la reine que les historiens ont soulignée dans tant d'autres portraits, surtout dans *la Famille de Charles IV*. La jeune Marie-Louise du portrait original a conservé, dix ans plus tard et grâce au talent de l'artiste, toute l'élégance de son attitude et sa vivacité, si joyeuse et expressive. Goya allie à la jeunesse du visage de 1789 la liberté de la mode impériale, masquant la rigidité officielle du portrait primitif parvenant ainsi à un portrait moderne et informel. Goya, si proche de ses modèles et tellement capable de pénétrer au plus profond de leurs âmes, ne semble aucunement hostile à la reine ni critique à son égard mais au contraire la met en valeur et fait ressortir son charme féminin.

1. Juliet Wilson-Bareau, coauteur de cette monographie, reconnaît aujourd'hui en Goya l'auteur de ce portrait. Dans un rapport récent, elle a précisé certains aspects importants de cette œuvre, comme sa relation indubitable avec les portraits officiels de 1789, et nous nous sommes permis de reprendre une partie de ses conclusions.
2. La radiographie a été réalisée par le cabinet de documentation technique du Museo del Prado.
3. Il s'agit de *la Reine Marie-Louise avec une mantille* et du *Charles IV à la chasse* conservés au palais royal de Madrid ainsi que deux autres, légèrement postérieurs (1800) où les monarques sont en habit de cour, elle à la turque et lui en uniforme militaire, également conservés au palais royal. Signalons la coïncidence entre l'attitude de la reine dans le portrait exposé et dans celui de *la Famille de Charles IV* (Madrid, Museo del Prado).
4. Desparmet Fitz-Gerald date ce tableau de 1801.
5. Voir Gudiol, 1970, n° 308, fig. 438 ; d'abord dans la coll. Casa Torres, le portrait de Charles IV est passé dans la coll. Masaveu avant d'arriver à Oviedo. Alors que Goya avait modifié le portrait de la reine pour actualiser la mode, il ne toucha pas à celui de Charles IV, démantelant ainsi la paire. Il est certainement temps d'étudier ces deux œuvres en profondeur afin de savoir si le portrait du roi était aussi l'original de ses portraits officiels de 1789.

23

✱ *Le Pantin*

1791 – Huile sur toile – 35,6 x 23,2
Los Angeles, The Armand Hammer Collection, Ucla at the Armand Hammer Museum of Art
and Cultural Center – Inv. : 90.36
G-W 296 ; Gud. 300 / 273 ; DeA. 255

Lorsqu'il fut nommé peintre de chambre (1789), Goya refusa de conti-
nuer à travailler pour la manufacture de tapisserie. En 1791, il dut cependant s'incliner et réaliser les cartons commandés en 1789 pour le décor du
bureau de Charles IV à l'Escurial, résidence favorite des nouveaux souverains. Avant de tomber malade en novembre 1792, il avait peint sept des
douze cartons projetés sur les thèmes «comiques et rustiques» réclamés
par le roi. Trois d'entre eux (Madrid, Museo del Prado), probablement
placés côte à côte, traitaient d'un thème récurrent dans la littérature et
le folklore espagnols, la domination de la femme sur l'homme : à gauche,
les Jeunes Filles à la cruche (fig. 1) proclament leur pouvoir de séduction ;
au centre, *la Noce* (voir dans ce catalogue l'essai J. A. Tomlinson) révèle
une conception du mariage qui donne la première place à l'argent ; à
droite, *le Pantin* ou comment traiter le mari choisi. Notre sujet se situe, en
apparence, dans la lignée des divertissements traditionnels déjà peints par
Goya sur de nombreux cartons : les petits Espagnols aimaient secouer sur
un air de comptine un pantin de paille placé dans une couverture et s'amu-
saient des poses qu'il prenait en retombant. Ainsi, ces jeunes femmes se
rient du sort du mari tombé entre leurs mains. Faut-il, selon certains
historiens, pousser plus loin l'interprétation, y voir une allusion à l'insta-
bilité politique de ce début de règne, au renvoi récent de quatre ministres
bien connus de Goya et à l'ascension de Godoy, jeune favori de la reine ?

Peinte avec une touche très légère, dans des coloris sourds que
relèvent les coloris rose-violet de l'arrière-plan et les rehauts blancs et
dorés sur les robes des femmes, l'esquisse a plus de force que le carton
final. Le pont qui barre l'horizon, à gauche, resserre la composition sur
ces petites femmes, solidement campées, formant une pyramide dont le
sommet est le visage du pantin. Ses yeux, vivants, prennent à témoin le
spectateur. Plus gracieuses, les jeunes filles du carton secouent sur un fond
de paysage vaporeux un pantin mieux désarticulé mais moins pathétique.

HISTORIQUE
Esquisse réalisée en 1791 pour le décor du
bureau de Charles IV à l'Escurial – vers 1929-
1949, coll. Juan de Lafora puis Beatriz
Sánchez de Lafuente de Lafora, Madrid –
T. Harris Ltd., Londres – 1953, acheté par
Knoedler / Pinakos Inc., New York – 1957,
acheté par Henry R. Luce, New York – avant
1969, acquis par Armand Hammer,
Los Angeles.

EXPOSITIONS
Madrid, 1949, n° 109 ; New Haven, 1956,
n° 29 ; États-Unis, 1969-1974 ; Mexico, 1977,
n° 35 ; Madrid-Londres-Chicago, 1993-1994,
n° 31.

BIBLIOGRAPHIE
Lafora, 1928-1929, p. 361 ; Sambricio, 1946,
n° 58a ; Arnáiz, 1987, n° 64Ba ; Chan, 1985,
p. 50-58 ; Tomlinson, 1989, p. 208, 1993,
p. 266-267 ; Morales, 1994 (1997), n° 205.

Fig. 1
Esquisse pour *les Jeunes Filles à la cruche*
1791
huile sur toile, 34,4 x 21,5
collection particulière

24

✳ *La Balançoire*

1791-1792 – Huile sur toile – 82,4 x 166
Philadelphie, Philadelphia Museum of Art. Gift of Miss Anna Warren Ingersoll – Inv. : 75-150-1
G-W 306 ; Gud. 306 / 299 ; DeA. 262 (pour la tapisserie)

Dernier retrouvé de la demi-douzaine de cartons de tapisserie volés au palais royal en 1868, ce tableau participe pour la première fois à une exposition rétrospective d'œuvres de Goya. Il faisait partie de l'ensemble commandé en 1791 pour décorer le bureau du roi à l'Escurial (voir cat. 23), laissé inachevé par la maladie du peintre, un an plus tard. Ses dimensions correspondent à celles de l'un des châssis fournis à Goya en juin 1792[2]. Son format et le type de composition choisie laissent penser que la tapisserie devait être placée comme dessus-de-porte : le monticule sur lequel se trouve l'escarpolette barre l'horizon, évoqué en contrebas par les deux profils à l'arrière et par le ciel délicatement nuageux, qui occupe tout l'espace. La simplification de la scène, réduite à un trio, et l'absence de toute fioriture – les broderies noires du petit habit jaune sont suggérées par un trait épais – correspondent à ce type d'emplacement qui ne laisse voir que l'essentiel, impose des expressions très lisibles et de forts contrastes pour rendre les volumes. Ici, l'opposition est particulièrement réussie entre le petit garçon en habit jaune placé dans une ombre relative et son rival, vêtu de bleu et de rouge – les trois couleurs primaires donc – en pleine lumière.

Comme deux autres des sept cartons réalisés pour cette commande, *la Balançoire* met en scène de jeunes garçons qui, ici, jouent sur une escarpolette improvisée avec deux madriers. Goya semble avoir suivi deux voies différentes pour traiter ces «sujets comiques et rustiques» imposés par le roi : les scènes avec les jeunes filles évoquent indéniablement leur manière de se jouer des hommes (voir cat. 23). Qu'ils jouent aux *Petits Géants* (Madrid, Museo del Prado), à grimper sur un arbre (Madrid, Museo del Prado) ou sur l'escarpolette, les petits garçons sont toujours en situation précaire, risquant de tomber ou de retomber à chaque instant tout comme leurs aînés qui paradent sur des échasses dans *Los Zancos* (Madrid, Museo del Prado). Thème récurrent dans la peinture européenne du XVIIIe siècle, l'escarpolette est en général réservée à de jeunes couples ou à des petits *putti*. Goya, qui avait déjà traité ce thème dans sa série de jeux enfantins (Glasgow, Pollok House ; Valence, Museo San Pío V), reprend ici la même manière picaresque, naturelle et spontanée en changeant les gestes, toutefois. Il montre la jubilation du gamin qui a réussi à retomber – il est le plus fort – la crainte de celui qui, en l'air, s'accroche au madrier et les pleurs du benêt écarté du jeu. Depuis Murillo, personne n'avait traduit avec autant de bonheur les joies et les petits drames du monde des enfants. Faut-il chercher une signification sous-jacente à cette joie de vivre ?

1. Sur le vol de ces cartons, voir cat. 3.
2. Sambricio, 1946, doc. 154.

HISTORIQUE
Carton réalisé en 1791-1792 pour le décor du bureau du roi à l'Escurial – conservé dans la manufacture de tapisserie de Santa Barbara, puis, à partir de 1856-1857, au palais royal, Madrid – 1868, volé au palais pendant les journées révolutionnaires[1] – vers 1870, marché de l'art parisien – John Hobart Warren, Philadelphia – 1975, don de Miss Anna Warren Ingersoll au Philadelphia Museum of Art.

EXPOSITIONS
Philadelphia, 1976 ; Japon, 1994, nº 1.

BIBLIOGRAPHIE
Cruzada, 1870, nº XL ; Viñaza, 1887, p. 323 ; Mayer, 1924, 721 ; Sambricio, 1946, nº 61 ; Desparmet Fitz-Gerald, 1928-1950, nº 40 ; Rosenthal, 1982, p. 3-13 ; Arnáiz, 1987, nº 66C (localisation inconnue) ; Tomlinson, 1889, p. 193-194 ; Morales, 1994 (1997), nº 202 (localisation inconnue).

Intérieur de prison

1793 – Huile sur fer-blanc – 42,9 x 31,7
Barnard Castle (Co. Durham), The Bowes Museum – Inv. : 29
G-W 929 ; Gud. 470 / 845 ; DeA. 532

Pendant la convalescence qui suivit sa longue maladie de l'hiver 1792 (voir dans ce catalogue l'essai de Jeannine Baticle), Goya se remit à peindre «pour occuper [son] imagination mortifiée dans la considération de [ses] maux et pour compenser en partie les dépenses considérables qu'ils ont entraînées » [1]. Libéré des contraintes de la commande, il réalisa une série de peintures de cabinet – dont le petit format s'adaptait peut-être mieux aussi à sa faiblesse – sur des thèmes relevant du «caprice et [de] l'invention» que, selon lui, les commanditaires habituels ne recherchaient guère. Le 5 janvier 1794, l'académie San Fernando accepta le dépôt de onze tableaux [2]. Si les six premiers, consacrés à la tauromachie, appartiennent encore au même monde des «passe-temps» que les cartons de tapisserie, les six autres, véritables caprices, produits de son imagination, dévoilent sa vision tragique du sort humain. Les similitudes entre l'*Intérieur de prison* et *le Préau des fous* (fig. 1), le dernier de la série selon le témoignage même de Goya, ont prouvé que notre tableau, longtemps repoussé à une date plus tardive, appartenait bien à ce groupe [3]. De semblables couches grises et brunâtres très fines suggèrent des murs infranchissables et un monde extérieur à jamais inaccessible. Légèrement modelées par des traits sombres et quelques rehauts lumineux, les petites silhouettes enchaînées ou emprisonnées en elles-mêmes par leur folie exhalent un indicible désespoir. Leur disposition dans l'espace est fondée sur une surprenante rigueur géométrique, toute classique, étrange intrusion de la Raison. On sait que plusieurs amis «éclairés» de Goya cherchaient à réformer les prisons. Mais il est clair qu'au-delà d'une possible dénonciation du système pénitentiaire, Goya a d'abord représenté la détresse et la solitude de celui qui, dans la prison, l'asile et peut-être aussi la surdité, est enfermé sans espoir de liberté.

1. *Diplomatario,* 1981, p. 314 (lettre du 4 janvier 1794 à Bernardo Iriarte). Voir Baticle, 1992, p. 211-212.
2. Goya en livra un dernier peu après. Juliet Wilson-Bareau a résolu la plupart des questions concernant cette série dans Madrid-Londres-Chicago, 1993-1994, p. 189-203.
3. Tous deux figuraient d'ailleurs dans la collection du comte de Quinto jusqu'en 1864.

HISTORIQUE
5 janvier 1794, présenté à l'académie royale San Fernando, Madrid – avant 1800 ?, Léonard Chopinot, Madrid – avant 1805, Angela Sulpice Chopinot – coll. Agustín Quinto ? ; avant 1846, entré dans la collection du comte de Quinto, Madrid puis Paris – juin 1862, cat. coll. Quinto, nº 68 – 18-19 février 1864, achat par Dessenon à la vente Quinto, Paris (200 francs), certainement pour le compte de John Bowes – coll. John Bowes, Paris puis Barnard Castle – 1892, Bowes Museum.

EXPOSITIONS
Madrid, 1846, nº 50 ; Londres, 1901, nº 60, 1913-1914, nº 178, 1920, nº 27 ; Leeds, 1936, nº 36 ; Londres, 1947, nº 10 ; New York, 1950, nº 38 ; Londres, 1959, nº 44 ; Paris, 1961-1962, nº 57 ; Londres, 1962, nº 206, 1963-1964, nº 102 ; Barnard Castle, 1967, nº 85 ; Bordeaux-Paris-Madrid, 1979-1980, nº 24 (20) ; Madrid, 1980, nº 20 ; Londres, 1981, nº 73 ; Madrid-Boston-New York, 1988-1989, nº 71 ; Madrid-Londres-Chicago, 1993-1994, nº 42 ; Cologne-Zurich, 1996-1997, nº 130.

BIBLIOGRAPHIE
Loga, 1903 (1921), nº 433 ; Harris, 1953, p. 22-23 ; Gaya Nuño, 1958, nº 999 ; Soria, 1961, p. 30-37 ; Young, 1973, p. 45, 1988, p. 78-81 ; Crossling, 1993, p. 32-33 ; Morales, 1994 (1997), nº 437 ; Dubosc, 1997, nº 48.

Fig. 1
Le Préau des fous
1793-1794
fer blanc, huile sur toile
43,5 x 32,5
Algur H. Meadows Collection
Dallas, Meadows Museum
Southern Methodist University

26 ✳ *Saint Ambroise*

Vers 1796-1799 – Huile sur toile – 190 x 113
Cleveland, The Cleveland Museum of Art, Leonard C. Hanna Jr. Fund – Inv. : 69.23
G-W 713 ; Gud. 179 / 191 ; DeA. 324

(Voir cat. 27)

HISTORIQUE
Coll. Contini Bonacossi, Florence – 1969,
legs Leonard C. Hanna Jr au Cleveland
Museum of Art.

EXPOSITIONS
Rome, 1930, n° 28 ; Madrid-Boston-
New York, 1988-1989, n° 22.

BIBLIOGRAPHIE
Mayer, 1930, p. 208 ; Sánchez Cantón, 1946,
p. 308-312 ; Harris, 1969, n° 5, p. 83 ;
Tzeutschler Lurie, 1970, p. 130-140 ; Morales,
1990, n° 96, 1994 (1997), n° 242.

27 ✳ *Saint Grégoire*

Vers 1796-1799 – Huile sur toile – 190 x 115
Madrid, Museo Romantico, Fundaciones Vega-Inclán – Inv. : 21
G-W 715 ; Gud. 180 / 192 ; DeA. 325

HISTORIQUE
Coll. du deuxième marquis de Vega-Inclán,
Madrid – 1921, légué à l'État lors de
la fondation par le marquis du Museo
Romantico, Madrid.

EXPOSITIONS
Madrid, 1928, n° 24 ; Grenade, 1955, n° 104 ;
Bordeaux, 1956, n° 117 ; Madrid, 1961,
n° LXIX ; Paris, 1961-1962, n° 24 ; Mexico,
1978, n° 35 ; Madrid-Boston-New York, 1988-
1989, n° 23 ; Saragosse, 1992, n° 24.

BIBLIOGRAPHIE
Beruete, 1917, II, n° 40 ; *Noticia del Museo
Romantico...*, n° 23 ; Mayer, 1924, n° 47 ;
Sánchez Cantón et Lozoya, 1945, p. 27 ;
Sánchez Cantón, 1951, p. 61 ; Morales, 1990,
n° 93, 1994 (1997), n° 239.

Bien qu'elle semble avoir été démantelée dès la première moitié du
XIXᵉ siècle, la série des Pères de l'Église à laquelle appartiennent ces deux
toiles a pu être reconstituée (*Saint Augustin,* Madrid, collection particulière ; *Saint Jérôme,* Pasadena, Norton Simon Foundation) sans que l'on ait
pu découvrir leur origine. La présence de très fortes influences sévillanes
– Murillo pour nos tableaux, le sculpteur Torrigiano pour *Saint Jérôme* – et
le style même des œuvres ont poussé les spécialistes à les dater entre 1797,
fin du deuxième séjour de Goya en Andalousie, et 1800. Le format assez
étroit des œuvres semble les destiner davantage à une sacristie, un salon
d'un palais épiscopal qu'à une église. Aucune trace de ces tableaux n'ayant
été retrouvée dans les recensements effectués après les désamortissements
du début du XIXᵉ siècle (confiscation des biens de l'Église par l'État), nous
sommes d'autant plus tentée de penser qu'il pourrait s'agir d'une
commande personnelle d'un prélat dont la collection aurait été ensuite
dispersée que deux d'entre eux au moins se retrouvèrent rapidement sur
le marché parisien. Ne pourrait-il pas s'agir de don Luis María de Borbón,
fils de l'infant don Luis, nommé archevêque de Séville en 1799 puis cardi-
nal et archevêque de Tolède en 1800, bientôt portraituré par Goya
(Saõ Paulo, Museo) ? Rappelons également qu'en tant que premier peintre
de chambre et directeur de l'académie royale San Fernando, Goya fut
choisi en février 1801 pour arbitrer la discorde sur les estimations

des peintures destinées aux décors éphémères de l'entrée solennelle de don Luis dans la cathédrale de Tolède[1].

Toujours est-il que ces Pères de l'Église n'ont rien de commun avec ceux que Goya avait peints dans sa jeunesse sur les pendentifs de deux petites églises d'Aragon, à Muel et à Remolinos, totalement marqués par le décor baroque. Traités ici en portraits *a lo divino,* ils se caractérisent par une monumentalité qui peut certes rappeler le *Saint Isidore* et le *Saint Léandre* de Murillo dans la sacristie de la cathédrale de Séville *(in situ).* Mais Murillo recourt aux éléments du portrait d'apparat et aux attributs de la fonction épiscopale. Goya abandonne tous les attributs traditionnels de ces saints – comme la colombe de l'Esprit-Saint pour Grégoire ou même la crosse – et les fige dans un hiératisme accentué par le fait qu'ils sont inscrits dans une composition pyramidale et se détachent sur un fond uniformément sombre. Aucun pli des étoffes, dont on sent le poids, ne bouge. Goya ne distingue le pape (Grégoire) de l'évêque de Milan (Ambroise) que par la tiare pontificale et la mule qui dépasse à peine de l'aube. Il ne peint pas des dignitaires ecclésiastiques, il peint des hommes d'église qui, par l'importance de leurs écrits, ont mérité d'être proclamé docteur. Ainsi saint Ambroise († 397), dont les yeux relevés traduisent la réflexion, le cheminement de la pensée, est-il un des meilleurs représentants du néo-platonisme chrétien. Saint Grégoire le Grand († 604), grand pape réformateur, a également laissé de nombreux écrits, traités de pastorale, d'hagiographie et de méditation. Le front plissé, les yeux baissés et la main fermement posée sur le livre, il poursuit sans relâche une œuvre qui en fait l'un des grands maîtres de la spiritualité occidentale.

Les volumes assez schématiques des corps, le refus, surtout dans le *Saint Ambroise,* de rendre les détails des broderies des vêtements liturgiques, n'empêche pas un grand raffinement dans les coloris blanc, gris et or changeant sous la lumière et relevés par quelques plages de rouge et de rose. Grâce à son talent pour saisir l'essentiel et grâce à la virtuosité de sa touche, Goya a rendu toute sa splendeur et sa force à un thème tombé dans le stéréotype.

1. Marti Monsó, 1889-1901, p. 473 ; Dominguez, à paraître.

27

28 ✳ *Saint Herménégilde en prison*

Vers 1797-1800 – Huile sur toile – 33 x 23
Madrid, Museo Lázaro Galdiano – Inv. : 2017
G-W 740 ; Gud. 461 / 517 ; DeA. 393

Les désastres de la guerre d'Indépendance n'épargnèrent pas l'œuvre de Goya. Moins de dix ans après leur création, il ne restait plus des trois retables qu'il avait peints pour l'église de Monte Torrero que trois esquisses, qu'il confia certainement à son ami Martín Zapater[1] : les troupes napoléoniennes avaient occupé l'église et ravagé l'intérieur.

Monte Torrero était une nouvelle création urbaine, destinée aux ouvriers travaillant à l'achèvement du canal impérial d'Aragon. Ramón Pignatelli, principal promoteur de cette entreprise typique des Lumières et l'un des premiers protecteurs de Goya, avait confié la construction de l'église San Fernando, de plan ovale à nouveau, à l'architecte Tiburcio del Caso, qui dut l'achever en 1799[2]. Étant donné les liens de Goya avec les réformateurs aragonais, il était logique que, malgré la mort de Pignatelli, en 1793, il obtint la commande des trois retables. Ce fut certainement un réconfort pour l'ancien ministre Jovellanos d'admirer, en 1801, sur la route de son exil à Majorque, l'œuvre de son ami. Il en laissa une précieuse description[3].

La dédicace de l'église et des retables à une infante et aux deux saints rois espagnols est caractéristique du programme politique des villes nouvelles. Saint Ferdinand, patron titulaire de l'église, était au maître-autel, les deux autres au centre des longs côtés, sainte Isabelle (fig. 1) à gauche et saint Herménégilde à droite. Fils de Léovigilde, roi wisigoth et aryen, Herménégilde se convertit au catholicisme et s'allia aux Byzantins, qui occupaient le Levant espagnol, pour soulever l'Andalousie contre son père et se proclamer roi (+ 580). Vaincu et mis en prison, il refusa d'abjurer et fut donc décapité († 586). La même année mourait son père et la conversion de l'héritier, son jeune frère Reccared, ralliait toute l'Espagne au catholicisme.

Agenouillé dans le sombre cachot, le saint, impavide, ignore les bourreaux qui gesticulent et le pressent d'abjurer, et, les yeux tournés vers la lumière divine, les mains ouvertes, offre à Dieu le martyre qui approche. Tant la composition que l'expression des sentiments et le clair-obscur rappellent les martyres de la peinture italienne post-tridentine. Comme dans deux autres scènes de prison qu'il réalisa à la même époque – *le Meurtre de Castillo II* (Madrid, collection de la Romana) et la planche 32 des *Caprices, Por que fue sensible* – Goya s'intéresse aux reflets de la source de lumière sur le prisonnier. D'épais rehauts de jaune, posés avec fougue sur les couches très légères qui suggèrent les corps cernés par d'épais coups de pinceau noir et le manteau royal pourpre, font miroiter les insignes royaux du saint martyr.

---

1. Leur premier propriétaire connu est Francisco Zapater, petit-neveu de Zapater. L'esquisse de *Saint Ferdinand* est conservée à Buenos Aires, au Museo de Bellas Artes.
2. Un conflit de juridiction repoussa la consécration au 30 mai 1802.
3. Jovellanos (1801), 1956, p. 57 (texte reproduit dans Madrid-Londres-Chicago, 1993-1994, n° 58) ; sur l'architecture de l'église, voir Gímenez, 1983, p. 29-46.

HISTORIQUE
Vers 1797-1800, esquisse de l'un des trois retables commandés à Goya pour l'église de Monte Torrero – Martín Zapater, Saragosse ? – Francisco Zapater y Gómez, Saragosse – déjà en 1900, Clemente Velasco, Madrid – après 1928, José Lázaro Galdiano, Madrid – 1951, Museo Lázaro Galdiano.

EXPOSITIONS
Madrid, 1900, n° 31, 1928, n° 31 / 87 ; Venise, 1989, n° 31 ; Saragosse, 1992, n° 32 ; Madrid-Londres-Chicago, 1993-1994, n° 58.

BIBLIOGRAPHIE
Jovellanos (1801), 1956, p. 57 ; Viñaza, 1887, p. 299 ; Calleja, 1924, pl. 212-214 ; Mayer, 1924, n° 49 ; Sánchez Cantón, 1946, p. 300-301 ; Morales, 1990, n° 107, 1994 (1997), n° 311.

Fig. 1
Sainte Isabelle soignant une malade
1798-1800
huile sur toile
33 x 23
Madrid, Museo Lázaro Galdiano

✳ *Don Bernardo de Iriarte*

1797 – Huile sur toile – 108 x 84

Signé et daté : *1797* – Inscription en bas du tableau : *D.ⁿ Bernardo Yriarte Vice prot.ʳ de la R.ˡ Academia de las tres nobles / Artes. retratado por Goya, en testimonio de mutua estimac.ⁿ y afecto. año de / 1797*

Strasbourg, musée des Beaux-Arts – Inv. : 308

G-W 669 ; Gud. 373 / 393 ; DeA. 316

Le modèle de ce magnifique portrait naquit à Santa Cruz de Tenerife le 1ᵉʳ mars 1735 et mourut en exil à Bordeaux le 13 juillet 1814. Il était le frère du poète Tomás de Iriarte et du diplomate Domingo de Iriarte. Il fit partie du cercle des amis *ilustrados* de Goya, c'est-à-dire les partisans des réformes inspirées par la philosophie des Lumières. Membre du conseil d'État, premier président de la junte des Philippines en 1785, vice-protecteur de l'académie royale San Fernando en 1792 et membre du conseil des Indes, il n'hésita pas à se ranger aux côtés du «roi intrus», Joseph Bonaparte, durant l'occupation française du pays entre 1808 et 1813. Il dut, en toute logique, s'exiler en France en 1813, lors du retour de Ferdinand VII, après le traité de Valençay. Iriarte resta toujours le protecteur fidèle de Goya à l'académie, lié lui-même au banquier François Cabarrus et à Gaspar Melchior de Jovellanos. Intelligent et avisé, Bernardo de Iriarte fut nommé justement, en 1797, ministre de l'Assemblée royale de l'agriculture, du commerce, de la navigation et des possessions d'outre-mer, poste qu'il n'occupera qu'un court laps de temps, tout comme son collègue et ami Jovellanos, ministre de la Justice, destitué en 1798 pour s'être attaqué à l'Inquisition.

Ce portrait, présenté à l'académie San Fernando le 1ᵉʳ novembre 1797, eut du succès en raison de sa ressemblance avec le modèle[1] et sa facture virtuose. Iriarte eut le déplaisir de remettre à Napoléon Iᵉʳ la reddition de Madrid, le 4 décembre 1808, en compagnie du général Tomás de Morla. Cela lui valut d'être représenté par Gros dans *la Capitulation de Madrid* (musée de Versailles) dans une attitude théâtrale bien opposée au tragique de la situation. Très compromis au sein du régime du roi, Joseph Iᵉʳ, il préféra suivre ce dernier lors de sa retraite sur Valence, le 2 août 1812, après la défaite infligée aux Français par le duc de Wellington près de Salamanque, à la bataille des Arapiles. Il demeure le seul parmi les amis du peintre à atteindre une vieillesse honorable puisqu'il disparut en juillet 1814 à Bordeaux, à près de quatre-vingts ans.

Malgré la pose classique du modèle, la facture, rapide et serrée, révèle une incroyable liberté de touche picturale. Iriarte, décoré de l'ordre de Charles-III, nous offre un visage lisse et pâle, d'une incontestable énergie, tandis que le regard oblique témoigne de la complicité qui l'unit à Goya.

Ce qui nous surprend dans ce portrait, c'est l'étonnante rapidité d'exécution, la subtilité des gris, le traitement purement coloriste des étoffes. Déjà, comme l'observe Juan J. Luna[2], nous voyons apparaître les ébauches de la manière employée pour les peintures à fresque de San Antonio de la Florida en 1798. Deux copies ou répliques sont attestées au Metropolitan Museum of Art, à New York[3] et au Museo Lázaro Galdiano, à Madrid.

1. Baticle, 1992, p. 232.
2. Voir Madrid, 1996a, p. 369.
3. Voir New York, 1995, p. 68.

HISTORIQUE

1797, Bernardo de Iriarte, Madrid puis France ? – coll. Groult, Paris – coll. Drouais, Paris – 1941, entré au musée de Strasbourg.

EXPOSITIONS

Bâle, 1947, nº 180, 1953, nº 11 ; Paris, 1961-1962, nº 49, 1963, nº 115 ; La Haye-Paris, 1970, nº 18 ; Bordeaux-Paris-Madrid, 1979-1980, nº 27 ; Madrid, 1992-1993, nº 41, 1996a, nº 91.

BIBLIOGRAPHIE

Lafond, 1903, nº 233 ; Loga, 1903, nº 358 ; Beruete, 1916, nº 221 ; Mayer, 1925, nº 451 ; Sánchez Cantón, 1928, p. 17 ; Tomlinson, 1992, p. 192 ; Glendinning, 1992, p. 136 ; Baticle 1992, p. 231-232, 1995, p. 156 ; Morales, 1994 (1997), nº 265.

30

✳ *Portrait de son ami, Asensi (Asensio Juliá ?)*

Vers 1798 – Huile sur toile – 54,5 x 41
Signé en bas à gauche – Inscription : *Goya a su / Amigo Asensi*
Madrid, Fundación Colección Thyssen-Bornemisza
G-W 682 ; Gud. 378 / 398 ; DeA. 345

Ce tableau, de dimensions modestes, a fait partie de la collection du duc de Montpensier, époux de la sœur d'Isabelle II, reine d'Espagne. Charles Yriarte le vit au palais San Telmo de Séville et l'identifia dans son livre sur Goya, en 1867, comme le *Portrait d'Asensi*. Nous savons, en outre, qu'il se trouvait, après son achat par le baron Taylor, dans la très fameuse galerie Espagnole de Louis-Philippe au Louvre entre 1838 et 1848[1].

Asensio Juliá Alvarrachi (1760-1832) reçut le surnom anecdotique Pescadoret («petit pêcheur») en raison de ses origines modestes. Il fit ses études à l'école des beaux-arts San Carlos à Valence, où il gagna un premier prix de gravure en 1783. Par la suite, il poursuivit sa formation à l'académie San Fernando de Madrid. Rafael Gil Salinas, en rectifiant les dates de l'artiste, a émis l'idée que c'est lors du séjour de Goya à Valence en août 1790 qu'ils se rencontrèrent. Précisons que, le 17 juillet 1790, Goya reçut le conseil d'aller profiter de l'air marin valencien durant deux mois, en compagnie de sa famille. Recommandé par Zapater à don Angel Plaudo de las Casas[2], Goya put se tenir à l'écart des remous politiques : François Cabarrus était emprisonné depuis moins d'un mois et il ne faisait pas bon afficher ses relations avec les *ilustrados,* qui, l'un après l'autre, subissent alors la disgrâce[3]. Par ailleurs, une lettre de Goya à Zapater, en date du 5 août 1789, nous confirme que Goya écrivit à Madrid : «Ici on m'a présenté à Asensio qui prétend être admis à l'Académie [...] Il m'a apporté ta lettre de recommandation.» De façon probable, il s'agit d'un autre artiste que celui qui nous occupe[4].

Asensio Juliá fut directeur adjoint de la section d'ornement à l'école royale de la Merced, centre dépendant de l'académie madrilène. Il joua, semble-t-il, un rôle essentiel en tant qu'assistant de Goya lors du chantier des fresques de la chapelle de San Antonio de la Florida, à Madrid. Nous savons que Goya, âgé de cinquante-deux ans, y travailla du 1er août au 29 novembre 1798. Par la suite, Asensio Juliá fut amené à copier nombre de toiles du maître aragonais, dont *Goya soigné par Arietta,* activité qui mériterait un inventaire des plus exhaustifs afin de mieux cerner son rôle de «disciple[5]».

La lumière, qui filtre par l'arrière-fond du tableau à travers des étais, autorisa Sánchez Cantón à émettre l'hypothèse que la scène est située dans l'Ermitage de San Antonio de la Florida au moment de l'exécution des fresques ayant pour sujet un miracle de saint Antoine de Padoue. La facture est d'une incroyable vivacité, faisant de ce portrait une sorte d'instantané. L'économie des tons ocre, la silhouette drapée dans une robe longue bleu et mauve sombre mettent en exergue le visage de l'homme tout à sa réflexion créatrice.

HISTORIQUE

Vers 1835, acheté en Espagne par le baron Taylor pour le roi Louis-Philippe – 1838-1848, galerie Espagnole du roi Louis-Philippe, Paris – 13-31 mai 1853, vente Christie's, Londres, n° 446 ; acheté par Durlarcher, Londres – avant 1867-1890, coll. duc de Montpensier, palais de San Telmo, Séville – coll. infant Antonio de Orléans, Sanlúcar de Barrameda ? – coll. comtesse de Paris, Villamanrique ou Randan – vendu à Paris – 1911, Durand-Ruel, Paris – de 1928 au moins à 1971, coll. Arthur Sachs, Paris – 24 mars 1971, vente Sotheby's, Londres, n° 17 – coll. Thyssen-Bornemisza, Lugano, puis 1992, Madrid ; Fundación Colección Thyssen-Bornemisza.

EXPOSITIONS

Paris, 1838-1848, n° 108 ; New York, 1928, n° 5 ; Paris, 1938, n° 9, 1961-1962, n° 54 ; La Haye-Paris, 1970, n° 20 ; Washington, 1979-1981, n° 53 ; Paris, 1982, n° 54 ; Leningrad-Moscou, 1983-1984, n° 34 ; Madrid, 1987-1988, n° 47 ; Londres, 1988, n° 22 ; Stuttgart, 1988-1989, n° 25 ; Saragosse, 1992, n° 29 ; Madrid, 1992-1993, n° 58 ; Madrid-Londres-Chicago, 1993-1994, n° 66 ; Indianapolis-New York, 1996, n° 51.

BIBLIOGRAPHIE

Catalogo… Montpensier, n° 263 (gravé) ; Yriarte, 1867, p. 146 ; Mayer, 1924, n° 117 ; Boix, 1931, p. 138-141 ; Sánchez Cantón, 1951, p. 165-169 ; Baticle et Marinas, 1981, n° 108, p. 89-90 ; Glendinning, 1992, p. 144-145 ; Morales, 1994 (1997), n° 288.

Au sein de la galerie Espagnole, le caractère novateur de l'œuvre n'a pas manqué de séduire les peintres français de la seconde moitié du siècle dernier. Ce tableau apparaît, gravé par Sotain, dans l'ouvrage de Charles Yriarte; signalons que, en 1814, Goya exécuta à nouveau le portrait de son collaborateur (Sterling et Francine Clark Art Institute, Williamstown) et qu'il plane toujours un doute sur l'identité définitive du modèle, car il existait un Asensio peintre et graveur qui a aussi œuvré pour Goya, comme le soulignent fort justement Jeannine Baticle et Christina Marinas. Ce graveur et peintre, d'origine castillane, cité par Ceán Bermúdez, se prénommait Francisco Asensio y Mejorada et était employé à la bibliothèque royale. S'il s'agit de lui, le tableau ne peut être qu'antérieur à 1794, date de la disparition de Francisco Asensio.

1. Baticle et Marinas, 1981, n° 108, p. 89-90.
2. *Diplomatario,* p. 443, n° LVI.
3. Baticle, 1992, p. 167-168.
4. *Diplomatario,* p. 297-298, n° 159.
5. Salinas, 1990, 1991, p. 59-61, 1986a, p. 348-359, 1986b, p. 78-82; Delgado Bedmar, 1993, p. 299-303; état de la question dans Valence, 1993, p. 81.

31

* *Ferdinand Guillemardet, ambassadeur de France*

1798-1799 – Huile sur toile – 187 x 125
Paris, musée du Louvre – Inv. : M.I.697
G-W 677 ; Gud. 675 / 703 ; DeA. 365

Voici l'un des portraits les plus surprenants que Goya a peints, non seulement en raison de ses qualités mais aussi à cause du contexte dont il est issu. Laurent Matheron, en 1858, prétend que Goya lui-même tenait cette œuvre en haute estime et qu'il pensait n'avoir rien fait de meilleur.

Le modèle était un médecin bourguignon né en 1765 et qui mourut aliéné en 1808. Maire d'Autun puis député à la Convention, il vota la mort du roi Louis XVI et rédigea un projet d'affectation des établissements religieux à des fins commerciales ou de lieux de réunions pour les clubs populaires. Le 25 mai 1798, grâce à la protection de Talleyrand, il fut nommé ambassadeur de France à Madrid, où il arriva le 3 juillet, poste inattendu pour un homme qui n'avait pas d'expérience dans le domaine diplomatique.

Nous connaissons deux aspects assez singuliers de sa vie : d'une part, il s'éprit de la marquise de Santa Cruz, Mariana Waldstein, dont le portrait par Goya côtoie au musée du Louvre, selon un curieux hasard, le sien. D'autre part, Guillemardet fut témoin lors de la naissance d'Eugène Delacroix, ce qui ne nous étonne qu'à demi étant donné ses relations avec Talleyrand[1]. Nous pouvons être surpris qu'un ambassadeur français ait été portraituré par Francisco Goya ; il s'agit bien là d'un cas unique. Une hypothèse plus que vraisemblable fait état de la participation de Guillemardet au tirage des *Caprices*. Ce dernier aurait mis à la disposition du peintre une mansarde de l'ambassade, au palais de Superunda à Madrid. Le portrait pourrait donc être un témoignage de reconnaissance[2]. Toujours est-il que l'œuvre fut exposée en août 1799 à l'académie San Fernando puis vint en France, en 1800. Elle demeura ensuite chez les héritiers de Guillemardet comme nous le confirme Matheron en 1858 dans son *Goya* dédié à Delacroix. En 1865, la peinture fit l'objet d'un legs au musée du Louvre par Louis Guillemardet et fut reproduite en bois gravé dans la *Gazette des Beaux-Arts*.

Le personnage se détache sur un fond gris-vert dans une pose des plus inhabituelles quand on songe à la plupart des portraits exécutés à l'époque. Cette pose si peu conventionnelle est même choquante selon les critères en vigueur : Guillemardet, les jambes croisées, la main gauche sur la cuisse et le buste de profil, se présente dans une attitude que l'on pourrait croire familière mais qui se révèle savamment calculée. La redingote et la culotte sombres servent de contrepoint au visage ainsi qu'à la ceinture et aux plumes tricolores du chapeau.

Construit selon une ligne oblique, ce portrait est calé suivant les reports des petits côtés sur les grands (positionnement de la table et des mains) alors que le visage est positionné par des arcs de cercle calculés selon les demi-mesures de lignes médianes.

HISTORIQUE
1799, exposé à l'académie royale San Fernando, Madrid – coll. Guillemardet, France – 1865, legs de Louis Guillemardet au musée du Louvre.

EXPOSITIONS
Madrid, 1799 ; Paris, 1935, n° 345, 1938, n° 6 ; Montauban, 1942, n° 33 ; Paris, 1961-1962, n° 53, 1963, n° 116 ; Moscou-Leningrad, 1965, p. 11 ; La Haye-Paris, 1970, n° 21 ; Bordeaux-Paris-Madrid, 1979-1980, n° 24 ; Madrid-Boston-New York, 1988-1989, n° 32 ; Madrid, 1992-1993, n° 45.

BIBLIOGRAPHIE
Matheron, 1858, p. 61-62, 100, 108 ; Lagrange, 1865, p. 575 ; Yriarte, 1867, p. 149 ; Beruete, 1916, n° 211 ; Mayer, 1924, n° 317 ; Hempel Lipschutz, 1972, p. 10 ; Mansbach, 1978, p. 341 ; *Catalogue sommaire…*, II, 1981, p. 115 ; *Donateurs*, 1989, p. 79, 225 ; Glendinning, 1989, p. 117 ; Tomlinson, 1992, p. 191 ; Glendinning, 1992, p. 137 ; Baticle, 1992, p. 253-254, 1995, p. 170-171 ; Morales, 1994 (1997), n° 292 ; Tomlinson, 1994, p. 108-109 ; Augé, 1996, p. 36.

L'étagement des plans se fait de manière subtile entre les tons vifs blanc, bleu et rouge de la ceinture et des plumes du chapeau, la redingote et le fauteuil aux reflets jaune doré. Tout porte notre regard vers l'éclat du visage de Guillemardet, vers ses yeux intelligents et vifs. La coloration de la chair, la bouche, à la lèvre supérieure relevée, le nez aquilin laissent deviner un tempérament généreux. Outre le représentant de la République française conquérante qui a «vaincu les tyrans», nous présentons ici l'un des portraits les plus intenses qu'a peints Goya. José Luis Morales signale dans une collection privée à Majorque une version plus petite (75 x 35) qui porte une inscription : *Goya à Guillemardet : 1798*.

1. Eugène Delacroix (1798-1863) était le fils de Victoire Œben (1758-1814) et de Charles Delacroix (1741-1805), nommé préfet à Marseille en 1800. Victoire Œben aurait été la maîtresse de Talleyrand.
2. Baticle, 1992, p. 253-254, 1995, p. 170-171.

32

* *Femme inconnue* (Josefa Bayeu?)

Vers 1798 – Huile sur toile – 82 x 58
Madrid, Museo del Prado – Inv. : 722
G-W 686 ; Gud. 320 / 334 ; DeA. 301

Depuis 1866, l'hypothèse avancée par nombre de spécialistes de Goya était l'identification avec la propre épouse du peintre, Josefa Bayeu (1747-1812). Cette affirmation ne saurait tenir malgré la référence dans l'inventaire de 1828 à un petit portrait de sa femme peint par lui, dont l'exécuteur testamentaire aurait été le peintre Antonio de Brugada (mort en 1863) [2]. Un dessin à la pierre noire, daté de 1805, exécuté à l'occasion du mariage de Javier Goya et conservé dans une collection particulière, reste, à ce jour, le seul et unique témoignage de la sœur de Francisco Bayeu qui avait épousé Goya le 25 juillet 1773. Elle donna au peintre sept enfants, tous morts en bas âge excepté Javier (né en 1784). Il demeure impossible d'identifier la silhouette de profil d'une femme de près de soixante ans avec la charmante jeune femme blonde à peine âgée de vingt-cinq à trente ans qui pose, bien droite, devant le peintre [3].

La facture situe l'œuvre dans les dernières années du XVIIIᵉ siècle ; à l'époque, Josefa Bayeu avait cinquante ans. Nous ne connaissons que peu de chose sur la vie de la sœur de Francisco Bayeu hormis les brèves allusions faites par Goya dans ses lettres à Martín Zapater, ce qui a autorisé certains historiens de l'art à émettre l'idée qu'elle était effacée et même quelque peu sotte !

En tout cas rien ne correspond dans cette magnifique image à ce que l'on a bien voulu supposer. Toujours au moyen d'une touche nerveuse et rapide, Goya campe la silhouette fière de son modèle, qui appartient vraisemblablement au cercle de sa parenté ou de ses amis. La bouche, fine et serrée, marque un caractère énergique, bien trempé ; le regard, braqué dans les yeux du peintre, résiste à l'introspection alors que l'ovale du visage adoucit un peu cette réserve. Quelle que fut cette personne, elle savait qui était Goya et ce qu'il pouvait faire d'un portrait, ce qui n'empêche pas une indéniable bienveillance.

1. Voir l'état de la question sur l'identification du vendeur dans Madrid, 1996a, nº 98.
2. Jeannine Baticle a démontré que Brugada n'a rien à voir avec l'inventaire de 1828, voir 1992, chap. XXIV, p. 450 et note 20, p. 524.
3. Il y a tout lieu de penser que Josefa Bayeu n'était pas blonde mais avait les cheveux noirs.

HISTORIQUE
Román de la Huerta ou Ramón Garreta[1] ? – 5 avril 1866, acquis 300 écus par le ministère de l'Instruction publique pour le musée de la Trinidad, Madrid – 1872, entré au Museo del Prado.

EXPOSITIONS
Genève, 1939, nº 8 ; Tokyo-Kyoto, 1971-1972, nº 28 ; Barcelone, 1977, nº 20 ; Paris, 1979, nº 7 ; Leningrad-Moscou, 1980, nº 30 ; Hambourg, 1986, nº 43 ; Genève, 1989, nº 66 ; Saragosse, 1992, nº 30 ; Madrid, 1996, nº 98 ; Saragosse, 1996, nº 34.

BIBLIOGRAPHIE
Yriarte, 1867, p. 133 ; Viñaza, 1187, nº 85 ; Laurent, 1889 (1899), p. 10, nº 2162 ; Beruete, 1917, nº 255 ; Mayer, 1924, nº 307 ; Agueda et Salas, 1982, p. 32, note 98 ; Pérez Sánchez, 1987, p. 311 ; Morales, 1994 (1997), nº 198.

33 ✳ *Le Comte de Fernán Núñez*

1803 – Huile sur toile – 211 x 137
Signé et daté en bas à droite : *Goya f 1803* – Inscription au dos de la toile : *El Excmo. Sr. Don Carlos José / Gutierrez de los Rios y Sarm*ᵗᵒ *Conde de Fernán Núñez / de edad de 24 años. Pintado por Goya*
Collection particulière
G-W 808 ; Gud. 486 / 529 ; DeA. 417

Le portrait du comte de Fernán Núñez prend place dans la période la plus marquante de la production de Goya d'un point de vue du portrait, c'est-à-dire 1792-1810.

Comme de juste, le portrait en pied de cet élégant aristocrate fait pendant à celui de son épouse, doña María Vicenta Solis Lasso de la Vega (1780-1840), duchesse de Montellano y del Arco, peinte la même année par Goya à l'âge de vingt-trois ans (fig. 1). Pour la petite histoire, la comtesse de Fernán Núñez était, selon lady Holland, un témoin de l'époque, d'une intelligence des plus restreintes mais aussi peu fidèle. Après la disparition de son premier époux, elle se remaria, en 1822, avec Filiberto Mahí Romoy Gamonales et vécut à Paris ou à Tours, son ultime lieu de résidence.

Le comte de Fernán Núñez était le fils du sixième comte en titre, don Carlos (mort en 1795) et de doña María de la Esclavitud Sarmiento de Sotomayor. Né à Lisbonne le 3 janvier 1779, il embrasse la carrière diplomatique avec éclat puisqu'il fut ambassadeur d'Espagne à Londres et à Paris ainsi que représentant extraordinaire au Congrès de Vienne en 1814-1815. En 1817, Ferdinand VII l'éleva au titre de premier duc de Fernán Núñez. Son mariage, célébré en 1798, fut un échec en raison d'attaches antérieures de sa part. Le comte avait bénéficié d'une éducation soignée dispensée par le docteur en droit Andrés Celle ; peintre lui-même, il faisait parvenir ses œuvres à l'académie, qui l'élit académicien de mérite le 9 novembre 1794.

La guerre d'Indépendance contre la France apporta à cet homme généreux et bienveillant bien des désillusions malgré son patriotisme sans faille ; en particulier lors de l'entrevue de Bayonne entre Napoléon et les princes d'Espagne, le 30 mars 1808. Le comte fut envoyé au-devant de l'Empereur par l'éphémère gouvernement issu de l'abdication de Charles IV afin d'annoncer l'avènement de Ferdinand VII. Parvenu à Tours et honteusement trompé, Fernán Núñez ne pourra qu'entériner, le 7 juillet 1808, en compagnie des grands d'Espagne, par la fameuse constitution de Bayonne, l'abdication de ses souverains au profit de Joseph Bonaparte[1]. Cette humiliation explique certainement son attitude lors de la lutte contre la France ; le comte équipa à ses frais un régiment mais ne put le commander en personne pour raisons de santé. Il souffrait en effet, comme le confirme lady Holland en 1809, d'une affection pulmonaire. Ambassadeur à Londres après le retour de Ferdinand VII, en 1814, il vécut jusqu'à sa mort, survenue en 1822 à la suite d'un accident de cheval, avec María Fernanda Fitz-James Stuart Stölberg, duchesse de Híjar.

Nous pouvons dire sans ambages que ce portrait fait partie des chefs-d'œuvre peints par le maître aragonais. Aureliano de Beruete et Julián Gallego ont voulu voir dans ce tableau une influence de la peinture

HISTORIQUE
Coll. ducs de Fernán Núñez.

EXPOSITIONS
Madrid, 1928, nº 24, 1946, nº 15 ; Grenade, 1955, nº 106 ; Bordeaux, 1956, nº 119 ; Madrid, 1961, nº XIII ; Londres, 1963-1964, nº 89 ; Madrid, 1983, nº 31 ; Bruxelles, 1985, nº 20 ; Lugano, 1986, nº 33 ; Genève, 1989, nº 68 ; Madrid, 1992, nº 25 ; Séville, 1992, p. 134-135 ; Stockholm, 1994, nº 26 ; Madrid, 1995-1996, nº 34 ; Saragosse, 1996, p. 140.

BIBLIOGRAPHIE
Yriarte, 1867, p. 135 ; Viñaza, 1887, p. 269 ; Beruete, 1916, nº 206 ; Mayer, 1924, nº 256 ; Herrero, 1927, p. 97-98 ; Sánchez Cantón, 1951, p. 78 ; Glendinning, 1992, p. 126-127 ; Morales, 1994 (1997), nº 332.

Fig. 1
La Comtesse de Fernán Núñez
1803
huile sur toile
211 x 137
collection particulière

anglaise, en particulier celle de Gainsborough et de Lawrence, ce qui n'est pas sans une certaine vérité surtout en ce qui concerne le magnifique paysage, au ciel lumineux et bas. En revanche, le costume que porte le futur duc demeure des plus traditionnels : il s'agit de la tenue du *majo embozado,* caractérisée par le port de la longue cape si typique des milieux populaires et qui fut interdite, en 1766, par Charles III après la célèbre émeute qui visait à obtenir la démission du ministre Esquilache.

La posture du septième comte demeure classique, le pied droit en avant, perpendiculaire au pied gauche. C'est de la sorte que devait apparaître un grand d'Espagne selon les règles du maintien. Goya, tout en respectant ces conventions, campe un personnage altier, d'une rare et fière élégance. Le costume noir, les bottes de cuir, le grand bicorne mettent en valeur la taille du modèle ainsi que ses jambes galbées, dont il devait être très fier. Tout comme son maître Velázquez, Goya sait opposer les noirs veloutés aux tons clairs de la chemise et de la culotte nacrée, équilibrer les formes et disposer le visage ainsi que les mains de façon à structurer sa composition.

Le comte porte le regard sur sa droite en direction du portrait de son épouse, représentée assise sur un tertre et observant le spectateur d'une expression narquoise et sans finesse. Le contraste, saisissant, entre les deux œuvres, n'est pas un cas isolé puisque cette dissonance se retrouve entre le portrait du marquis de San Adrián (Pampelune, Diputación Foral) et celui de son épouse (Malibu, The Paul J. Getty Museum) peints en 1804.

Goya accomplit ici un véritable tour de force pictural où rien n'est laissé au hasard : l'évocation d'un personnage sûr de sa race et de sa jeunesse, fier de la tradition qui est sienne, présenté devant un grand paysage à la Velázquez où transparaissent les nuances colorées gris bleuté les plus subtiles.

1. Baticle, 1992, p. 338.

34 ✳ *La Marquise de Santiago y San Adrián*

1804 – Huile sur toile – 209,5 x 126,5
Signé et daté en bas à droite – Inscription : *La Marquesa de S^n Tiago. Goya 1804*
Malibu, The J. Paul Getty Museum – Inv. : 83.PA.12
G-W 879 ; Gud. 549 / 596 ; DeA. 480

María de la Soledad de los Ríos Jauche de Vega, marquise de Santiago, avait hérité du titre à la mort de son père, en 1791. Née en 1764 et devenue veuve en 1789 de son premier époux, le fils du marquis de Camposagrado, elle se maria l'année suivante avec José María Magallon y Armendáriz, le futur marquis de San Adrián. Le couple, fort mal assorti, avait toutes les chances de réussir à la cour madrilène car la marquise était richissime, dotée de possessions dans les Flandres ainsi que d'une collection d'œuvres d'art lui venant de son père. Son second époux disposait d'un appui très considérable : la demi-sœur de sa mère, Juana, était l'épouse de Luis, frère de Manuel Godoy, Prince de la paix. Luis Godoy, homme avisé, avait joui, semble-t-il, des faveurs de la reine Marie-Louise avant son cadet ; il fut le protecteur de Leandro de Moratín, ami intime de Goya, dont on sait le rôle en tant qu'homme de lettres et secrétaire de Jovellanos. Tout se tient dans cette société aristocratique espagnole ; il y a fort à parier que c'est par Moratín que Goya a fait la connaissance du marquis de San Adrián et de son épouse, la marquise de Santiago. María de la Soledad mourut en 1807, ce qui exclut la date, 1809, avancée jusqu'ici pour ce portrait[1], peint, en fait, en même temps que celui de son mari, *le Marquis de San Adrián* (fig. 1).

La réputation de la marquise était assez mauvaise en raison de ses mœurs très libres ; elle aurait eu ainsi une liaison avec Cabarrus. Son esprit de repartie était légendaire, comme en témoigne lady Holland : à la comtesse de Fernán Núñez, qui lui reprochait de ressembler à sa nouvelle berline avec son maquillage outrancier, la terrible marquise répondit que, à son sens, son interlocutrice avait l'air des mules qui tiraient ledit équipage ! Les Santiago possédaient la série des *Scènes de la vie de Jacob* de Murillo et étaient célèbres pour l'éclat de leurs réceptions. En 1806, dans

HISTORIQUE
Palais des ducs de Santiago (don Antonio María Bernaldo de Quirós, né du premier mariage de la marquise), Madrid (inventaire 1836, n° 839) – avant 1887, coll. des ducs de Tamanes, Biarritz (copie dans leur résidence madrilène) – coll. part. Suisse – 1981, Londres, marché de l'art – 1983, acquis par le J. Paul Getty Museum.

EXPOSITIONS
Munich, 1892 ; Madrid, 1992-1993, n° 26.

BIBLIOGRAPHIE
Viñaza, 1887, n° 268 ; Beruete, 1915, I, n° 168 ; Mayer, 1924, n° 417 ; Fredericksen, 1985, p. 135-140 ; Glendinning, 1985, p. 141-145 ; Sayre, 1985, p. 147-149 ; Fredericksen, 1986, p. 151 ; Glendinning, 1986, p. 149-150 ; Baticle, 1992, p. 292-296, 1995, p. 197-199 ; Morales, 1994 (1997), n° 378.

Fig. 1
Le Marquis de San Adrián
1804
huile sur toile
209 x 122
Pampelune, Diputación Foral

leur théâtre privé fut joué la pièce de Moratín, *la Mogigata*. Un an plus tard, sur ordre royal, ces soirées furent interdites car jugées inconvenantes et subversives.

Le portrait peint par Goya nous montre une femme au physique peu avantageux et au maquillage outrancier, ce qui en soi n'était pas une exception au XVIIIe siècle, mais corrobore les dires de la duchesse d'Abrantes, qui prétendait que la marquise «se faisait une paire de sourcils bien arqués et bien noirs au-dessus de deux grands yeux qui ne se fermaient jamais[2]». Tout comme pour les portraits du comte de Fernán Núñez (cat. 33) et de son épouse, la différence demeure choquante. La marquise de Santiago, vêtue d'une robe de *maja*, se présente de façon peu avenante malgré le paysage en arrière-fond. Son visage inexpressif ne traduit aucun sentiment véritable et il est probable que Goya n'a pas ressenti pour son modèle un attrait particulier. Nous savons que les deux portraits furent payés 24 000 réaux, somme élevée dont fait état le sculpteur González de Sepulveda, qui les vit en 1806 en même temps que les Murillo dans le palais Santiago.

Disparu prématurément à l'âge de quarante-trois ans, cet étonnant personnage laissa ses biens, appréciables, au fils qu'elle avait eu avec le marquis de Camposagrado. Outre le fait que ce portrait fait partie de la période la plus brillante du genre chez Goya, il a été très peu exposé et n'a pas fait partie des célébrations du 250e anniversaire de la naissance du peintre.

1. Baticle, 1992, p. 294-295. La restauration a permis de retrouver la date exacte.
2. *Id., op. cit.*, p. 296 ; Glendinning, 1986, p. 142.

35

❋ Don Evaristo Pérez de Castro (?)

Vers 1804-1808 ? – Huile sur toile – 98 x 68
Paris, musée du Louvre – Inv. : RF 1476
G-W 815 ; Gud. 530 / 647 ; DeA. 473

Une incertitude plane sur l'identité du modèle qu'a représenté Goya dans ce portrait. De toute évidence, il s'agit d'un artiste, en raison du crayon que l'homme tient à la main droite et des deux dessins que l'on distingue sur la table à laquelle il s'appuie. Âgé d'environ trente à trente-cinq ans, le personnage nous regarde, comme souvent chez Goya. D'un physique avenant, le visage ouvert et bienveillant, il est présenté dans une pose familière, la main gauche sur la hanche, le buste penché vers l'avant comme s'il venait un instant d'interrompre son travail, pose très similaire à celle du *Portrait de Bartolomé Sureda* (Washington, National Gallery). L'harmonie gris bleuté des tons, le contraste entre le blanc de la chemise et les plans sombres, l'éclairage pensé comme pour une scène contribuent à mettre en évidence le visage du modèle ainsi que sa main droite. Toute l'expression de cet individu nous prouve qu'il s'agit d'un ami du peintre.

L'identification la plus communément admise jusqu'ici était celle d'Evaristo Pérez de Castro y Colomera (1769-1849), diplomate et employé du secrétariat d'État après 1796. Il fut attaché d'ambassade à Berlin, à Lisbonne et à Vienne. Député de Valladolid, il devint premier secrétaire des Cortès. En 1820, il fut nommé ministre d'État ; en 1834, ambassadeur à Lisbonne ; puis quatre ans plus tard, président du Conseil. Grand amateur d'art, il s'adonnait à la peinture et au dessin, ce qui lui valut d'être élu académicien d'honneur de l'académie San Fernando en 1800. En 1806, il fut décoré de l'ordre de Charles-III.

L'identification repose en grande partie sur le fait qu'en 1900, lors de la grande exposition *Goya* à Madrid, le fils d'Evaristo Pérez de Castro, né en 1849, aurait reconnu son propre père. Toutefois, d'autres hypothèses ont été émises proposant le peintre Agustín Esteve (1753-vers 1820) ou Rafael Esteve, le graveur (cat. 54) mais elles ne peuvent être retenues en raison de l'âge et de la physionomie de ces derniers.

En l'état actuel des connaissances, nous pouvons penser que le modèle de Goya n'est autre que l'un de ses collègues ou aussi, peut-être, un membre de l'académie dont le portrait a été peint à l'occasion d'un événement d'ordre particulier. La date 1804-1808 avancée pour cette œuvre semble quelque peu tardive.

HISTORIQUE
En 1900 au moins, don Manuel Soler y Alarcón, Madrid – 1902, acquis par le musée du Louvre chez Durand-Ruel.

EXPOSITIONS
Madrid, 1900, n° 99, 1902, n° 855 ; Paris, 1935, n° 348, 1938, n° 16 ; Montauban, 1942, n° 34 ; Bordeaux, 1946, n° 4 ; Paris, 1963, n° 117 ; La Haye-Paris, 1970, n° 38 ; Bordeaux, 1970-1971, n° 51 ; Oslo, 1996, n° 20.

BIBLIOGRAPHIE
Sentenach, 1900, n° 99 ; Loga, 1903 (1921), n° 301, Beruete, 1916, I, n° 192 ; Mayer, 1924, n° 381 ; Desparmet Fitz-Gerald, 1928-1950, n° 445 ; Cook, 1945, p. 161 ; Valverde y Madrid, 1978, p. 8 ; Glendinning, 1988-1989, p. 84-86 ; *les Donateurs...*, p. 411 ; Morales, 1994 (1997), n° 343.

36

✳ *Doña Antonia Zárate*

Vers 1805-1806 – Huile sur toile – 103,5 x 82
Dublin, The National Gallery – Inv.: 4539
G-W 892; Gud. 562 / 578.

Francisco Goya a produit, dans la première décennie du XIXe siècle, d'incontestables chefs-d'œuvre dans le domaine du portrait féminin. Que ce soit *la Marquise de Santa Cruz* (1805; Madrid, Museo del Prado), *Isabel Lobo de Porcel* (Londres, National Gallery) ou encore *la Marquise de Villafranca* (Madrid, Museo del Prado) et *la Marquise de Lazan* (Madrid, collection des ducs d'Albe), toutes ces images sont incomparables de beauté, d'intensité psychologique.

Tel est le cas d'Antonia Zárate y Aguirre (1775-1811), actrice célèbre, fille de l'acteur Pedro de Zárate Valdés. Elle avait épousé le chanteur Antonio Gil y Aguado; leur fils, Antonio Gil y Zárate devint poète et auteur et auteur dramatique en renom.

De la sorte, nous nous situons dans le monde des relations proches du peintre et de ses commanditaires parmi la bourgeoisie de l'époque. Goya affectionnait le théâtre; il comptait parmi ses relations nombre de gens du spectacle, comme María del Rosario Fernandez, surnommée la Tirana, Isidro Maíquez ou encore Rita Luna. Il fit les portraits de la plupart d'entre eux.

Il n'est pas inutile de préciser que l'exécuteur testamentaire d'Antonia Zárate fut Manuel García de la Prada, conseiller municipal de Madrid, ami de Goya, financier influent, cousin germain de Francisco del Mazo (cat. 55).

L'œuvre demeure un exercice sans précédent du point de vue coloristique; les noirs profonds et veloutés de la robe et de la mantille contrastent avec le jaune et l'or du canapé où se tient assise la jeune femme. Les bras gantés de satin blanc aux reflets nacrés, la pose élégante des mains à l'éventail fermé sont de subtiles nuances qui accentuent la transparence de la dentelle sur la peau du modèle. Goya, d'une touche courte et nerveuse, parvient à saisir la personnalité mélancolique teintée de tristesse d'Antonia Zárate. La bouche sensuelle, esquissant un discret sourire, ne saurait contredire la profondeur inquiète des grands yeux sombres. À l'opposé des femmes de la haute société que peignait Goya, l'actrice ne cache rien de sa personnalité à celui qui fait son portrait; il y a ici, outre l'une des meilleures œuvres de Goya, l'une de ses caractéristiques majeures: la force exceptionnelle de la vérité rendue en peinture.

Antonia Zárate fut à nouveau représentée quelque temps plus tard (vers 1811) et à mi-corps par l'artiste (Saint-Pétersbourg, musée de l'Ermitage), coiffée d'un voile où se détache un délicat bijou en forme de croissant de lune. La facture en est identique, quand bien même les effets de transparence sont moins marqués. Le visage exprime encore l'inquiétude mais avec une très légère expression d'apaisement.

HISTORIQUE
Encore chez les descendants du modèle en 1900 (doña Adelaida Gil y Zárate, Madrid) – M. Knoedler & Co, Londres – vers 1911, coll. sir Otto Beit, Londres – 1930, hérité par son fils, sir Alfred Beit; coll. sir Alfred and lady Beit, Russborough, Co. Wicklow, puis Blessington, Irlande – 1987, donné par sir Alfred and lady Beit à la National Gallery de Dublin.

EXPOSITIONS
Madrid, 1900, n° 47; Londres, 1911, n° 52, 1920-1921, n° 129, 1928, n° 26, 1931, n° 12, 1947, n° 7; Le Cap, 1948, s. n.; Dublin, 1957, n° 74; Stockholm, 1960, n° 146; Paris, 1961-1962, n° 60; Londres, 1963-1964, n° 94, 1972, n° 116, 1981, n° 72.

BIBLIOGRAPHIE
Zapater, 1868, p. 39; Viñaza, 1887, n° 56; Beruete, 1922, p. 122-123; Mayer, 1924, n° 457; Harris, 1969, n° 25; Crombie, 1973, p. 23-27; Brown, 1984, p. 21; Mulcahy, 1988, p. 20-21; Baticle, 1992, p. 308, 1995, p. 207; Morales, 1994 (1997), n° 391.

✳ *Jeune Femme en mantille* ou *la Femme du libraire*

Vers 1800-1807 – Huile sur toile – 109,5 x 77,5
Inscription en bas à gauche : *Goya*
Washington, The National Gallery of Art, Gift of Mrs P. H. B. Frelinghuysen – Inv. : 1963.4.2. (1903)
G-W 835 ; Gud. 522 / 559 ; DeA. 449

L'identification traditionnelle avec María Mazón qui épousa le 1ᵉʳ juillet 1807 Antonio Bailó, libraire au 7 de la Calle de Carretas à Madrid, semble incertaine. En effet, nous savons que María Mazón hérita de la librairie à la mort de son époux, le 9 avril 1826, et qu'elle disparut le 27 février 1829. Or, leur testament commun, daté 1815, ne mentionne en aucun cas des œuvres d'art[1]. L'argumentation proposée pour justifier ce portrait, en particulier par Sambricio (1946), était d'y voir un gage de gratitude du peintre envers Antonio Bailó, qui avait témoigné de la loyauté de Goya lors de l'enquête de purification menée par le gouvernement de Ferdinand VII en 1814. Mais, en définitive, depuis l'affirmation de Charles Yriarte, qui parlait en 1862 d'un *Portrait de la libraire,* rien de décisif ne nous permet de trancher. Remarquons toutefois, comme Jeannine Baticle[2], que le chaleureux libraire, ami du peintre, avait épousé en 1807, à l'âge de soixante ans, une femme très jeune : elle avait vingt ans, et il n'est pas du tout exclu que cette union soit le prétexte du portrait.

La jeune femme est vêtue d'une mantille ainsi que d'une basquine, vêtement traditionnel en Espagne et qui était, à l'époque du règne de Ferdinand VII, une sorte de surtout à manches courtes porté en promenade[3]. Goya, comme pour *Doña Antonia Zárate* (cat. 36), joue sur les tons clairs et sombres, la transparence de la mantille ainsi que le port altier de son modèle. La jeune beauté au regard étrange nous frappe par sa pudique réserve qui s'oppose à l'aspect très ample de la robe. Cette œuvre appartient, elle aussi, à l'admirable série des portraits féminins du début du siècle dernier.

1. Brown et Mann, 1990, p. 24-27.
2. Baticle, 1992, p. 315.
3. Brown et Mann, *op. cit.*, fig. 1.

BIBLIOGRAPHIE
Yriarte, 1867, p. 138 ; Viñaza, 1887, p. 267 ; Beruete, 1915, nº 167 ; Mayer, 1924, nº 502 ; Desparmet Fitz-Gerald, 1928-1950, nº 455 ; Sambricio, 1946, docs CL-CLII ; Saltillo, 1950-1951, p. 170-210 ; Havemeyer, 1961, p. 158-159 ; Valverde Madrid, 1979, p. 278 ; Brown et Mann, 1990, p. 24-27 ; Baticle, 1992, p. 315, 1995, p. 213 ; Glendinning, 1994, p. 105-106, 110 ; Morales, 1994 (1997), nº 370.

✳ *Cannibales préparant leurs victimes*

Vers 1800-1808 — Huile sur bois (pin) — 32,8 x 46,9
Besançon, musée des Beaux-Arts et d'Archéologie — Inv. : 896.1.176
G-W 922 ; Gud. 475 / 591 ; DeA. 408

Le succès que ces deux petits panneaux sur bois rencontrèrent dans les années 1950-1960 est symbolique de l'engouement de l'époque pour le «peintre de la barbarie» célébré par Malraux. Comme il l'avait déjà fait dans quelques scènes de meurtre et de rapt peintes vers 1798-1800 pour le marquis de la Romana (Madrid, collection de la Romana), Goya représente l'horreur, encore plus absolue ici, avec un brio extraordinaire. Les ressemblances stylistiques entre ces deux séries, les similitudes avec certains des *Caprices* gravés (1797-1798) ont conduit les spécialistes à dater les *Cannibales* des années 1800-1808, donc avant *les Désastres de la guerre,* qui reprennent avec une force d'autant plus grande le récit de la cruauté humaine qu'il s'agit, cette fois, de scènes historiques réelles et contemporaines[1].

Quels horribles exploits Goya put-il bien illustrer ici ? Yriarte, qui le premier les mentionna dans la collection parisienne du peintre Jean Gigoux, reprenait certainement une tradition orale en les baptisant *l'Archevêque de Québec* et *J'en ai mangé.* Ayant remarqué que le Québec n'avait pas encore à l'époque d'archevêque et qu'aucun évêque n'y avait été martyrisé, Sánchez Cantón (1946) identifia les scènes avec les horreurs perpétrées en 1649 par une tribu d'Iroquois sur les cadavres des jésuites Jean de Brébeuf et Gabriel Lallemant. L'identification ne repose cependant que sur ce souvenir québécois et les seuls indices laissés par Goya, un chapeau et des chaussures à boucle qui pourraient appartenir à un habit de jésuite. La découverte d'un commanditaire devrait aider à l'identification, mais il semble que ces panneaux aient été achetés à Javier Goya ; ils proviendraient donc de la collection personnelle de Goya et seraient le pur fruit de son inspiration. Tout comme il avait dépeint la cruauté des bandits sous tous ces aspects possibles pour le marquis de la Romana, il pourrait avoir réalisé ici une allégorie de la barbarie[2].

Comme dans plusieurs des *Caprices* Romana, Goya rejette audacieusement la scène sur un côté, pour en renforcer, par ce grand vide et l'utilisation de couleurs sourdes, presque monochromes, le caractère, au premier abord intrigant. La touche, légère et nerveuse, presque transparente, définit les corps modelés par la lumière. Le calme apparent des «sauvages», la jeunesse de l'homme debout et la joie qui se lit sur son visage ont laissé penser à Juliet Wilson-Bareau — qui compare la pose avec celle de la statue antique du *Marsyas au pipeau* — qu'il pourrait s'agir d'une allégorie de l'innocence du sauvage qui ne peut comprendre l'horreur de son acte.

1. Le meilleur état de la question sur ces deux tableaux est dû à Juliet Wilson-Bareau dans Madrid-Londres-Chicago, 1993-1994, p. 288-289.
2. Deux autres scènes de sauvagerie, de dimensions presque identiques et peintes aussi sur bois, pourraient appartenir à la même série (G-W 924, 925 ; Madrid, coll. part.).

HISTORIQUE
Coll. Javier Goya ? — vers 1867, coll. Jean Gigoux, Paris ; 1896, legs Gigoux au musée de Besançon.

EXPOSITIONS
Paris, 1938, n° 14 ; Toulouse, 1950, n° 10 ; Bordeaux, 1951, n° 26 ; Madrid, 1951, n° 10 ; Venise, 1952, n° 65 ; Bâle, 1953, n° 19 ; Bordeaux, 1956, n° 120 ; Stockholm, 1959-1960, n° 149 ; Paris, 1961-1962, n° 95 ; Rennes, 1962, n° 2 ; Paris, 1963, n° 121 ; Londres, 1963-1964, n° 103 ; La Haye-Paris, 1970, n° 23 ; Washington-Cleveland-Paris, 1975-1977, n° 290 ; Madrid-Londres-Chicago, 1993-1994, n° 82.

BIBLIOGRAPHIE
Yriarte, 1867, p. 151 *(Archevêque de Québec)* ; Estignard, 1895, p. 110 ; Sánchez Cantón, 1946, p. 51, 1951, p. 115 ; Gaya Nuño, 1958, n° 1083 ; La Coste-Messelière, 1967, p. 29-31 ; Barrio et Garay, 1987, p. 81-82 ; Pinette et Soulier-François, 1992, p. 158 ; Morales, 1994 (1997), n° 431.

39 ✻ *Cannibales contemplant leurs victimes*

Vers 1800-1808 – Huile sur bois (pin) – 32,7 x 47,2
Besançon, musée des Beaux-Arts et d'Archéologie – Inv. : 896.1.177
G-W 923 ; Gud. 476 / 592 ; DeA. 409

Debout à l'entrée d'une grotte, un «sauvage» brandit devant ses compagnons, hommes et femmes, une main et la tête de l'une de ses victimes. Entre ses pieds – qui dessinent une colline semblable à celle qui barre l'horizon, désert – une jambe et des côtes ensanglantées, seules touches de couleur vive dans le tableau. Ses jambes et ses bras, violemment écartés ordonnent une composition géométrique rigoureuse et subtile, renforcée par la disposition des lances sur le sol. Purement abstrait, le paysage enchevêtre des plages de couleurs de plus en plus sombres, rapidement brossées, qui suggèrent une grotte éclairée par un maigre feu. Seuls les corps ont un certain volume, défini par la lumière, et la direction des touches est d'une extrême fluidité. En brossant les visages plutôt qu'en les dessinant, Goya montre que ces hommes sont avant tout des primitifs. Leur disposition dans l'espace définit la profondeur de la scène principale tandis que, à l'arrière, les flammes font surgir l'image d'un couple s'enfonçant dans la grotte. La merveilleuse apparition de cette silhouette féminine symbolise l'extraordinaire réussite picturale de ces deux tableaux. Tout comme Baudelaire dans *la Charogne,* Goya sait mêler la beauté à l'horreur.

HISTORIQUE
Coll. Javier Goya ? – vers 1867, coll. Jean Gigoux (Paris) ; 1896, legs Gigoux au musée de Besançon.

EXPOSITIONS
Paris, 1938, n° 15 ; Toulouse, 1950, n° 11 ; Bordeaux, 1951, n° 27 ; Madrid, 1951, n° 11 ; Venise, 1952, n° 66 ; Bâle, 1953, n° 20 ; Bordeaux, 1956, n° 121 ; Stockholm, 1959-1960, n° 150 ; Paris, 1961-1962, n° 74 ; Rennes, 1962, n° 2 ; Paris, 1963, n° 120 ; Londres, 1963-1964, n° 104 ; La Haye-Paris, 1970, n° 24 ; Washington-Cleveland-Paris, 1975-1977, n° 291 ; Madrid-Londres-Chicago, 1993-1994, n° 83.

BIBLIOGRAPHIE
Yriarte, 1867, p. 151 *(J'en ai mangé)*; Estignard, 1895, p. 110 ; Sánchez Cantón, 1946, p. 51, 1951, p. 115 ; Gaya Nuño, 1958, n° 1084 ; La Coste-Messelière, 1967, p. 29-31 ; Barrio et Garay, 1987, p. 81-82 ; Pinette et Soulier-François, 1992, p. 158 ; Morales, 1994 (1997), n° 432.

cat. 38

cat. 39

✳ Doña Juana Galarza de Goicoechea

1810 – Huile sur toile – 82 x 59
Signé et daté en bas à droite – Inscription : *D ᵃ Juana Galarza / Por Goya 1810*
Madrid, collection particulière
G-W 886 ; Gud. 552 / 583 ; DeA. 512

Ce portrait fait pendant à celui de Martín Miguel de Goicoechea (cat. 41).
Nous savons peu de chose sur le modèle, né en 1758, qui avait épousé le
négociant navarrais en 1775 à la paroisse San Ginés de Madrid. Nous ignorons la date de sa mort, survenue avant 1824[1].

Le peu de vitalité du modèle, la robe à peine suggérée, dans des
tons gris-bleu, a fait émettre l'hypothèse d'un portrait posthume[2]. Le
contraste est encore plus fort en raison de la disparité entre le vêtement,
le corps empâté et la figure au regard songeur voilé d'une légère tristesse.
Âgé de cinquante-deux ans, le modèle peut paraître hâtif, mais il n'en est
rien car Goya peint toujours ce qu'il voit ; le traitement de la broderie du
col, d'une légèreté extrême, prouve bien assez que le maître n'a pas
négligé son œuvre.

Goya fit de cette personne un dessin signé et daté 1805 (collection
particulière) et une miniature sur cuivre (Madrid, Museo del Prado). Il
existe un dessin signé du peintre représentant son époux (Madrid, Museo
Lázaro Galdiano) et une miniature de celui-ci (Pasadena, Norton Simon
Foundation).

1. Baticle, 1992, p. 298.
2. Luna, 1995, p. 130, n° 40

HISTORIQUE
Inventaire des peintures conservées dans la
Quinta del Sordo (dit «inventaire Brugada»),
Madrid – coll. Mariano Goya – coll. marquis
del Espinas, Madrid ? – à partir de 1908 au
moins, coll. marquis de Casa Torres, Madrid ;
puis, vers 1963, descendants, coll. marquise de
Casa Riera, Madrid – coll. part, Madrid.

EXPOSITIONS
Madrid, 1900, n° 127, 1928, n° 25 ; Bordeaux,
1951, n° 34 ; Madrid, 1951, n° 14 ; Londres,
1963-1964, n° 98 ; Madrid, 1983, n° 36 ;
Bruxelles, 1985, n° 24 ; Lugano, 1986, n° 38 ;
Venise, 1989, n° 36 ; Santander, 1993, n° 26 ;
Madrid, 1995-1996, n° 40 ; Saragosse, 1996,
p. 156.

BIBLIOGRAPHIE
Viñaza, 1887, p. 262 ; Beruete, 1916, I,
n° 251 ; Mayer, 1924, n° 286 ; Sánchez Cantón,
1951, p. 103 ; Pita Andrade, 1980, p. 14 ;
Baticle, 1992, p. 366, 1995, p. 248 ; Morales,
1994 (1997), n° 385.

✳ Don Martín Miguel de Goicoechea

1810 – Huile sur toile – 82 x 59
Signé et daté en bas à droite
Inscription : *D. Martin de Goicoechea P. ʳ Goya 1810*
Madrid, collection particulière
G-W 887 ; Gud. 551 / 582 ; DeA. 513

Martín Miguel de Goicoechea naquit à Alsasua en 1755 et mourut à Bordeaux en 1825. Sa famille était originaire de Bacaioca (Navarre, vallée de
Burunda) près de la frontière basque et illustre de façon parfaite l'évolution
de la bourgeoisie d'affaires en Espagne à la fin du XVIIIᵉ siècle. Javier, le fils
de Goya, épousa le 8 juillet 1805, sa fille, Gumersinda de Goicoechea, âgée
de dix-sept ans. La jeune épouse apportait en dot 249 186 réaux alors que
Goya octroyait à son fils divers avantages[1] qui faisaient s'élever les revenus
annuels du couple à 28 000 réaux par an, somme des plus confortables.

Goicoechea était l'associé de la famille Galarza, de même origine
géographique, dans le commerce d'étoffes et d'articles de mode. Il avait

HISTORIQUE
Inventaire des peintures conservées dans la
Quinta del Sordo (dit inventaire «Brugada»),
Madrid – coll. Mariano Goya – coll. marquis
del Espinas, Madrid ? – à partir de 1908 au
moins, coll. marquis de Casa Torres, Madrid ;
puis, vers 1963, descendants, coll. marquise de
Casa Riera, Madrid – coll. part, Madrid.

EXPOSITIONS
Madrid, 1900, n° 126, 1928, n° 27 ; Bordeaux,
1951, n° 33 ; Madrid, 1951, n° 13 ; Londres,
1963-1964, n° 97 ; Madrid, 1983, n° 35 ;

d'ailleurs épousé en 1775 à Madrid, María Juana de Galarza, née en 1758, tandis que son cousin, Esteban de Goicoechea, prenait pour femme Tomasa de Galarza, sœur de la précédente et de deux ans sa cadette.

On voit bien à quel point ces relations familiales imbriquées mènent à un véritable réseau de pouvoir. Les Galarza et les Goicoechea occupaient en 1805 des postes importants au sein de la banque San Carlos. Après la guerre d'Indépendance, durant laquelle, semble-t-il, le clan Galarza-Goicoechea sut se tenir à l'écart, Martín Miguel devint l'un des cinq actionnaires les plus importants de la *Compagnie des Philippines*. Dès 1804, il avait été l'exécuteur testamentaire du tuteur de Leocadia Zorilla, qui partagera la vie de Goya après 1814. En revanche, lors de l'insurrection constitutionnelle de 1820, la famille Goicoechea fut très compromise. L'intervention du duc d'Angoulême, mandaté par la Sainte Alliance (juin-octobre 1823), libéra Ferdinand VII et déclencha une terrible répression absolutiste qui entraîna l'exil volontaire de Goya et de Martín Miguel de Goicoechea. Nous savons que, en juillet 1824, lorsque Goya arrive à Paris, Goicoechea vit à l'hôtel Castille, rue de Richelieu, avant de partir, à la fin d'août, pour Bordeaux avec le peintre[2]; tous deux sont veufs.

Martín Miguel mourut le 30 juin 1825 à Bordeaux, et lorsque Goya rendit le dernier soupir, le 16 avril 1828, il fut enterré dans le caveau de son ami, au cimetière de la Chartreuse. Quand le gouvernement espagnol réclamera les cendres du peintre, les deux squelettes seront confondus et, en 1900, prendront le chemin de Madrid[3] pour être disposés, en 1919, à San Antonio de la Florida. Goicoechea avait été conseiller municipal de Madrid et, comme on l'a dit, dut s'exiler en raison de ses opinions libérales; ainsi, existait à Bordeaux une colonie d'Espagnols déracinés volontaires ou par décision du pouvoir royal, et ce, depuis le retour de Ferdinand VII.

Le marquis de San Adrián, Moratín, Silvela, et bien d'autres, vécurent dans la cité maritime et industrieuse[4]; beaucoup y moururent[5].

Le portrait de Goicoechea peint par le maître aragonais se détache sur un fond uni ocre. Si l'habit noir est brossé de façon assez hâtive, l'essentiel du travail du peintre se concentre dans le visage, d'aspect jeune encore, au regard énergique. De même, la carnation en est fort bien traduite, jusqu'au détail d'une verrue sur la joue gauche. Toujours selon la règle des portraits appariés, le modèle regarde vers la gauche du specta-teur, en direction du portrait de son épouse, qui, elle, nous regarde. Ce détail anodin en apparence permet souvent de restituer le contexte d'une commande. Mais, ici, nous ne savons pas pourquoi Goya fit, en 1810, ces deux portraits lors de l'occupation française. La meilleure hypothèse, en l'état actuel de nos connaissances, demeure une aide quelconque accordée au peintre.

1. Baticle, 1992, p. 298.
2. *Id., op. cit.*, p. 461.
3. Bordeaux, 1998, p. 44 *sq* (texte F. Ribemont). De 1900 à 1919, les cendres de Goya et de Goicoechea reposèrent au panthéon de San Isidro.
4. *Id., op. cit.*, p. 67 (texte J. Fauqué).
5. *Id., op. cit.*, p. 81-90 (texte J. Baticle).

Bruxelles, 1985, n° 23 ; Lugano, 1986, n° 37 ; Venise, 1989, n° 37 ; Santander, 1993, n° 25 ; Madrid, 1995-1996, n° 39 ; Saragosse, 1996, p. 158.

BIBLIOGRAPHIE
Viñaza, 1887, p. 262 ; Beruete, 1916, I, n° 250 ; Mayer, 1924, n° 284a ; Sánchez Cantón, 1951, p. 103 ; Baticle, 1992, p. 366, 1995, p. 248 ; Morales, 1994 (1997), n° 384.

cat. 40

cat. 41

42 ✳ *Bécasses*

Vers 1808-1812 – Huile sur toile – 45,2 x 62,6
Dallas, Meadows Museum, Southern Methodist University, Algur H. Meadows Collection – Inv. : MM 71.01
G-W 910 ; Gud. 587 / 471 ; DeA. 508

Dans ce tableau, on note que Goya a introduit un nouvel élément, absent des trois premières natures mortes[1], la théâtralité : les oiseaux suivent, pour ainsi dire, les directives d'une mise en scène. Pour s'ouvrir au contenu scénique de cette « représentation », il faut commencer par s'orienter dans l'empilement d'oiseaux, disposés de façon peu distincte. L'œil est d'abord attiré par la bécasse posée sur le haut du tas. La pleine lumière qui l'éclaire l'isole et la détache des autres oiseaux, qui, à demi dissimulés, forment un entassement qu'il est malaisé de dénombrer. En fait, il comprend quatre éléments : deux bécasses, un petit échassier et un canard sur le dos, la tête sortant du cadre de la composition.

Tout comme le *Canard mort* (fig. 1), la première bécasse, figurée entière, a une aile déployée et les pattes tendues vers l'arrière, ce qui évoque, malgré le fait qu'elle est posée sur un tas d'oiseaux morts, l'idée de l'envol. Mais elle semble faible et épuisée… face à la mort. Cet abandon s'explique par la présence des forces écrasantes de la mort, illustrées par les trois oiseaux tombés, qui, en quelque sorte, passent sous cette bécasse dans un mouvement contraire. Ce mouvement commence avec l'autre bécasse, située à l'extrême gauche du tableau, qui, du bec, semble attaquer la première sous la tête. Leurs deux têtes obéissent à un motif en croix dont la métaphore est claire : cette chute, c'est le sort qui s'est mis en travers du vol de la bécasse et l'a arrêtée tout comme sont tombés les autres oiseaux, le petit échassier tout au-dessous du tas et le canard, dont la tête disparaît pour ainsi dire de la scène.

1. Il s'agit de *Fruits, bouteilles et gimblettes* (Winterthur, coll. Oskar Reinhart), *Deux Lièvres* (coll. part.) et *Canard mort* (Zurich, coll. part.).
2. Jordan, 1974, p. 64.

HISTORIQUE
1812, coll. Javier Goya, Madrid – jusqu'en 1845, Francisco Javier de Mariátegui ; 1845-1851, María de la Concepción Mariátegui et Mariano Goya – 1851-1866, coll. comte de Yumuri Carabanchel Alto, Madrid – jusqu'en 1879, coll. Terbeck, Paris – jusqu'en 1822, héritiers du comte de Terbeck, Paris – 1948, coll. part. New York (Wildenstein) ; 1971, acquis par le Meadows Museum.

EXPOSITIONS
New York, 1950, p. 19, n° 19, p. 52, ill. 44 ; Houston, 1952, p. 12, n° 25 ; La Havane, 1957, n° 27 ; Londres, 1959, p. 1 ; San Diego, 1960, p. 22 ; Indianapolis-Providence, 1963, n° 29 ; Londres, 1963-1964, n° 125 ; Newark, 1964-1965, n° 11 ; Dallas, 1982-1983, n° 14 ; Madrid, 1983-1984, n° 189 ; Stockholm, 1994, n° 35 ; Londres, 1995, n° 67 ; Madrid, 1996a, n° 136.

BIBLIOGRAPHIE
López Rey, 1948, p. 251-260 ; Jordan, 1974, n° 27 ; Pérez Sánchez, 1987, p. 223 ; Morales, 1994 (1997), n° 404 ; Rose de Viejo, 1997, p. 405 ; Vischer, 1997, p. 122-123.

Fig. 1
Canard mort
vers 1808-1812
huile sur toile
44,5 x 62
Zurich, collection particulière

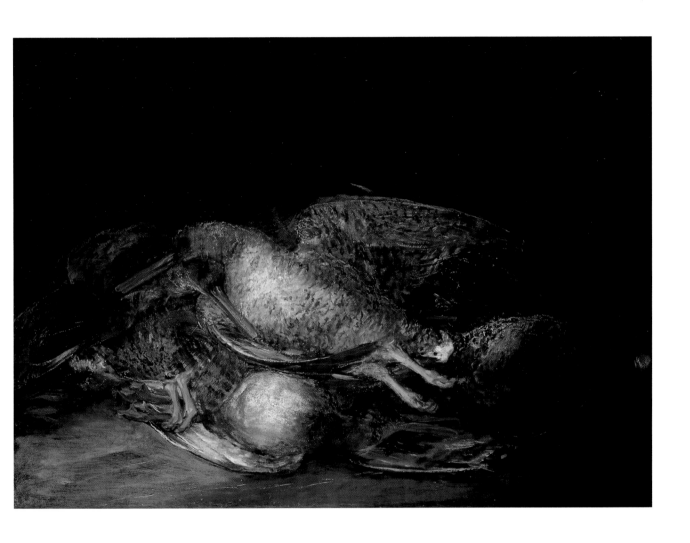

43 ❋ *Oiseaux morts*

Vers 1808-1812 – Huile sur toile – 46 x 64
Madrid, Museo del Prado – Inv. : 752
G-W 905 ; Gud. 590 / 474 ; DeA. 506

La théâtralité est également un élément important de cette œuvre, devant laquelle on éprouve des sensations similaires à celles que peuvent procurer les *Bécasses*. À première vue, on a l'impression de se trouver face à une mêlée d'oiseaux jetés les uns sur les autres dans une disposition fortuite. Mais on découvre ensuite dans cet entassement un scénario calculé, rappelant un spectacle de marionnettes. L'oiseau fauve, au premier plan à droite, apparaît contre le tas, dressé et légèrement penché en avant, les ailes écartées, comme prêt à s'envoler. Ses pattes, avancées, renforcent encore l'idée que l'animal veut sortir d'une ombre, celle de la mort. L'oiseau blanc ouvre la phase du vol : il semble bondir vers le haut, en rassemblant toutes ses forces. L'attitude du corps surtendu, les ailes tournées de manière convulsive, les griffes écartées et la tête rejetée sur la nuque dans un mouvement emphatique, tous ces mouvements représentent une seule et unique cabrure contre la mort ; dans cette résistance au destin culmine en même temps la position de vol. Immédiatement derrière, le malheur s'annonce déjà dans les deux oiseaux noirs disposés en arc de cercle. Celui de gauche a les pattes entrecroisées et culbute vers l'avant comme s'il s'était lui-même fait trébucher. Ce mouvement de chute se poursuit chez le second oiseau noir, précipité au sol tête la première et plongé dans la zone d'ombre dont voulait précisément s'échapper le premier. Enfin, et c'est le sentiment que nous éprouvons devant cette nature morte, nous sommes condamnés au trépas malgré toute révolte, que représente l'oiseau blanc.

Ce schéma de composition en arc de cercle que forment les deux oiseaux noirs se retrouve dans un dessin au lavis, *Ce sera la même chose* (G-W 1028). Ici, l'arc de cercle revêt une signification identique : le passage de la vie à la mort.

HISTORIQUE
1812, coll. Javier Goya, Madrid – jusqu'en 1845, Francisco Javier de Mariátegui – 1845-1851, María de la Concepción Mariátegui et Mariano Goya – 1851-1865, Francisco Antonio Narváez y Bordese, comte de Yumuri, Carabanchel Alto, Madrid – 1866, Francisco Antonio Narváez y Larrinaga, comte de Yumuri, Madrid – 1879, marché de l'art, Barcelone – 1898, marché de l'art, Madrid – 1900, acheté par le Museo del Prado.

EXPOSITIONS
Japon, 1976 ; Barcelone, 1977, n° 39 ; Madrid, 1983-1984, n° 188 ; Florence, 1986, n° 86 ; Tokyo, 1987, n° 38 ; Tokyo-Nagoya, 1992, p. 87, ill. 63, p. 120, n° 63 ; Stockholm, 1994, n° 34 ; Madrid, 1996a, n° 134.

BIBLIOGRAPHIE
Lafond, 1902, n° 181 ; Loga, 1903 (1921), n° 606 ; Beruete, 1917, n° 175 ; Mayer, 1924, n° 730 ; López Rey, 1948, p. 251-260 ; Pérez Sánchez, 1987, p. 315 ; Morales, 1994 (1997), n° 399 ; Vischer, 1997, p. 122-123.

T.1284

44 ❋ *Dindon mort*

Vers 1808-1812 – Huile sur toile – 45 x 63
Signé au centre : *Goya*
Madrid, Museo del Prado – Inv. : 751
G-W 904 ; Gud. 589 / 473 ; DeA. 501

On retrouve ici une grande intervention de la théâtralité. L'oiseau qui paraissait prendre la pose pour célébrer sa propre fin se déploie dans toute sa majesté, jusqu'à la pointe des ailes. S'il doit déjà sombrer, c'est de façon grandiose, la tête relevée dans un mouvement pathétique, appuyée contre le bord de la corbeille, étalant ainsi toute la *grandezza* de son existence passée. Mais, malgré cette grandeur, son entrée en scène est marquée d'une grande vulnérabilité. C'est sans défense, offrant en quelque sorte les « bras » étendus d'un sacrifié, qu'il se livre à l'œil du spectateur.

Cette pose de victime dans laquelle se présente le dindon, les ailes déployées, le côté à nu et la tête dirigée vers le haut, rappelle le personnage que Goya placera toujours par la suite au centre de ces scènes dramatiques, quand l'être humain est menacé dans son existence même. Pour évoquer la toile la plus connue et la plus marquante illustrant notre propos, citons notamment le Madrilène vêtu de blanc du *Trois Mai 1808* (Madrid, Museo del Prado), agenouillé face au peloton d'exécution français, les bras tendus vers le ciel. On retrouve des gestes analogues dans deux gravures des *Désastres de la guerre : Tristes pressentiments 1* (fig. 1) et *Impossible à regarder 26*.

Ici, la position de la tête sur le bord de la corbeille a une signification particulière. Cette zone est le centre véritable et crucial de la toile, où tout aboutit selon une subtile organisation, mise en évidence par les autres parties de l'œuvre. C'est là que se concentre l'intensité de la lumière, que se condense la couleur dans le rouge des caroncules, que s'intensifie la géométrie de la composition. On trouve au premier plan l'aile levée, formant un angle dont la pointe de l'articulation vise la gorge du dindon, introduisant ainsi une menace. Elle est peinte de façon superficielle[1], comme essuyée, et il est impossible d'y déchiffrer le moindre détail. Elle est toute *abbreviatur,* mouvement, plutôt que réalité fixée. Et c'est ainsi que le contour de l'aile a quelque chose d'un couperet qui paraît glisser en arc de cercle vers le cou, dans un mouvement de chute qui se poursuit sur le bord rouge foncé de la corbeille comme si une lame prolongeait sa course. La corbeille apparaît tout à la fois comme un soutien et un échafaud. Et si l'on continue dans ce scénario de la guillotine, le rouge de la caroncule prend une importance nouvelle. Il ne s'agit plus seulement d'une couleur traduisant l'anatomie d'une caroncule, elle est en même temps, au sens figuré, la zone blessée de l'image. Pour autant, ce n'est pas une véritable blessure dans la chair, mais une blessure peinte, métaphorique.

Notre thèse d'un danger représenté dans la combinaison des ailes relevées et de la tête appuyée se trouve renforcée par la composition d'un dessin présentant des analogies. Il provient de l'album F, qui est daté entre 1812 et 1823, et s'intitule *Femme assassinant un homme endormi* (fig. 2).

HISTORIQUE
1812, coll. Javier Goya, Madrid – jusqu'en 1845, Francisco Javier de Mariátegui – 1845-1851, María de la Concepción Mariátegui et Mariano Goya – 1851-1865, Francisco Antonio Narváez y Bordese, comte de Yumuri, Carabanchel Alto, Madrid – 1866, Francisco Antonio Narváez y Larrinaga, comte de Yumuri, Madrid – 1879, marché de l'art, Barcelone – 1898, marché de l'art, Madrid – 1900, acheté par le Museo del Prado.

EXPOSITIONS
Tokyo-Kyoto, 1971-1972, n° 103 ; Barcelone, 1977, n° 38 ; Mexico, 1978, n° 41 ; Belgrade, 1981, n° 19 ; Madrid 1983-1984, n° 186 ; Paris, 1987-1988, n° 107 ; Stockholm, 1994, n° 34, Londres, 1995, n° 68 ; Madrid, 1995, n° 33, 1996, n° 133 ; Oslo, 1996, n° 22.

BIBLIOGRAPHIE
Lafond, 1902, n° 180 ; Loga, 1903 (1921), n° 607 ; Beruete, 1917, n° 174 ; Mayer, 1924, n° 731 ; López Rey, 1948, p. 251-260, Pérez Sánchez, 1987, p. 227-229 ; Morales, 1994 (1997), n° 398 ; Vischer, 1997, p. 122-123.

Fig. 1
Tristes pressentiments 1
vers 1814-1820
eau-forte
17,5 x 22

T. 1283

Au premier plan, on voit un homme qui dort sur le sol, la tête posée à proximité d'une corbeille sur un fagot ; derrière lui, une femme debout s'apprête à porter le coup de hache qui tranchera la tête de l'innocent dormeur.

Ici, le dindon figure à la fois la femme à la hache levée et le personnage couché, la tête près d'une corbeille. Et, dans cet amalgame, l'animal est en même temps victime et bourreau. À cela s'ajoute une dimension nouvelle : dans le dessin, il existe une distinction entre la victime, passive, et le coupable, actif. Or, dans la nature morte, ces deux plans se confondent et se condensent pour aboutir à une métaphore de la victime d'elle-même. Peut-être doit-on aussi parler d'une métaphore du suicide devant cette « aile-couperet » que le dindon lève contre lui-même.

Avec cette métaphore, Goya anticipe ce que Charles Baudelaire formulera dans l'avant-dernière strophe de son *Heautontimoroumenos* :

> « Je suis la plaie et le couteau !
> Je suis le soufflet et la joue !
> Je suis les membres et la roue,
> Et la victime et le bourreau ! »

1. Symmons, 1977, p. 81 : « [...] the loosey, smudgy quality of the paint of the turkey's wings... ».

Fig. 2
Femme assassinant un homme endormi
lavis de sépia
20,5 x 14,3
New York,
Metropolitan Museum of Art

45 ❋ *Dindon plumé et poêle à frire*

Vers 1808-1812 – Huile sur toile – 44,8 x 62,4
Signé : *Goya*
Munich, Neue Pinakothek – Inv. : 8575
G-W 906 ; Gud. 593 / 617 ; DeA. 504

Ici, le dindon est l'élément le plus évident, tant il domine la scène dans son apparition monumentale. La tête la première, il coupe le tableau du point le plus extérieur de la toile au point quasiment inférieur ; il est pour ainsi dire nu, déchu de son existence. Son attitude contorsionnée forme le modèle sismographique sur lequel se dessine – comme une cascade[1] – le déroulement de sa chute. Goya a aussi poussé jusqu'à l'extrême le côté expressif de la représentation. À l'attitude contorsionnée s'associent d'atroces douleurs ; il semble vraiment que, à travers les contours tortueux de l'animal, se dessine un schéma formel sur lequel Goya exécutera des variations dans quelques scènes de torture figurant dans ses recueils d'esquisses.

La gravure *Impossible à regarder (Désastres 26)* représente la victime d'un supplice, forme grêle et exténuée, en diagonale dans la composition, tête la première. Le bouleversement que l'on ressent tient moins aux conséquences immédiates d'un acte sanglant qu'à la vulnérabilité avec laquelle elle est exposée à l'instrument de supplice, bras et jambes entravés. Le spectateur se sent impuissant parce qu'il n'apprend rien de plus sur

HISTORIQUE
1812, coll. Javier Goya, Madrid – jusqu'en 1845, Francisco Javier de Mariátegui – 1845-1851, María de la Concepción Mariátegui et Mariano Goya – 1851-1865, Francisco Antonio Narváez y Bordese, comte de Yumuri, Carabanchel Alto, Madrid – 1866, Francisco Antonio Narváez y Larrinaga, comte de Yumuri, Madrid – marché de l'art en France ; 1909, acquis par la Alte Pinakothek de Munich, actuellement en dépôt à la Neue Pinakothek.

EXPOSITIONS
Amsterdam, 1948, n° 66 ; Bruxelles, 1948, n° 136 ; Paris, 1948, n° 34 ; Londres, 1949, n° 58 ; Bâle, 1953, n° 36 ; Madrid, 1983-1984, n° 187 ; Oslo, 1996, n° 23.

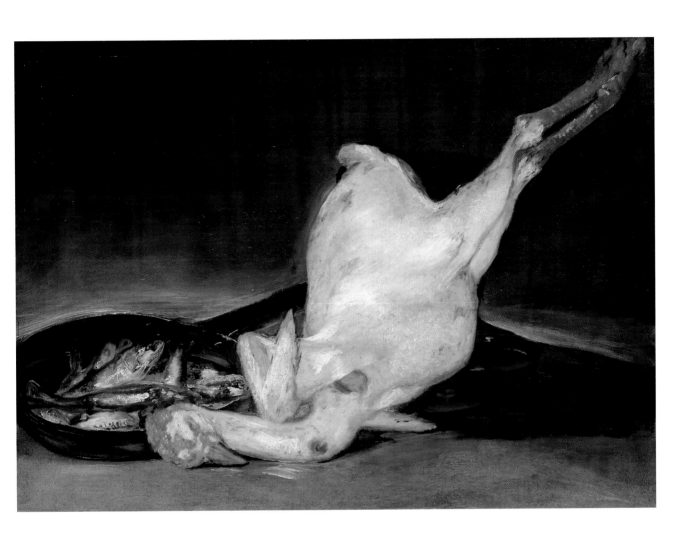

les tenants et aboutissants de cette scène anonyme. Qui est la victime, qui est le bourreau ? Il existe un exemple similaire dans le dessin intitulé *Quelle Horrible Vengeance* (G-W 1270). De nouveau, on y voit la victime disposée en diagonale, tête la première. Attachée par les bras et les mains, démunie, exposée aux dangers d'une région sauvage.

On trouverait bien d'autres exemples illustrant ce propos. Chaque fois, Goya effectue des variations à partir du même schéma de base. Il nous montre un monde violent, déséquilibré, qui au sens propre met tout sens dessus dessous, dans lequel ce qui était tout en bas se retrouve sur le dessus. Malgré toutes ces similitudes, il est important de bien noter une différence : dans le dessin, l'atrocité se passe entre êtres humains alors que, dans la nature morte, la souffrance est celle d'une créature tombée au sein d'une nature vide d'hommes. L'évocation de la nature passe par un élément important, l'horizon, qui donne de la profondeur à l'espace. Cette traînée de lumière blafarde marque la séparation entre, d'une part, la pesanteur de plomb d'un ciel gris-vert, et, d'autre part, une contrée désertique et poussiéreuse. Goya place la nature et la création dans un horizon inhospitalier et hostile. Cette conception négative de la nature est diamétralement opposée à l'emphase avec laquelle Luis Meléndez (1716-1780) la traite dans ses natures mortes d'Aranjuez, par exemple dans *Pommes, grenades et raisins dans un paysage* (fig. 1). Il s'agit, dans ce dernier cas, d'une nature vitale et débordant d'énergie, dans laquelle éclatent des grenades très mûres. Chez Goya, en revanche, la confiance dans les forces vitales de la nature est brisée : il la considère comme étant hostile, figée dans le caractère inhospitalier d'un paysage aride et dans la formule douloureuse du dindon abattu. Du dindon mort, nous retrouvons cette approche négative dans quelques œuvres du poète madrilène Nicasio Álvarez de Cienfuegos (1764-1809). Nous illustrerons ce propos avec un court passage tiré de son poème *À un ami pour la mort de son frère*[2], composé en 1798 :

« Horrible désert de sable enflammé où entre l'avidité universelle et la mort solidaire peut-être un petit arbre cherche à verdir, est l'image de cette vie cruelle que nous aimons tant. »

1. Sur l'évocation d'une cascade, voir Comte, 1992, p. 54.
2. Álvarez de Cienfuegos, 1968, p. 138, v. 55-59 : « *Hórrido yermo de inflamada arena do entre aridez universal y muerte solidario tal vez algún arbusto se esfuerza a verdear, tal es la imagen de esta vida cruel que tanto amamos.* »

BIBLIOGRAPHIE
Mayer, 1924, nº 732 ; López Rey, 1948, p. 251-260 ; Soehner, 1963, nº 8575 ; Morales, 1994 (1997), nº 400 ; Jordan Cherry, 1995, p. 180 ; Vischer, 1997, p. 122-123.

Fig. 1
Luis Meléndez
Pommes, grenades et raisins dans un paysage
62 x 84
Madrid, Museo del Prado

46 ✳ *Tête et carrés de mouton*

Vers 1808-1812 – Huile sur toile – 45 x 62
Signé : *Goya* – Inscription peinte en blanc encore visible en 1970 : *X 11*
Paris, musée du Louvre – Inv. : RF 1937-120
G-W 903 ; Gud. 596 / 662 ; DeA. 499

Aux premiers regards ce tableau dégage une impression de sérénité et de douceur, mais l'atmosphère qui y règne vient la démentir. Aucun ton intermédiaire de couleur ne semble déranger l'«état de torpeur» de cette tête de mouton, dont l'expression est empreinte de résignation. Il y a une ombre de «tristesse[1]» dans son regard, flou, et ses lèvres retroussées traduisent l'épuisement. Cette tranquillité est trompeuse pourtant car dans le carré disposé verticalement se dessine un élément bien inquiétant : un «œil» rond, formé dans les membranes.

Pour voir cet «œil», il est nécessaire de se détacher d'une idée couramment admise en histoire de l'art selon laquelle le pur hasard aurait déterminé la position des deux carrés de mouton[2]. En fait, c'est tout l'inverse : l'arrangement des pièces de viande obéit à un calcul, au même titre que les oiseaux ou les bécasses d'autres natures mortes de Goya. Ceux-ci paraissent jetés dans une disposition fortuite, mais une analyse de l'œuvre montre qu'ils obéissent à une logique dramaturgique.

Dans le cas de *Tête et carrés de mouton,* le calcul tient dans le fait que la disposition des deux carrés de mouton concorde avec les contours de la tête. On en prend conscience lorsque l'on remarque que la structure de base de la composition est fondée sur deux triangles que forment la tête de mouton d'un côté et les carrés de l'autre (fig. 1). Ces deux triangles, tel un écho, se répondent dans une corrélation mutuelle. Avec l'écho des triangles se trouve ainsi grossièrement esquissé ce que l'on retrouvera dans les détails. Il y a donc une autre relation en écho entre la base du cou de la tête et la partie inférieure du carré de mouton disposé verticalement (a). Il existe un autre écho, entre les trois dents que révèlent les lèvres retroussées et une structure triangulaire à l'extrême bord du carré posé (b). Et l'angle obtus que constituent les deux carrés répond à l'angle que trace l'entaille du couperet à l'arrière de la tête (fig. 2). Tous ces liens entre les formes nous amènent, dans la configuration spécifique des deux carrés de

HISTORIQUE
1812, coll. Javier Goya, Madrid – jusqu'en 1845, Francisco Javier de Mariátegui – 1845-1851, María de la Concepción Mariátegui et Mariano Goya – 1851-1866, coll. comte de Yumuri Carabanchel Alto, Madrid – coll. part. Paris (?) – 1937, acquis de la galerie Paul Rosenberg par le musée du Louvre.

EXPOSITIONS
Paris, 1938, p. 29, n° 24 ; Montauban, 1942, p. 36 ; Paris, 1952, n° 86 ; Stockholm, 1959-1960, p. 105, n° 155 ; Londres, 1964-1965, p. 71, n° 124 ; La Haye-Paris, 1970, n° 35 ; Bordeaux, 1978, p. 175, n° 166 ; Kobe-Yokohama, 1993, n° 77, Stockholm, 1994, n° 32, Londres, 1995, n° 69.

BIBLIOGRAPHIE
López Rey, 1948, p. 251-260 ; Pérez Sánchez, 1987, p. 229 ; Morales, 1994 (1997), n° 397 ; Rose de Viejo, 1997, p. 405 ; Vischer, 1997, p. 122-123.

Fig. 1
«écho des triangles»

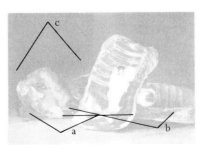

Fig. 2
«écho dans les détails»

Fig. 3
«l'œil»

mouton, à prêter à Goya l'intention d'imiter la silhouette de la tête de mouton. Dès lors que nous sommes conscients de cette intention, la disposition des carrés de viande perd tout caractère fortuit : au contraire, ce qui semblait un chaos de chair et de tissus conjonctifs commence à s'ordonner, à s'organiser pour dessiner des «traits de visage» d'où s'élance soudain un «œil» tout rond et épouvantable. Cet «œil» se situe près du bord droit du carré disposé verticalement et est formé par une structure ronde de tissu conjonctif blanchâtre (a ; fig. 3). D'un point de vue strictement anatomique, il s'agit ici plus précisément de la *serosa,* la membrane tapissant la cavité abdominale. Une chose oblongue en forme de sac qui, comme on peut le déduire du carré vertical et non dissimulé, se termine en haut en demi-cercle (b ; fig. 3). Dans le carré allongé n'apparaît de cette membrane que le bord, qui, coincé par le carré vertical, prend une forme circulaire. Une fois cet «œil» admis, il devient clair que Goya a cherché à obtenir une nouvelle forme circulaire avec cette masse blanchâtre qui sépare nettement les deux carrés.

Si l'on désassemblait ces deux carrés de viande et qu'on les redisposait de façon différente, cet «œil» disparaîtrait complètement. En d'autres termes, l'«œil» de Goya résulte de cette position respective des carrés de mouton. C'est pourquoi cet «œil» ne peut s'expliquer dans le sens anatomique : il n'est ni animal ni homme. Il est quelque chose d'autre, l'inconnu. C'est le regard d'une «altritude» radicale qui s'intensifie jusqu'au démoniaque[3].

1. Huyghe, 1938, p. 6 (préface) : «[…] Cet œil de bête morte où semble couver tant de tristesse et presque de songe.»
2. Sterling, 1952, p. 87 : «Goya paraît avoir peint […] ces pièces de viande telles que le hasard les a disposées.» Depuis, cette thèse a été reprise constamment dans les ouvrages consacrés à ce sujet.
3. Sur le thème de l'«altritude», voir Vernant, 1986, particulièrement le chapitre «Gorgô».

47 ❋ *Dorades*

Vers 1808-1812 – Huile sur toile – 44,1 x 61,6
Signé : *Goya* – Inscription peinte en blanc, en bas à gauche : *X 11*
Houston, The Museum of Fine Arts, Museum purchase with funds provided by the Alice Pratt Brown
Museum Fund and the Brown Foundation Accessions Endowment Fund – Inv. : 94. 245
G-W 907 ; Gud. 592 / 476 ; DeA. 500

Avec cette toile, Goya nous fait nous arrêter quelque part en plein air, sur une plage. C'est une scène nocturne illuminée par un clair de lune blême à l'horizon. On voit à l'arrière-plan une vague qui court en biais sur la toile et vient se briser à gauche sur un rocher. Le premier plan est occupé par six poissons jetés les uns sur les autres en un entassement compact.

Goya a comme gravé sa signature dans un sillon tracé sur une grève boueuse et verdâtre, sur laquelle les poissons semblent avoir été rejetés par la force de la vague : juste sous la bouche entrouverte du poisson situé tout en dessous. Et de la même façon que les poissons paraissent avoir été rejetés par la mer, la signature *Goya* semble avoir été vomie à la verticale par ce poisson et donne l'impression d'être un rebut de la nature.

Cette signature est un geste en passant, notée de façon accessoire dans le champ inférieur de l'image. Pourtant, elle prend une importance particulière si on la met en relation avec *Monstre cruel* (fig. 1), l'un de ses derniers caprices emphatiques. On y voit, coupant la gravure en diagonale, un monstre rappelant un chien, dont la gueule crache des corps d'êtres humains morts. Ici, Goya médite sur la démesure de la nature et considère l'homme comme un individu nu et sans défense, englouti avant d'être rejeté.

Les yeux des poissons, grands ouverts, sont dirigés dans toutes les directions, sans jamais qu'un seul d'entre eux fixe le spectateur. La diversité de ces regards crée une présence derrière laquelle tout s'efface, même les poissons. Car, d'une certaine manière, ceux-ci sont empilés et réduits à une masse dans laquelle l'individu se trouve soumis à un ordre supérieur,

HISTORIQUE
1812, coll. Javier Goya, Madrid – jusqu'en 1845, Francisco Javier de Mariátegui – 1845-1851, María de la Concepción Mariátegui et Mariano Goya – 1851-1865, Francisco Antonio Narváez y Bordese, comte de Yumuri, Carabanchel Alto, Madrid – 1866, Francisco Antonio Narváez y Larrinaga, comte de Yumuri, Madrid – jusqu'en avril 1878, Zacharie Astruc, Paris – Mᵐᵉ Thévenot, Paris – à partir de 1926, coll. David Weill, Paris – 1994, acquis par le musée de Houston.

EXPOSITIONS
Paris, 1935, p. 61, nᵒ 354 ; Rennes, 1953, p. 21, nᵒ 41 ; La Haye-Paris, 1970, nᵒ 36 ; Londres, 1995, nᵒ 66 ; New York, 1997, nᵒ 20.

BIBLIOGRAPHIE
López Rey, 1948, p. 251-260 ; Saltillo, 1952, p. 47-48 ; Glendenning, 1994, p. 107,110 ; Rose de Viejo, 1997, p. 405 ; Vischer, 1997, p. 122-123.

Fig. 1
Monstre cruel
vers 1815-1820
eau-forte
17,5 x 22

Fig. 2
Le Pèlerinage de saint Isidore
vers 1820-1823
140 x 438
Madrid, Museo del Prado

cet ordre étant la règle de l'œil. Les poissons sont tout œil, et la forme ovale et en amande que décrit leur contour vient suggérer celle d'un œil composé de la diversité de chaque œil pris individuellement. De la même façon que les différentes facettes de l'œil d'un insecte forment un ensemble complexe, les différents yeux des poissons se conjuguent ici pour donner un œil entier. Celui-ci a pu se créer grâce à une «logique» géométrique qui est très importante. En même temps, les poissons de Goya sont inscrits comme un tout dans la forme fermée d'un ovale, à la périphérie duquel s'ordonne l'œil de chaque poisson [1].

Un œil entier constitué de plusieurs yeux: on voit là un rappel d'Argus, ce personnage doté de cent yeux, dont l'auteur espagnol Baltasar Gracián a fait une description dans son roman *El Criticón,* rédigé entre 1651 et 1657. Il y dépeint Argus parsemé d'yeux de la tête aux pieds: il a des yeux aux genoux, sur le dos, aux épaules, et même des yeux à la place des yeux (*« ojos en los mismos ojos »*) pour regarder comme ils regardent [2].

La confusion des têtes en une image compacte dont naît une multitude de regards est un thème que l'on retrouve à plusieurs reprises dans l'œuvre de Goya [3]. L'exemple le plus émouvant figure dans la scène de procession de ses *Peintures noires* (fig. 2). On y voit des humains massés les uns contre les autres et s'étirant sur un paysage rocheux et désertique en un ruban qui, à l'arrière-plan à gauche, devient un visage déformé. Un visage gigantesque composé d'une multitude de visages fixant des regards de «dément» dans toutes les directions. Malgré ces analogies, les deux œuvres présentent une différence importante: dans la scène de procession, le spectateur rencontre un regard lié à un sujet humain. Devant les poissons, en revanche, l'on a affaire à un œil extérieur qui se produit à l'extérieur d'un espace créature-nature: c'est l'«œil de la nature».

Cette métaphore de l'«œil de la nature» nous amène à penser que les êtres sont entourés d'un regard extérieur [4]. L'exploit de Goya réside dans le fait qu'il a réussi à rendre perceptible cet «œil extérieur» par la multiplication des regards. Et dès que celui-ci se manifeste, on entre dans une relation asymétrique à l'environnement, on arrive en terrain glissant. L'environnement n'est plus régi par le genre humain, il est devenu étranger, il est devenu autre, et on le ressent comme une menace. Cet œil extérieur, qui s'intensifie jusqu'au démoniaque, nous le retrouvons dans *Tête et carrés de mouton.*

1. Londres, 1997, p. 150.
2. Gracián, 1971, p. 28.
3. Voir la figure de gauche dans le *Disparate « Triple Folie »*, vers 1815-1824, G-W 1596.
4. Avec cette métaphore nous nous éloignons de Jacques Lacan et de sa réflexion sur le regard. Voir Lacan, 1973, particulièrement le chapitre «Du regard comme objet», a, p. 69, «Je ne vois que d'un point, mais dans mon existence je suis regardé de partout.», p. 69-70, «Le regard ne se présente à nous que sous la forme d'une étrange contingence […] L'œil et le regard, telle est pour nous la schize dans laquelle se manifeste la pulsion au niveau du champ scopique.», p. 71, «[…] ce regard qui nous cerne, et qui fait d'abord de nous des êtres regardés, mais sans qu'on nous le montre? Le spectacle du monde, en ce sens, nous apparaît comme omnivoyeur. C'est bien là le fantasme que nous trouvons dans la perspective platonique d'un être absolu à qui est transférée la qualité de l'omnivoyant.»

48 ✳ *Le Rémouleur*

> Vers 1808-1812 – Huile sur toile – 68 x 50,5
> Budapest, Szépmüvészeti Múzeum – Inv. : 312
> G-W 964 ; Gud. 580 / 559 ; DeA. 482

49 ✳ *La Porteuse d'eau*

> Vers 1808-1812 – Huile sur toile – 68 x 52
> Budapest, Szépmüvészeti Múzeum – Inv. : 313
> G-W 963 ; Gud. 579 / 557 ; DeA. 481

Quelles raisons purent pousser Goya à réunir en une même paire un *Rémouleur* et une *Porteuse d'eau?* Les deux tableaux apparaissent ensemble au numéro 13 de l'inventaire des biens du peintre et de sa femme dressé le 26 octobre 1812 ; tous deux ont été peints sur des toiles déjà utilisées – des bouquets sont visibles aux rayons X –, ce que Goya fit fréquemment pendant la guerre d'Indépendance[1]. Ces deux faits tendent à prouver que cette paire était une œuvre personnelle, qui n'avait pas été commandée. Le goût de la fin du XVIIIe siècle pour la représentation des métiers, que suivit Goya dans plusieurs cartons, suffit d'autant moins à expliquer ce couple inattendu que le peintre ne s'attarde pas sur les détails pittoresques. En revanche, l'aspect monumental des personnages tout comme leur regard direct et appuyé vers le spectateur font pressentir une fonction allégorique que les spécialistes ont récemment pu déchiffrer[2]. Les caractéristiques stylistiques et la date de cet inventaire placent cette paire entre les années 1808 et 1812, et vraisemblablement plus près de cette dernière. L'Espagne était alors en pleine guerre d'Indépendance, en rébellion contre les troupes françaises et le roi imposé, Joseph Bonaparte. Goya, qui était resté premier peintre de chambre – sans percevoir de salaire – et qui peignit en 1809-1810 un portrait allégorique de Joseph Ier (transformé par la suite en *Allégorie de la ville de Madrid* ; Madrid, Museo Municipal) ne rendit jamais publique, durant toute la durée du conflit (1808-1812), d'œuvre dénonçant l'occupation napoléonienne[3]. Commencée dès 1808 avec l'illustration des malheurs et de l'héroïque résistance du peuple de Saragosse pendant les deux sièges de la ville par les Français (1808-1809), la série gravée des *Désastres de la guerre* était une entreprise personnelle, qu'il acheva vers 1820 et qui ne fut pas publiée de son vivant[4]. Il y évoque notamment l'admirable bravoure des femmes qui ravitaillaient les assiégés *(Désastres 4)*, n'hésitant pas à prendre les armes : malgré le célèbre canon que fait fonctionner Agustina de Aragón (fig. 1), les Espagnols se battaient surtout à l'arme blanche *(Désastres 5)*, principalement le couteau ; le courage des rémouleurs est presque aussi célèbre que celui des femmes de Saragosse. Vue dans ce contexte, la paire que forment *le Rémouleur* et *la Porteuse d'eau* prend tout son sens. Comme les *Désastres*, ces œuvres de méditation expriment d'abord la révolte profonde de Goya devant les malheurs de ses compatriotes aragonais ; il s'était d'ailleurs rendu à Saragosse

HISTORIQUE *(Rémouleur)*
1812, inventaire des biens de Goya (n° 13, 150 réaux) – 1812 ; Javier Goya (Madrid) – vers 1815-1816, prince Alois Wenzel Kaunitz – 1820, acquis lors de la vente Kaunitz, Vienne par Esterházy, Hongrie (n° 69) – 1871, acquis par musée national de Budapest – 1907, passe au Szépmüvészeti Múzeum.

EXPOSITIONS *(Rémouleur)*
Londres, 1963-1964, n° 100 ; Budapest, 1965, n° 19 ; Leningrad, 1969, n° 24, Moscou, 1975, n° 10 ; Madrid, 1981-1982, n° 14 ; Munich-Vienne, 1982, n° 68 ; Madrid-Boston-New York, 1988-1989, n° 68 ; Madrid-Londres-Chicago, 1993-1994, n° 92.

BIBLIOGRAPHIE *(Rémouleur)*
Loga, 1903 (1921), n° 530 ; Sánchez Cantón, 1948, p. 106 ; Klingender, 1948, p. 209-10 ; Gaya Nuño, 1958, n° 1086 ; Pigler, 1967, n° 760 ; Haraszti-Takacs, 1975, p. 107-121, 1984, p. 45 ; Garas, 1988, p. 90 ; cat. coll. Budapest, 1991, p. 153 ; Morales, 1994 (1997), n° 395 ; Wilson-Bareau, 1996a, p. 97, 1996b, p. 163, 170.

HISTORIQUE *(Porteuse d'eau)*
1812, inventaire des biens de Goya (n° 13, 150 réaux) – 1812, Javier Goya, Madrid – vers 1815-1816, prince Alois Wenzel Kaunitz – 1820, vente Kaunitz, Vienne, n° 70 – 1822, acquis par le prince Esterházy chez le marchand viennois Artaria, Vienne – coll. Esterházy (Budapest) – 1871, musée national de Budapest – 1907, Szépmüvészeti Múzeum.

cat. 48

cat. 49

pendant l'automne de 1808. Et son admiration devant leur lutte héroïque : *la Porteuse d'eau* symbolise le courage des femmes, *le Rémouleur* la résistance héroïque des hommes.

Les arrière-plans sombres, troués de quelques pans de lumière et l'absence d'éléments anecdotiques donnent aux personnages une stature d'allégorie : dans la nuit tombante qui assombrit le paysage à peine suggéré, une femme porte une jarre appuyée sur la hanche et un petit panier de victuailles. Sa résolution se lit dans son attitude, jambes écartées, corps rejeté en arrière qui suggère la marche rapide au milieu des dangers. Passant d'un groupe d'assiégés à un autre, le rémouleur a à peine posé sa brouette qu'il commence à meuler une lame, placée juste au centre du tableau. Sous le réalisme apparent de la pose, avec le corps penché et les doigts repliés, le visage rougi, on devine une référence aux modèles antiques du *Torse du Belvédère,* dessiné par Goya lors de son séjour en Italie (fig. 2), qui renforce la dimension allégorique du tableau. La gamme identique de couleurs accentue la complémentarité des deux portraits. Les teintes sourdes, rapidement brossées, rendant immédiatement le caractère sombre de l'époque font violemment ressortir les épais rehauts de blanc de la chemise et du châle, qui s'ouvrent avec une échancrure semblable sur les gorges, brun et noir chez l'homme, admirablement blanche chez la femme. Ainsi éclairés, les visages modelés par d'audacieuses tâches de rouge sur les pommettes et le nez expriment toute l'énergie des héros anonymes. Si dans *le Rémouleur* les rares autres taches de blanc et de rouge évoquent l'eau et les étincelles, le travail donc, la couleur délicate des chaussures, l'éclat du jupon blanc dépassant sous la jupe grossière et la large ceinture jaune soulignent la délicatesse innée de *la Porteuse d'eau.*

EXPOSITIONS *(Porteuse d'eau)*
Londres, 1963-1964, n° 99 ; Budapest, 1965, n° 69 ; Leningrad, 1969, n° 24 ; Moscou, 1975, n° 11 ; Madrid, 1981-1982, n° 13 ; Munich-Vienne, 1982, n° 25 ; Madrid-Boston-New York, 1988-1989, n° 67 ; Madrid-Londres-Chicago, 1993-1994, n° 93.

BIBLIOGRAPHIE *(Porteuse d'eau)*
Loga, 1903 (1921), n° 554 ; Mayer, 1924, n° 677 ; Sánchez Cantón, 1948, p. 106 ; Klingender, 1948, p. 209-210 ; Gaya Nuño, 1958, n° 1063 ; Pigler, 1967, n° 763 ; Haraszti-Takacs, 1975, p. 107-121, 1984, p. 43 ; Garas, 1988, p. 90 ; cat. coll. Budapest, 1991, p. 153 ; Morales, 1994 (1997), n° 394 ; Wilson-Bareau, 1996a, p. 97, 1996b, p. 163, 170.

1. Voir *les Vieilles* et *les Jeunes* (cat. 52 et 53). En 1808, Goya donna un long métrage de toile neuve aux «armées d'Aragon» : Baticle dans La Haye-Paris, 1970, n° 44.
2. Voir les textes de Moreno de las Heras dans Madrid-Boston-New York, 1988-1989, n° 67, et de Wilson-Bareau dans Madrid-Londres-Chicago, 1993-1994, p. 308-311.
3. Les deux tableaux commémoratifs *Deux Mai 1808* et *Trois Mai 1808* (Madrid, Museo del Prado) datent de 1814.
4. Sur cette série, voir Madrid, 1996b, et Wilson-Bareau, 1981 (1996), chap. 4.

Fig. 1
¡ qué valor !, *Désastres 4*
épreuve d'état
Paris, Bibliothèque nationale de France

Fig. 2
Torse du Belvédère, Carnet italien
F° 26v°-27r°
Madrid, Archivo Histórico de Protocolos

Fig. 3
Radiographie de *la Porteuse d'eau*
Budapest,
Szépmüvészeti Múzeum

Fig. 4
Radiographie du *Rémouleur*
Budapest,
Szépmüvészeti Múzeum

50 ✳ *Lazarillo de Tormes*

Vers 1808-1812 — Huile sur toile — 80 x 65
Inscription peinte en blanc, en bas à droite : *X 25*
Madrid, collection particulière
G-W 957 ; Gud. 585 / 468 ; DeA. 484

Assis près d'un feu rougeoyant, un homme sordidement vêtu enfonce deux doigts dans la bouche ouverte d'un garçonnet en haillons qu'il a coincé entre ses genoux et qu'il maintient fermement par le cou. Lorsqu'on lui offrit ce tableau dont la signification s'était perdue, Gregorio Marañon, célèbre médecin passionné d'histoire, y vit une séance de cautérisation destinée à soigner un enfant atteint de diphtérie et le baptisa *El Garotillo* (« le croup »). Pratiquement inconnu jusqu'alors, ce tableau eut un grand succès à l'exposition de Bordeaux de 1951. Comme il avait été acheté en 1923 dans cette même ville — où Goya mourut un siècle plus tôt —, les spécialistes pensèrent qu'il datait de la fin de la vie de l'artiste et, en le rapprochant de *Goya soigné par Arrieta* (Minneapolis, Institute of Arts), mirent en valeur l'intérêt du peintre pour la souffrance humaine.

En 1964, Xavier de Salas réussit à interpréter la marque X 25 grossièrement peinte en bas à droite du tableau[1]. Tout comme celle de plusieurs tableaux de la même époque (cat. 46 à 49, 51 et 52), elle indiquait qu'il avait fait partie des œuvres destinées à Javier lors de l'inventaire des biens de la famille en octobre 1812 : sous l'entrée n° 25, figure le titre *El Lazarillo de Tormes,* qui, nous allons le voir, s'applique parfaitement à la peinture. Des radiographies récentes ont prouvé que, comme plusieurs des œuvres de cet inventaire, elle avait été faite sur une toile anciennement peinte[2] (fig. 1) : il ne s'agit cependant pas du « quatrième élément » qui compléterait la série Air-Feu-Terre que forment respectivement *les Vieilles* (cat. 52), *Maja et Célestine* (cat. 51) et *Majas au balcon* et qui n'a pas été retrouvé. Goya a utilisé, comme pour *la Porteuse d'eau* (cat. 49) et *le Rémouleur* (cat. 48), une ancienne toile, un *bodegón* (« nature morte »),

HISTORIQUE
1812, inventaire des biens de Goya, n° 25 — 1812, Javier Goya, Madrid — 1838, vendu par Javier Goya au baron Taylor pour la galerie de Louis-Philippe — 1838-1848, galerie Espagnole, Paris, musée du Louvre — 13 mai 1853, vente Louis-Philippe, Christie's, Londres, n° 171 ; acquis par Colnaghi pour 11 livres — donné par le duc de Montpensier à Mᵉ Caumartin — 1902, acquis de Caumartin par Maujean (7 000 francs) — 1923, acheté à Bordeaux par le marquis de Amurrio, qui l'offrit ensuite à don Gregorio Marañon ; coll. Marañon.

EXPOSITIONS
Paris, 1838, n° 102 ; Bordeaux, 1951, n° 50 *(El Garotillo)* ; Madrid, 1951, n° 23 ; Bâle, 1953, n° 35 ; Grenade, 1955, n° 117 ; Madrid, 1961, n° LIX ; Paris, 1961-1962, n° 87 ; Londres, 1963-1964, n° 80 *(Lazarillo de Tormes)* ; Paris, 1981, n° 106 ; Madrid, 1983, n° 38, 1987, n° 106 ; Stockholm, 1994, n° 29 ; Madrid, 1995-1996, n° 38.

BIBLIOGRAPHIE
Yriarte, 1867, p. 151 ; Desparmet Fitz-Gerald, 1928-1950, n° 87 ; Sánchez Cantón, 1951, p. 128 ; Salas, 1964, p. 93-110 ; Guinard, 1967, p. 326 ; Licht, 1970, p. 6 ; Glendinning, 1977, p. 74 ; Baticle et Marinas, 1981, n° 106, p. 87 ; Baticle, 1992, p. 382 ; Morales, 1994 (1997) n° 414 ; Wilson-Bareau, 1996a, p. 97, 1996b, p. 163.

**Fig. 1
Radiographie
du *Lazarillo de Tormes*
Madrid,
Museo del Prado,
laboratoire**

en l'occurrence. Ce qui prouve que le *Lazarillo* a bien été réalisé pendant les années de pénurie de la guerre d'Indépendance, entre 1808 et 1812. Il fit aussi partie des tableaux que Javier Goya vendit en 1835 au baron Taylor pour la galerie du roi Louis-Philippe et fut donc exposé à Paris[3]. Acquis par Colnaghi pour la faible somme de onze livres lors de la vente de 1853, on le retrouve chez le duc de Montpensier, fils de Louis-Philippe, qui avait racheté quelques-unes des meilleures œuvres de la collection paternelle, dont *Majas au balcon* et *Portrait de son ami*[4] (cat. 30). Les propriétaires successifs durent alors ignorer la signification du titre et ne plus l'utiliser.

Le sujet est donc tiré du célèbre roman picaresque et anonyme *Lazarillo de Tormes* publié en 1554. Le jeune Lazare, au service d'un aveugle auquel il joue mille tours, y raconte leurs aventures sur les chemins d'Espagne : faisant griller pour son maître une saucisse dont il savait bien qu'il n'aurait pas le moindre petit bout, il ne résista pas à la tentation, la mangea et la remplaça par un navet qu'il plaça entre deux tranches de pain. Au premier coup de dent, l'aveugle s'aperçut du tour et, ne croyant rien des mensonges de Lazare, lui ouvrit la bouche pour sentir l'odeur, de sorte qu'il en sortit tout à la fois « son nez et la saucisse noire mal mâchée »[5].

Goya traduit parfaitement la scène : à l'arrière-plan, le feu sur lequel l'aveugle a fait tourner ce qu'il croyait être une saucisse, ses yeux clos, ses deux doigts qui maintiennent la mâchoire baissée, son nez surtout « qu'il avait long et fin et que la colère avait encore allongé d'une paume » et les yeux révulsés de l'enfant « à demi étouffé ». La schématisation de la mise en scène, les coups de pinceau épais pour dessiner les corps, l'utilisation très libre des touches de vert et d'ocre et de quelques rehauts de blanc pour rendre les volumes sont très proches du traitement du *Rémouleur*.

Pourquoi un tel sujet ? À la même époque, Goya peignit *Maja et Célestine,* dont le thème est également tiré d'un grand roman espagnol, *la Célestine,* écrit par Fernando de Rojas vers 1497. Il s'intéressait donc à deux figures de la littérature espagnole, issues du peuple et devenues, par le génie de leurs créateurs et la passion des lecteurs, les éponymes d'occupations et de caractères bien spécifiques[6]. Goya avait déjà traité longuement le thème de la Célestine dans les *Caprices* et représenté un *Lazarillo* dans *l'Aveugle à la guitare,* carton de tapisserie réalisé en 1778 (Madrid, Museo del Prado). Voulait-il, ici, uniquement illustrer le roman picaresque, comme Velázquez avait peint une scène du *Guzmán de Alfarache* de Mateo Alemán (*Vieille Femme faisant cuire des œufs,* Édimbourg, National Gallery) ? Ne cherchait-il pas, derrière l'exemple des mauvais traitements subis par l'ingénieux Lazare, à montrer l'image du peuple espagnol tentant, en vain alors, de chasser l'occupant français ?

1. Salas, 1964, p. 99-110 ; dernière mise au point sur l'inventaire de 1812 dans Wilson-Bareau, 1996b, p. 159-170.
2. Publication et analyse de la radiographie dans Wilson-Bareau, 1996a, p. 97.
3. Baticle et Marinas, 1981, p. 87.
4. C'est certainement à cause de son sujet un peu trivial et de la scène réduite à deux personnages que le tableau a toujours été faiblement estimé (100 réaux en 1812 quand *les Vieilles* en valaient 150 et *Majas au balcon* ou *Maja et Célestine* en valaient 200 ; en 1853, *Majas au balcon* furent vendues 70 livres).
5. *Lazarillo de Tormes,* p. 23-24.
6. Sur cette question des éponymes espagnols, voir Rico, 1990, p. 610.

51 ✳ *Maja et Célestine* ou *Une jeune au balcon*

Vers 1808-1812 – Huile sur toile – 166 x 108
Inscription peinte en blanc obscurcie par des retouches, en bas à gauche : *X 24*
Collection particulière – Non exposé
G-W 958 – Gud. 574 / 605 – DeA. 487

Dans une tenue d'intérieur au décolleté généreux, une jeune femme est accoudée à un balcon, en pleine lumière. Son regard rêveur semble ignorer le passant, dans la rue, que fixe en revanche, tout en la désignant du doigt, la vieille femme placée en retrait, dans l'ombre. Ce geste et l'expression malicieuse qui l'accompagne en font bien une entremetteuse occupée à présenter les charmes de sa jeune «protégée». C'est donc une célestine puisque, depuis l'immense succès de la *Tragicomedia de Calisto y Melibea*[1] de Fernando de Rojas (vers 1502), rapidement connue sous le nom de *Celestina,* les Espagnols ont fait du prénom de la cynique entremetteuse usant de magie pour soumettre la jeune Mélibée un nom commun, qualificatif de ce métier bien particulier. Mais ce célèbre ouvrage de la littérature espagnole n'est pas ici, à la différence du *Lazarillo* (cat. 50), qui n'a d'ailleurs pas le même type de format, la référence essentielle de Goya. Il n'a repris du portrait littéraire que la cape informe, aux larges manches, et le chapelet, souvenir de la manière dont Célestine utilisait les églises et les rites religieux pour exercer son art. Il ignore la cicatrice, le maquillage outrancier et surtout la coiffe, signes distinctifs qu'avait établis Rojas et qui furent repris par les premiers illustrateurs de l'ouvrage. À l'inverse de *la Célestine et les amoureux,* aquarelle peinte par Paret[2] (1784, collection particulière), cette scène du balcon ne semble d'ailleurs correspondre à aucun passage précis de la *Tragicomedia*. En fait, Goya complète ici sa vision du monde de la prostitution, amorcée dans plusieurs des *Caprices* publiés en 1799. Cet intérêt faisait peut-être écho

HISTORIQUE
1812, inventaire des biens de Goya, n° 25 ; 1812, Javier Goya, Madrid – coll. Francisco Acebal de Arratia, Madrid ; par descendance, coll. Mc-Crohon, Madrid – 1942, coll. Juan March – 1962 ; coll. Bartolomé March – coll. part.

EXPOSITIONS
Madrid, 1846, n° 9, 1928, n° 84 (16) ; Paris, 1961-1962, n° 82 ; Tokyo-Kyoto, 1971-1972, n° 39 ; Madrid, 1983, n° 39 ; Bruxelles, 1985, n° 22 ; Lugano, 1986, n° 35 ; Paris, 1987-1988, n° 105 ; Madrid-Boston-New York, 1988-1989, n° 70 ; Oslo, 1996, n° 28.

BIBLIOGRAPHIE
Gómez de la Serna, 1928, p. 347 ; Desparmet Fitz-Gerald, 1928-1950, n° 536 s ; Sánchez Cantón, 1951, p. 102 ; Lafuente Ferrari, 1964, p. 204 ; Helman, 1970, p. 219-235 ; Glendinning, 1976, p. 43-44 ; Angulo Iñiguez, 1979, p. 212 ; Alcalá Flecha, 1984, p. 90 ; Morales, 1994 (1997), n° 415 ; Wilson-Bareau, 1996a, p. 96-97, 1996b, p. 162.

Fig. 1
Radiographie de *Maja et Célestine*

aux tentatives de réforme proposées par Cabarrus pour résorber ce fléau urbain. Mais l'humour et la sensualité qui se dégagent de l'œuvre la rapprochent plutôt d'une vision plus triviale de cette pratique, qui évoque le poème érotique et comique de son ami Nicolás Fernández de Moratín, *Arte de las putas* (vers 1779), interdit par l'Inquisition.

La composition évoque certes celles des *Femmes au balcon* (Washington, National Gallery), que Goya pouvait facilement connaître. Elle met cependant particulièrement en valeur le corps opulent de la jeune femme, placée en pleine lumière, entre le lourd rideau du premier plan et la frêle silhouette de la vieille à l'arrière, traités dans les mêmes tonalités.

Comme pour le *Lazarillo* (cat. 50) ou le *Rémouleur* (cat. 48) et *la Porteuse d'eau* (cat. 49), Goya a utilisé une toile anciennement peinte. Enriquetta Harris a identifié sur la radiographie (fig. 1) la source d'inspiration de la peinture primitive, une gravure d'Adriaen Collaert (vers 1560-1618) représentant l'un des quatre éléments, *le Feu* en l'occurrence, ce qui a permis de reconnaître *l'Air* sous *les Vieilles* puis *la Terre* dans la radiographie des *Majas au balcon* (fig. 2). Peintes sur des tableaux appartenant à une même série, ces trois scènes de genre ont des dimensions identiques[3]. La *Maja et Célestine* partage d'ailleurs avec les *Majas au balcon* (fig. 3) le même numéro X 24, correspondant aux œuvres destinées à Javier Goya dans l'inventaire de 1812. *Les Vieilles* portent le numéro X 23[4]. Reprenant la démarche déjà adoptée pour les *Caprices,* Goya les avait donc conçues comme une série illustrant le sort inéluctable de la beauté féminine[5].

1. Cet ouvrage fut d'abord publié à Burgos en 1499 sous le titre *Comedia de Calisto y Melibea* et devint *Tragicomedia...* dans la seconde édition, augmentée, antérieure à 1502.
2. Voir Saragosse, 1986, n° 79, et Rico, 1990, p. 617.
3. Sur cette question, voir Wilson-Bareau, 1996a, p. 96.
4. Sur la question des X, voir Wilson-Bareau, 1996b, p. 161-162.
5. Voir Baticle dans Tokyo, 1993, n° 55.

Fig. 2
Radiographie de *Majas au balcon*

Fig. 3
Majas au balcon
1808-1812
huile sur toile
162 x 107
collection particulière

* *Les Vieilles* ou *le Temps*

Vers 1810-1812 – Huile sur toile – 181 x 125 (dimensions actuelles) ; 159 x 105 (dimensions de la toile d'origine)
Inscription peinte en blanc, en bas à droite : *X 23*
Lille, palais des Beaux-Arts – Inv. : P. 50
G-W 961 ; Gud. 582 / 551 ; DeA. 485

Faut-il rappeler que *les Jeunes* et *les Vieilles,* les deux tableaux de Goya quasiment mythiques du palais des Beaux-Arts de Lille, sont deux faux pendants qui ont peu à faire ensemble ? Leur provenance est liée, mais non leur réalisation. Javier Goya y Bayeu, fils unique de l'artiste, avait reçu le 30 août 1836 de la part du baron Taylor, mandaté par le roi Louis-Philippe, la somme de 15 500 réaux pour la vente de huit tableaux. Le reçu signé par Javier Goya est conservé aux Archives nationales de Paris (o⁴ 1725). Selon le catalogue de vente de la collection de Louis-Philippe, collection vendue chez Christie's à Londres, en 1853, sept des peintures de Goya furent achetées à son fils par Taylor. Il s'agissait des *Old Women,* ou *les Vieilles,* des *Women of Madrid, in the dress of Majas,* dit depuis *les Jeunes* (cat. 53), de l'*Allégorie de l'aigle* (disparu), du *Lazarillo de Tormes* (cat. 50), de la *Dernière Prière du condamné* (localisation inconnue), des *Majas au balcon* (collection particulière), de *la Forge* (New York, Frick Collection). Le huitième tableau vendu par Javier Goya à Taylor pourrait être le *Portrait de la duchesse d'Albe* (New York, Hispanic Society of America).

Les circonstances qui virent la dispersion des tableaux de Goya en Espagne dans le premier tiers du XIX⁰ siècle sont maintenant mieux connues grâce aux découvertes que Baticle et Marinas ont publiées en 1981 : à la suite de l'inventaire après décès dressé lors de la mort de Josefa Bayeu, la femme de Goya, en 1812, il y eut partage des biens entre l'artiste et son fils Javier Goya y Bayeu, auquel revinrent les œuvres d'art, en majorité des tableaux de son père. Comme l'a démontré Salas (1964), les peintures concernées étaient marquées de la première lettre de son prénom (X pour Xavier, selon l'ancienne graphie), suivie du numéro de l'inventaire. Souvent effacées par la suite, ces marques de collection se trouvent encore aujourd'hui, comme l'a confirmé Wilson-Bareau (1996a), sur quatre toiles de grand format, *les Vieilles* (X 23), la *Maja et Célestine* et *Majas au balcon* (toutes deux portant le numéro X 24) et le *Lazarillo de Tormes* (X 25). Le tableau *les Jeunes,* longtemps considéré à tort comme un pendant des *Vieilles,* ne figure pas dans l'inventaire de 1812, comme d'autres tableaux de la collection royale française, telle *la Forge.* En 1993-1994, Baticle est revenue sur l'historique des *Vieilles :* «Or les recherches auxquelles nous nous sommes livrée nous ont permis de prouver que *Le Temps* ou *Les Vieilles, Les Majas au balcon* (collection particulière) et *La Maja et la Célestine* (collection particulière) ont fait partie de la même trilogie, les deux dernières étant inscrites à la copie de l'inventaire de 1812 sous le numéro X 24. *Les Majas au balcon* portent encore le n° X 24 et celui de *La Célestine* est attesté par une ancienne photographie. Exécutées toutes trois sur une toile de texture grossière, elles possèdent les mêmes dimensions… De plus les clichés des radiographies ont permis d'apercevoir, sous ces trois peintures, de petites compositions religieuses

HISTORIQUE

1812-1836, coll. Xavier Goya, Madrid – 1836, acquis par le baron Taylor pour la galerie Espagnole de Louis-Philippe, Paris, annexe n° 24, non exposé – 1853, vente Louis-Philippe, Londres, n° 169 ; acquis par Durlacher pour 4 livres 4 shillings – acquis par Warneck, Paris – acquis par Mᵐᵉ Gentil, M. Reynart et M. Sauvaige, qui le donnent au musée de Lille en 1874.

EXPOSITIONS

Valenciennes, 1918, n° 140 ; Paris, 1938, n° 21 ; Gand, 1950, n° 37 ; Bordeaux, 1956, n° 47 ; Paris, 1963, n° 123 ; Berlin, 1964, n° 17 ; La Haye-Paris, 1970, n° 43 ; Leningrad-Moscou, 1987, n° 7 ; New York, 1992-1993, n° 34 ; Tokyo, 1993, n° 55 ; Stockholm, 1994, n° 36 ; Cambrai-Valenciennes-Douai, 1996-1997, s. n.

BIBLIOGRAPHIE

Loga, 1903, p. 220, n° 567 ; Mayer, 1923, p. 82, 94 et 217, n° 690 ; Desparmet Fitz-Gerald, 1928-1950, t. I, n° 291 ; Sánchez Cantón, 1930, p. 72, pl. 66, 1946, p. 106 ; Salas, 1964, p. 99-110 ; Hours, 1970, p. 20 ; Licht, 1979, p. 12, p. 203-207, fig. 101 ; Gudiol, 1980, n° 551 ; Baticle et Marinas, 1981, p. 271, annexe n° 24 ; Oursel, 1984, p. 49 ; Cruz Valdovinos, 1987, p. 133-153 ; Heckes, 1991, p. 93-100 ; Baticle, 1992, p. 379 ; Morales, 1994 (1997), n° 392 ; Wilson-Bareau, 1996a, p. 95-103, n° 35, 1996b, p. 162.

Fig. 1
Radiographie des *Vieilles*
Laboratoire des Musées de France

Fig. 2
Adriaen Collaert
l'Air, **gravure**
Paris, Bibliothèque nationale de France,
cabinet des Estampes

de faible qualité et de facture analogue. Goya a donc utilisé des toiles déjà peintes par un autre artiste, pour y exécuter de grandes scènes de genre. » Nous reviendrons plus loin sur l'agrandissement des *Vieilles*.

Par ailleurs, on sait maintenant que les petites compositions décelées par les radiographies sous *les Vieilles* sont en réalité des peintures allégoriques du XVIIᵉ siècle inspirées d'une série de gravures représentant les Quatre Éléments par Adriaen Collaert (voir cat. 51). On a donc pu identifier sous *les Vieilles* (fig. 1) une peinture dérivée de l'estampe de *l'Air* (fig. 2). Un détail de *l'Air,* la *Résurrection du Christ,* est nettement visible sur la radiographie. Juliet Wilson-Bareau a pu conclure : « Il semble que Goya ait choisi de peindre ses tableaux sur une série de supports de dimensions et de caractéristiques identiques, un fait qui ajoute du poids à l'idée que Goya conçut ces trois tableaux comme un ensemble cohérent. » La radiographie du *Temps* nous apprend également que la mantille a été ajoutée dans la phase finale de l'exécution.

Le tableau *les Vieilles* est donc mentionné en 1812 dans l'inventaire qui précédait le partage entre le père, veuf, et son fils unique, avec le libellé suivant : « *El tiempo, con el numero veinte y uno (sic) en... ciento cincuento re [ales]* », qui comporte, dans les deux documents de 1812 (inventaire et adjudication), une erreur dans la numérotation. Celle-ci est due à la répétition des numéros 14 et 15, d'où 21 au lieu de 23 pour *les Vieilles,* et fut corrigée dans la copie de l'inventaire établie pour Javier Goya en 1814, ce texte ultérieur ayant toujours été utilisé depuis sa publication par Sánchez Cantón en 1946 (Cruz Valdovinos, 1987 ; Wilson-Bareau, 1996b, p. 159, note 3).

Il semble que le tableau n'ait pas été exposé au musée du Louvre dans la galerie Espagnole, même s'il est inscrit au n° 129 dans l'inventaire manuscrit de ladite galerie, établi le 20 septembre 1838 avec ces dimensions : 161 x 105. Les responsables devaient redouter les réactions des bons bourgeois parisiens devant une œuvre si dérangeante. Il est pourtant cité par le critique Jubinal, en 1837 : « Goya, l'émule du Vénitien Tiepolo qui voulant peindre les ravages du temps a osé lui placer en main non plus cette fois la classique faux tranchante, mais bien par une inconcevable hardiesse un vieux balai fort usé. »

L'agrandissement qu'ont subi *les Vieilles*

À l'occasion de cette exposition, il nous a semblé intéressant de vérifier les dimensions des deux Goya du musée de Lille. On a dit, à juste titre, que le format des *Vieilles* a été modifié. Quatre bandes ont été ajoutées sur chacun des côtés. La toile d'origine, sans les agrandissements, mesurait 159 x 105. On voit nettement à l'œil nu que le nombre X 23 était placé juste en bas à droite de la toile d'origine, c'est-à-dire dans un angle, comme on le constate sur les autres tableaux de l'inventaire. À la suite des agrandissements, la marque X 23 flotte maintenant à l'intérieur de la composition. À l'origine, Goya n'a pas représenté les pieds de la vieille femme, le cadre affleurait la main droite du *Temps.* Les ajouts de toile ont donné au *Temps* le même format que celui des *Jeunes,* et l'on notera que l'exécution en est assez banale, notamment dans les pieds de la vieille femme en blanc et dans toute la partie du bas. Il paraît évident que l'on a voulu faire des deux tableaux des pendants, aussi bien pour leur format que pour leur thème. À qui revient cette initiative ? Au marchand anglais Durlacher, qui les acheta à la vente Christie's en 1853 ? Ou bien au marchand parisien Warneck ? Doit-on envisager l'hypothèse de l'existence d'un marchand antérieur (ou plutôt un collectionneur ?) qui, avant de se séparer des *Jeunes,* fit ajouter sur la toile la marque C suivie du nombre 103 ? Quoi qu'il en soit, il est devenu presque impossible pour nous aujourd'hui de dissocier les deux tableaux et de ne pas y voir des « pendants » allégoriques sur le thème de la jeunesse et de sa destruction par le temps et la mort. Une copie de la toile agrandie des *Vieilles* est conservée dans une collection particulière de Madrid (Mayer, 1923, n° 690 ; Gassier et Wilson, 1970, sous le n° 961). Elle a figuré à l'exposition de 1900 à Madrid, hors catalogue. Elle possède comme l'original les agrandissements postiches.

L'œuvre

Une vieille aristocrate, souvent associée et certainement, d'après Jeannine Baticle, à tort avec la reine Marie-Louise, fait appel au fard, aux fanfreluches, aux bijoux, jusqu'à planter dans sa perruque outrageusement blonde une flèche d'Éros toute en diamants. Vaincue, elle compare une miniature (?), image de sa jeune beauté, avec son reflet dans le miroir que lui présente la ruine de sa sémillante compagne de jadis. Et pour appuyer le message, Goya a inscrit au dos du miroir : *« Quel tal ? »*, que l'on peut traduire par « Comment ça va ? ». La figure du Temps représentée avec un balai, à l'arrière-plan, est comme une réponse à cette question. Le fond est balayé par de grands jeux d'ombre et de lumière qui évoquent une ouverture, entrée ou fenêtre. L'arête d'un mur est nettement visible.

La vieille femme est vêtue d'une robe de tulle blanc ; le brodé de fleurs est d'un bleu céleste ; les paupières sanguinolentes contrastent avec son teint fardé de rose et avec le blond jaune de la perruque. La compagne a le teint basané, cuivré, ses joues fardées sont rouge vif, ses yeux cernés de bistre noirâtre. Sa robe est de dentelle noire sur un transparent beige chaud, son bas est rehaussé de blanc et la mantille est, elle aussi, de dentelle noire sur un vêtement écarlate. La figure du Temps est représentée de façon monochrome avec des cheveux blanchissants, un teint basané à ombres olivâtres et des ailes d'un gris crémeux.

On aperçoit, surtout dans le haut de la toile, l'interférence, très visible, de la composition sous-jacente, au-dessus de la tête du Temps et de son aile droite (fig. 1). Juliet Wilson-Bareau, nous a fait remarquer que *le Temps* est le pendant exact des *Majas au balcon* (collection particulière) : deux femmes en robe noire ou claire, assises sur des chaises de bois et penchées l'une vers l'autre, avec une ou deux figures dans le fond.

Trois points dans l'analyse de l'exécution méritent d'être soulignés : les contrastes, le travail sur la couleur et les innovations. Le tableau est bâti sur des contrastes entre des parties exécutées sommairement – le manteau noir de la servante est pratiquement un aplat, le corps du Temps est une grande masse informe, les pieds et les barreaux de la chaise de la vieille femme sont inexistants – et d'autres plus travaillées : les visages, la robe de la vieille femme ou les grandes ailes déployées du Temps. À ce sujet, la représentation de l'espace ne laisse pas d'étonner, assez poussé dans la partie gauche avec l'arête du mur, les jeux de lumière qui mettent en place une baie ou une porte, quasiment inexistant à droite. Un pan de couleur jaune derrière le dossier de la chaise a remonté, faussant ainsi la perspective. Une harmonie de couleurs : le jaune, le brun, le noir, le bleu pâle et le rouge enveloppent la toile. Quant aux innovations, elles sont prodigieuses : remarquons les ailes si larges, si déployées du Temps, qui occupent toute la largeur de la toile ; les bijoux des deux femmes et les dents de la servante qui sont traités à l'identique ; ou la robe de la vieille femme qui est d'une modernité si surprenante. Les rubans bleu pâle, encore consistants sur la tête ou sur l'épaule, deviennent des traînées de peinture sur cette robe de tulle blanc également rehaussée de jaune. La facture des *Vieilles* est d'une liberté inouïe : on sait que, à cette époque, Goya employait la spatule et même les doigts, ce qui scandalisait son ami Ceán Bermúdez. La robe de la vieille femme est un véritable morceau de peinture pure. L'exécution est libre et nerveuse avec des audaces singulières, des groupements hasardeux de teintes très diverses, des reprises sur une couleur encore fraîche par des touches d'une autre nuance, et aussi des glacis en matière écrasée ou frottée et des accents de pâte accrochés aux lumières. C'est dessiné par la course de la brosse, modelé sommairement à l'aide de quelques taches de bistre et de brun. L'effet est celui que voulait l'artiste : terrible et édifiant.

Rapports avec les *Caprices*

On a souvent dit des *Jeunes* et des *Vieilles* qu'elles étaient de gigantesques caprices ou des caprices grandeur naturelle. En 1799, Goya mit en vente la suite la plus connue de ses estampes : les *Caprices,* suite qui comprend quatre-vingts planches gravées à l'eau-forte, dont les fonds et les ombres sont enrichis de lavis à l'aquatinte. Le recueil vise l'humanité en général, ses folies et sa stupidité, et constitue une étonnante satire des faiblesses de la condition humaine. *Les Vieilles* du musée de Lille ont un antécédent : Goya s'est inspiré d'un thème qu'il avait déjà traité auparavant dans le *Caprice 55* (fig. 3), celui de la coquette décrépite se parant devant son miroir. La légende, *Hasta la muerte* («jusqu'à la mort»), est explicite. La radiographie des *Vieilles* est présentée dans le cadre de cette exposition.

Fig. 3
Caprice 55, Hasta la muerte
eau-forte et aquatinte
Lille, palais des Beaux-Arts

53   ✳   *Les Jeunes* ou *la Lettre*

       Vers 1813-1820 – Huile sur toile – 181 x 125
       Inscription en bas : *C 103*
       Lille, palais des Beaux-Arts – Inv. : P. 9
       G-W 962 ; Gud. 583 / 552 ; DeA. 551

Si *les Vieilles* ou *le Temps* appartiennent à une série de tableaux qui figurent à l'inventaire de 1812, il convient de souligner que le tableau *les Jeunes* n'y est pas mentionné, et que même si l'œuvre provient de la collection de Javier Goya et de la galerie Espagnole du roi Louis-Philippe, tout comme *les Vieilles,* son étude doit être faite indépendamment de celle de cette dernière. Pour Jeannine Baticle, *les Jeunes* appartiennent à la même série que *la Forge* (New York, Frick Collection) : les numéros portés en bas peuvent être rapprochés (C 103 pour Lille, C 104 pour New York), les dimensions sont identiques, les examens de laboratoire ont prouvé que ces œuvres furent exécutées sur des toiles vierges d'excellente qualité, et leurs radiographies révèlent les mêmes caractéristiques picturales. Nous savons désormais grâce aux analyses du Laboratoire de recherche des Musées de France que la toile des *Jeunes* est identique à celle de *la Forge.* Il semble donc que ces deux œuvres aient appartenu au même collectionneur, après la vente de la galerie Espagnole de Louis-Philippe, comme l'indique la marque C (non identifiée) suivie d'un nombre. Ce sont donc ces deux tableaux qui se font réellement pendants, et non *les Jeunes* et *les Vieilles,* dont l'antithèse facile ne repose sur aucune base sérieuse.

HISTORIQUE
1828-1836, coll. Javier Goya, Madrid (on ignore les conditions dans lesquelles Javier Goya entra en possession des *Jeunes*) – 1836, acquis par le baron Taylor pour la galerie Espagnole de Louis-Philippe, Paris, n° 100 1re édition, n° 104, 2de édition – 1853, vente Louis-Philippe, Londres, n° 353 ; acquis par Durlacher pour 25 livres – acquis par Warneck, Paris – acquis par le musée des Beaux-Arts de Lille en 1874 pour 7 000 francs.

EXPOSITIONS
Valenciennes, 1918, n° 139 ; Paris, 1938, n° 20 ; Gand, 1950, n° 36 ; Bordeaux, 1956, n° 40 ; Paris, 1963, n° 126 ; Berlin, 1964, n° 18 ; La Haye-Paris, 1970, n° 42 ; Leningrad-Moscou, 1987, n° 6 ; New York, 1992-1993, n° 53 ; Tokyo, 1993, n° 56 ; Madrid, 1996a, n° 146 ; Cambrai-Valenciennes-Douai, 1996-1997, s. n.

Pimpante et oisive, servie par une suivante attentive à l'abriter du soleil, une *maja* occupée à la lecture d'un billet doux offre un contraste avec l'honnêteté laborieuse des lavandières, qui peinent sous un soleil brûlant. Le sujet véritable du tableau n'a pas été totalement élucidé. Dans la galerie Espagnole de Louis-Philippe, *les Jeunes* étaient exposées sous le titre *Femmes de Madrid en costume de Majas* et son pendant sous celui des *Forgerons*. La composition de celui-ci paraît avoir été calquée sur un dessin de l'album F n° 51 (Gassier, 1973, n° 317), non pas des forgerons mais des bêcheurs en rase campagne. Dans le cas des *Jeunes* – dont on a souvent remarqué la parenté thématique avec le carton de tapisserie du *Parasol* (cat. 2), œuvre bien antérieure –, on mettra la composition et les figures en rapport avec plusieurs dessins exécutés vers 1815-1820 : la figure de la Philosophie tenant un livre ouvert (fig. 1) et la scène de lavandières au travail (fig. 2), deux feuilles de l'album E à bords noirs, n°s 28 et 37 (Gassier, *op. cit.*, n°s 126 et 132). Par ailleurs, Jeannine Baticle signale la similarité entre le petit chien qui jappe auprès de la *maja* et celui qui s'élance auprès de Gumersinda Goicoechea dans le magnifique portrait en pied de 1805 (Paris, collection particulière), peint au moment du mariage de celle-ci avec Javier, le fils unique de Goya. André Malraux pensait d'ailleurs que le tableau *les Jeunes* était plus un portrait qu'une peinture de genre. La suggestion de Gassier (1970) de reconnaître, dans les traits de la jeune femme qui lit la lettre, le portrait de Leocadia Weiss, amie du peintre, âgée de vingt-quatre ans en 1812, n'est plus retenue.

Nous sommes tenté de chercher les sources de cette composition captivante avant tout dans les *Caprices*, la série d'estampes gravées par Goya lui-même en 1799. Dans la planche 5 des *Caprices* (fig. 3), *Tal para qual*, une splendide *maja* et son compagnon se tiennent devant deux vieilles, assises à l'arrière-plan. Une explication contemporaine, et polémique, les identifie, sans doute à tort : «La Reine et Godoy, lorsque celui-ci fut des Gardes, et les lavandières se moquaient d'eux. Manuela

BIBLIOGRAPHIE
Loga, 1903, p. 217, n° 517; Mayer, 1923, p. 70, 82, 94 et 213, n° 630; Desparmet Fitz-Gerald, 1928-1950, t. I, n° 242; Sánchez Cantón, 1930, p. 72, pl. 65; Venturi, 1941, p. 36-38; Gassier, 1963, p. 241, fig. 151; Salas 1964, p. 99-110; Hours, 1970, p. 100; Licht, 1979, p. 204, fig. 100; Gudiol, 1980, n° 552; Baticle et Marinas, 1981, n° 104; Oursel, 1984, p. 190-191; Heckes, 1991, p. 93-100; Baticle, 1992, p. 383; Morales, 1994 (1997), n° 393; Wilson-Bareau, 1996a, p. 96, note 6, 1996b, p. 166.

Fig. 1
Pauvre et nue va la Philosophie
dessin de l'album E n° 28
Paris, collection particulière

Fig. 2
Travaux utiles
dessin de l'album E n° 37
lavis d'encre de chine
Paris, collection particulière

Fig. 3
Tal para qual
Caprice 5
Lille, palais des Beaux-Arts

Mena nous fait remarquer (communication orale) que l'exécution des *Jeunes* est très proche de celle du *Ferdinand VII dans un campement militaire* (Madrid, Museo del Prado). Il s'agit d'un rendez-vous arrangé par deux entremetteuses, et elles en rient tout en égrenant leur rosaire[1]. » La férocité que Goya déploie dans sa censure des vices de l'Ancien Régime, censure que l'on retrouve dans *les Vieilles,* est atténuée dans *les Jeunes* pour faire place à un contraste plus agréable et moins ironique entre le monde du travail et celui du plaisir, même si les lavandières accroupies sur la droite évoquent les sorcières au sabbat ou les vieilles en pèlerinage dans les *Peintures noires.*

« Le travail est d'une verve et d'une virtuosité prodigieuse. Les nuances ont été composées sur la toile même par le frottis d'une coloration sur une première déjà posée ; à grands coups, parfois à la diable, une brosse rapide et décidée a traîné, plaqué, glacé une matière gluante, fortement empâtée aux grands clairs. Par sa direction et par sa pression la touche a contribué dans une large mesure au modelé qui ailleurs, est sommaire, obtenu, pour les parties de chair, à l'aide de gris liliacés.

Au total, une apparence très « impressionniste » de lumière et de plein air, avec des morceaux étonnants comme le corps du chien et surtout le visage de la suivante teinté par l'ombre portée d'un parasol doublé d'une étoffe rouge » (Benoît).

Revenons, à la suite de Benoît, sur ce travail « impressionniste ». Le mot sommaire serait plus juste. Les ombres portées des deux personnages sur le sol, la vague montagne à droite, le linge qui sèche sont suggérés et non représentés. Trois « niveaux » se trouvent alliés dans l'exécution : les deux actrices et le chien solidement campés, les lavandières brossées assez

Fig. 4
Radiographie des *Jeunes*

énergiquement (surtout celles de droite) tout en étant très esquissées et le décor sommaire. La radiographie récente effectuée par le Laboratoire de recherche nous a révélé les modifications qu'apporta Goya au cours de l'exécution de la robe : le corsage blanc, plus important initialement, a été recouvert par la jupe noire. La manche gauche est en partie peinte sur l'arrière-plan, où sèche le linge, décrit avec une brosse vigoureuse (fig. 4).

Soulignons le travail sur la couleur : des ocres olivâtres, des outre-mers rabattus, des gris bleuâtres ou liliacés, des bleus vert pâle délavés sont pris dans une symphonie de noir, de rose et de jaune pâle. L'orangé fumeux règne partout, tantôt vif incarnat sur le visage de la *maja,* tantôt éteint ou ombré sur celui de la servante, au sol, dans les nuages, dans l'air et même sur les bras et les visages des lavandières.

Insistons, en conclusion, sur la modernité de cette œuvre : la même qualité de noir se retrouve dans les tableaux de Manet (l'artiste a pu voir *les Jeunes* à Paris, au musée du Louvre ; voir Baticle et Marinas, 1981). Quant aux lavandières situées à gauche, elles semblent sorties d'un tableau ou d'un pastel de Degas.

1. *« La Reina y Godoy cuando era Guardia, y los burlaban las lavanderas. Representa una cita que han proporcionado dos alcahuetas, y de que se están riendo, haciendo que rezan el rosario. »*

✳ *Don Rafael Esteve y Vilella*

1815 – Huile sur toile – 100,6 x 75,5
Signé et daté sur la planche de cuivre – Inscription : *D^n Rafael Esteve P. ^r Goya. â 1815*
Valence, Museo de Bellas Artes San Pío V – Inv. : 584
G-W 1550 ; Gud. 645 / 674 ; DeA. 588

Rafael Esteve y Villela (1772-1847) fit partie d'une célèbre famille d'artistes valenciens. Fils du sculpteur José Esteve y Bonet (1741-1802), frère du sculpteur José Esteve y Villela, cousin du peintre Agustín Esteve y Marqués, il se forma au sein de l'académie royale des beaux-arts San Carlos à Valence sous la direction de Manuel Bru (1785-1789) puis à l'académie San Fernando à Madrid (1789-1791). De retour à Valence, il remporta le premier prix du concours général de l'académie San Carlos, en 1792 dans la section gravure. Quatre ans plus tard, il était élu académicien de mérite par cette même instance. Nommé, en 1801, graveur de chambre à titre honorifique, il en obtint le traitement trois années après.

L'invasion française de 1808 l'empêcha d'être nommé directeur des artistes pensionnés à Paris et en Italie ; il passa la guerre d'Indépendance à Cadix. Ferdinand VII lui octroya, le 23 février 1815, le poste de graveur de Chambre ainsi que celui de contrôleur artistique de la Chalcographie royale, poste qu'il occupa peu de temps (14 janvier 1816-28 mai 1816). En 1817-1818, il voyagea en France et en Italie ; en 1821, il se rendit à Séville pour graver le tableau de Murillo, *Moïse faisant jaillir l'eau du rocher* (Séville, La Caridad), œuvre avec laquelle il obtint, au Salon parisien de 1839, la médaille d'or. Cette même année, il fut décoré de l'ordre de Charles-III et nommé académicien d'honneur de l'académie San Carlos et académicien de mérite à l'académie San Fernando. Directeur honoraire de la gravure à l'académie San Fernando en 1841 et membre correspondant de l'Institut royal de France, il s'éteignit à Madrid, en 1847.

Considéré comme l'un des meilleurs graveurs de son époque, Esteve aida à plusieurs reprises Francisco Goya dans son domaine. Ainsi, ce portrait doit être associé à l'impression de la *Tauromachie* de Goya (1816), dont trois planches sont datées de 1815. Tout comme le portrait de *Don Francisco del Mazo* (cat. 55) de la même période, le modèle se détache sur un fond uni et homogène ; Esteve, vêtu d'une redingote noire, se tient cambré, la main sur la hanche, arborant un sourire ironique qui éclaire son visage anguleux. L'expression intelligente des yeux sombres complète ce portrait pris sur le vif en plein travail de gravure, ce qui explique le soin particulier accordé par le peintre aux mains de son modèle. Plusieurs copies et répliques existent dans des collections particulières[1] dont une esquisse du visage d'Esteve au Museo Lázaro Galdiano de Madrid. Esteve, parmi de nombreuses œuvres dont les portraits de Charles IV et de Ferdinand VII, avait gravé d'après Goya le portrait de l'acteur Isidro Maíquez[2].

1. Morales, 1994 (1997), p. 331.
2. Madrid, 1992, p. 40-41, 1996b, n° 191.

HISTORIQUE
Légué à l'académie San Carlos, Valence,
par don Antonio Esteve, neveu du modèle.

EXPOSITIONS
Madrid, 1939, p. 43 ; Grenade, 1955, n° 116 ;
n° 51 ; Tokyo-Kyoto, 1971-1972, n° 42 ;
Lisbonne, 1974, n° 31 ; Valence, 1986, p. 2 ;
Sapporo, 1991, n° 26 ; Saragosse, 1992, n° 49 ;
Valence, 1992, n° 11.

BIBLIOGRAPHIE
Catálogo..., n° 1099 ; Yriarte, 1867, p. 147 ;
González Martí, 1908, p. 28 ; Beruete, 1916,
n° 197 ; Mayer, 1924, n° 254 ; Garín Ortiz
de Taranco, 1955, n° 584 ; García de Garay,
1971, p. 26 ; Baticle, 1992, p. 425-426, 1995,
p. 288 ; Morales, 1994 (1997), n° 464.

Don Francisco del Mazo

Vers 1815-1820 – Huile sur toile – 91 x 71
Inscription sur le billet que tient le modèle : *A D^n Fra.^co del Mazo / Calle SANTAN / DER* [en rouge]. *Madrid.*
Castres, musée Goya – Inv. : 894-5-3
G-W 1554 ; Gud. 573 / 569 ; DeA. 599

Ce n'est qu'en 1987 que fut retrouvée par Nigel Glendinning la date de naissance de Francisco del Mazo. Depuis le siècle dernier, le modèle avait été identifié grâce au billet qu'il tient dans la main droite et où l'on distingue son nom ainsi que l'inscription *Calle SANTANDER Madrid.* Del Mazo est né le 12 octobre 1772 à la Peñilla de Cayon, à quelques dizaines de kilomètres de Santander, dans les monts Cantabriques. Dès l'âge de dix-sept ans, il vit à Madrid chez un oncle maternel, Sixto García de la Prada, riche négociant établi près de la Puerta del Sol. Or, le fils de Sixto García, Manuel García de la Prada (mort en 1839), joue un rôle très important dans le cercle des connaissances de Goya. Célèbre banquier et collectionneur, il possédait des œuvres majeures du peintre aragonais, qu'il légua à l'académie royale San Fernando, dont le fameux *Enterrement de la sardine.* José de Madrazo a d'ailleurs portraituré, en 1827, cet homme élégant et influent (Madrid, académie San Fernando) arborant fièrement sa légion d'honneur à la boutonnière.

Manuel García de la Prada eut un rôle important durant l'occupation française entre 1800 et 1813[1] ; il était très lié au monde de la haute finance et à la banque San Carlos puisqu'il en fut le directeur de 1794 à 1796. Il ne faut donc pas s'étonner si Francisco del Mazo, cousin germain de García de la Prada, suit un parcours similaire : en 1793, il est *ajente de casa* dans la maison des ducs d'Albe. En 1804-1805, il fait partie de la *junte de gobierno* («direction») de la banque San Carlos, future banque d'Espagne ; Goya a réalisé de nombreux portraits de ses membres influents. En 1815, Del Mazo est premier comptable du mont-de-piété des Caballejos Hijosdalgos à Madrid et porte le titre, certainement honorifique, d'huissier principal de l'Inquisition de Logroño.

García de la Prada dut s'exiler en France lors du retour de Ferdinand VII, en 1813. En revanche, Del Mazo semble avoir conservé sa situation malgré l'épuration qui toucha les *afrancesados.* Nous ne connaissons pas la date de sa mort, et en tout état de cause, nous en sommes réduit à une simple supposition quant au rôle qu'il aurait pu jouer en aidant Goya lors du difficile procès que lui intenta l'Inquisition, en 1800, à propos des deux *Majas.* Il paraît peu probable que ce portrait ait été exécuté peu de temps après cette affaire, étant donné la facture du peintre.

La raison d'être du portrait nous est inconnue et il semble incertain que ce soit à la suite d'un achat d'immeuble à Madrid. Il n'est pas impossible de penser que Del Mazo s'est fait représenter après une distinction particulière (anoblissement ?). Notons au passage le fait que les mains sont peu apparentes, ce qui implique fort probablement un prix plus avantageux si l'on en croit Goya lui-même, qui spécifie, dans une lettre de 1805, qu'il fait payer plus cher quand les mains sont représentées. Cela n'enlève rien à la qualité du tableau, d'une exécution admirable

HISTORIQUE
Coll. Marcel Briguiboul, Castres – 1881, coll. Pierre Briguiboul, Castres – 1893, donné par ce dernier au musée de Castres ; entré dans les collections en 1894.

EXPOSITIONS
Paris, 1938, n° 25 ; Bordeaux, 1951, n° 55 ; Bâle, 1953, n° 38 ; Paris, 1961-1962, n° 89, 1963, n° 124 ; Londres, 1963-1964, n° 114 ; La Haye-Paris, 1970, n° 47 ; Venise, 1989, n° 49 ; Stockholm, 1994, n° 40 ; Madrid, 1996a, n° 148 ; Saragosse, 1996, n° 64.

BIBLIOGRAPHIE
Loga, 1903 (1921), p. 27 ; Mayer, 1924, p. 344 ; Glendinning, 1987, p. 192-193 ; Augé, 1989, n° 45 ; Baticle, 1992, p. 306, 420, 1995, p. 306, 420 ; Baticle-Augé, 1994, p. 2 ; Morales, 1994 (1997), n° 468 ; Augé, 1997, p. 51.

tant dans la sobriété de la palette que dans les noirs profonds et nuancés à la fois. Le fond gris-vert, quasiment monochrome, le dossier de fauteuil à peine suggéré et un coin de table suffisent à encadrer la figure bienveillante du modèle, vêtu d'une redingote à l'anglaise.

De physionomie quelque peu rude mais sans dureté, le visage volontaire contraste avec la blancheur de la cravate et de la chemise. Toute la physionomie de l'homme traduit son énergie et sa détermination, tempérée par un très léger sourire ainsi que par l'expression intelligente du regard, que Goya a su, comme toujours, capter de façon admirable.

1. Baticle, 1992, p. 306.

56 ✳ *La Duchesse d'Abrantes*

1816 – Huile sur toile – 92 x 70
Signé et daté sur la partition de musique : D. ^{na} Manuela Girón y Pimentel / Duq. ^{sa} de Abrantes.Pr Goya. 1816
Madrid, Museo del Prado
G-W 1560 ; Gud. 650 / 679 ; DeA. 604

Doña Manuela Isidra Téllez Girón y Alonso Pimentel (1794-1838) était la dernière fille des neuvièmes ducs d'Osuna ; en 1813, elle épousa Angel de Carvajal, huitième duc d'Abrantes. Elle était la sœur de la marquise de Santa Cruz, portraiturée, elle aussi, par Goya en Euterpe (1805 ; Madrid, Museo del Prado, inv. 7070). Le peintre connaissait très bien cette famille prestigieuse puisqu'il comptait parmi ses mécènes les ducs d'Osuna, dont il avait peint le portrait de famille dès 1788 (Madrid, Museo del Prado, inv. 739). Nous savons que ce portrait fut payé 4000 réaux le 30 avril 1816 par sa mère la duchesse d'Osuna[1] ; il fut donc peint la même année que le portrait du dixième duc d'Osuna, frère de la duchesse, conservé à Bayonne, au musée Bonnat.

De facture rapide et lumineuse, la figure de la duchesse apparaît couronnée de fleurs et tenant dans la main droite une partition musicale. Quand bien même le visage ovale et plein de la jeune femme semble peu expressif, l'air surpris et le regard bienveillant du modèle contribuent à créer une gracieuse impression d'ensemble. L'association des tons bleu-gris et jaune de Naples en une habile harmonie contribue à mettre en lumière la délicate carnation de la duchesse. Le bras gauche et la draperie jaune sont disposés de façon symétrique, équilibrant une composition simple mais efficace. La couronne de fleurs fait allusion aux Muses antiques, la partition à l'éducation raffinée des enfants des ducs d'Osuna, qui comptaient parmi les esprits les plus éclairés d'Espagne. Goya n'a pas manqué de traduire l'éclat des bijoux de perle que porte Manuela Girón, ornements délicats servant à mettre en valeur la perfection d'un décolleté ou d'un poignet.

1. Condesa de Yebes, 1955, p. 48.

HISTORIQUE
30 avril 1816, paiement de 4000 réaux pour ce portrait – descendants de la duchesse d'Abrantes, Madrid – coll. comte de la Quinta de la Embajada, Madrid – coll. comte del Valle de Orizaba, Madrid – 1996, acquis par le Museo del Prado.

EXPOSITIONS
Madrid, 1900, n° 110, 1913, n° 148, 1918, n° 35, 1928, n° 15, 1961, n° XXXI, 1983, n° 49 ; Lugano, 1986, n° 45 ; Venise, 1989, n° 50 ; Saragosse, 1992, n° 52 ; Madrid, 1995-1996, n° 44.

BIBLIOGRAPHIE
Tormo, 1902, p. 220 ; Beruete, 1916, n° 275 ; Mayer, 1924, n° 189 ; Glendinning, 1981 ; Baticle, 1992, p. 424, 1995, p. 287 ; Morales, 1994 (1997), n° 477.

cat. 55

cat. 56

Don Tiburcio Pérez y Cuervo

1820 – Huile sur toile – 102,2 x 81,3
Signé et daté en bas à gauche – Inscription : *A Tiburcio Perez / Goya. 1.820*
New York, The Metropolitan Museum of Art, Theodore M. Davis Collection,
Bequest of Theodore M. Davis, 1915 – Inv. : 30.95.242
G-W 1630 ; Gud. 698 / 728 ; DeA. 620

C'est après une très grave maladie, survenue à la fin de l'année 1819, que Goya peignit le portrait de Tiburcio Pérez. Nous ne connaissons pas la nature du mal qui a frappé l'artiste et qui manqua de lui ôter la vie à l'âge de soixante-treize ans, mais le peintre en a tiré une œuvre poignante, *Goya soigné par Arrieta* (1820, Minneapolis Institute of Arts), dont certains aspects préfigurent les *Peintures noires* de la Quinta del Sordo. Une fois rétabli et malgré la période très troublée du point de vue politique – on est à la veille de la révolution libérale –, il représente le neveu de Juan Antonio Cuervo, architecte et directeur de l'académie San Fernando, qu'il a peint en 1819 (Cleveland, Museum of Art), ultime portrait officiel de sa main.

Tiburcio Pérez y Cuervo était asturien, né à Oviedo en 1786 ; il fit ses études à l'académie San Fernando, où il obtint un premier prix pour un projet de monument commémorant la victoire de Bailén (1808) sur les troupes napoléoniennes. En 1831, en compagnie de Francisco Javier de Mariátegui, qui n'est autre que le beau-père de Mariano Goya, il construisit le collège royal de médecine San Carlos à Madrid, ouvrage dont les plans avaient été dressés par Isidro González Velázquez[1]. Goya a toujours côtoyé les architectes comme Ventura Rodríguez (cat. 9) ou Juan de Villanueva. Tiburcio Pérez devait être un ami très proche car le peintre lui confia en 1824, au moment de l'exil, Rosario Weiss, fille de Leocadia Weiss, sa compagne, dont les sympathies libérales étaient affichées. Académicien de mérite dès 1818, Tiburcio Pérez œuvra au sein de la génération dite de la révolution ; parmi ses réalisations remarquables, il faut noter un gymnase du Paseo du Prado[2].

Nous sommes confronté ici à un portrait intime et fort ; l'homme, de trois quarts, se présente les bras croisés sur la poitrine en chemise et gilet. La dernière décennie de l'artiste est ainsi marquée par l'extraordinaire économie de moyens, la palette restreinte et l'intensité psychologique accrue. Tiburcio Pérez apparaît comme un homme à la forte personnalité, campé solidement ; ses yeux, noirs et profonds, dotés d'un léger reflet clair, témoignent de sa vivacité d'esprit. Son sourire, à peine esquissé, nous montre sa bienveillance ; le visage tout entier, à la carnation presque tactile, encadré d'une chevelure abondante, respire le goût de la vie. Dans ce portrait intense et dénué d'artifice social, Goya met en œuvre tout le caractère moderne du genre ; à sa suite viendront Delacroix et Manet.

1. Baticle, 1992, p. 447.
2. Sambricio, 1986.

HISTORIQUE
Jusqu'en 1903, coll. Francisco Durán y Cuervo (neveu de Tiburcio) – février 1903, acquis par Durand-Ruel, Paris – juin 1903, vendu par Durand-Ruel à Theodore M. Davis ; coll. Theodore M. Davis, New York – 1915, donné par T. M. Davis au Metropolitan Museum.

EXPOSITIONS
Madrid, 1900, n° 105 ; La Haye-Paris, 1970, n° 51 ; Boston-Madrid-New York, 1988-1989, n° 122 ; New York, 1995, s. n. ; Madrid, 1996a, n° 152.

BIBLIOGRAPHIE
Loga, 1903, n° 300 ; Beruete, 1916, I, n° 271 ; Mayer, 1924, n° 380 ; Baticle, 1992, p. 446-447, 1995, p. 301 ; Morales, 1994 (1997), n° 498 ; Stein, 1995, p. 39, 45.

AGUSTÍN ESTEVE MARQUÉS (1753-vers 1830)

✳ *La Duchesse d'Albe*
(copie de *la Duchesse d'Albe* de Goya)

Vers 1795-1800 – Huile sur toile – 206 x 121
Collection particulière
G-W 351 (copie ou réplique)

La personnalité de la duchesse d'Albe a été le prétexte de nombreuses fables ou affabulations de la part des biographes de Goya. Nul doute que cette femme de la plus haute société espagnole a intéressé le peintre si attentif aux traits psychologiques marquants de ses modèles.

María del Pilar, Teresa, Cayetana de Silva y Álvarez de Toledo naquit le 10 juin 1762 à Madrid et décéda, en 1802, à la suite d'une courte maladie. Elle était la fille unique de don Francisco de Paula, duc de Huescar et de doña Mariana, son épouse. Son grand-père, don Fernando de Silva y Álvarez de Toledo, douzième duc d'Albe, lui-même apparenté à la famille du duc de l'Infantado, était connu pour ses goûts littéraires raffinés. Sa mère, la duchesse de Huescar, sœur du neuvième marquis de Santa Cruz, était également très cultivée, réputée pour son intelligence. Dans cette société aristocratique du XVIIIᵉ siècle, l'endogamie demeurait très forte ; ainsi, lorsque la toute jeune duchesse d'Albe épousa son cousin José Álvarez de Toledo y Gonzaga (1756-1796), marquis de Villafranca et duc de Fernandina, le 15 janvier 1775, la duchesse de Huescar – qui fut veuve à trois reprises – épousa le comte de Fuentes, apparenté à la grande famille aragonaise des Pignatelli. Il n'est pas inutile de préciser ces filiations, car les Pignatelli ont été les protecteurs du maître de Goya, José

HISTORIQUE
Doña Tomasa Álvarez de Toledo, marquise de la Romana ; comte Carlos Cuevas de Vera, son arrière petit-fils – acheté au comte de Cuevas par la famille de l'actuel propriétaire.

EXPOSITION
Bordeaux-Paris-Madrid, 1979-1980, n° 25 (Goya, Esteve).

BIBLIOGRAPHIE
Loga, 1903, n° 164 (Goya) ; Beruete, 1916, I, p. 63 ; Mayer, 1924, n° 193a (copie par Esteve) ; Desparmet Fitz-Gerald, 1928-1950, n° 361 ; Sambricio, 1946, p. 63 ; Sánchez Cantón, 1951, p. 56 (réplique) ; Morales, 1994 (1997), n° 257.

Fig. 1
Francisco de Goya y Lucientes
La Duchesse d'Albe
1795
huile sur toile, 195 x 126
Madrid, collection particulière

Fig. 2
Francisco de Goya y Lucientes
Le Duc d'Albe
1795
huile sur toile, 195 x 126
Madrid, Museo del Prado

Luxán, et de Goya lui-même. C'est donc très probablement par ce canal que la duchesse d'Albe a rencontré notre peintre.

María Cayetana était adulée pour sa beauté, son pouvoir de séduction et ses soirées mondaines, qui rivalisaient avec celles de la duchesse d'Osuna. Fantasque et de mœurs fort libres pour l'époque, elle eut à souffrir de l'hostilité de la reine Marie-Louise, car la duchesse ne cacha pas son attrait pour Manuel Godoy, l'amant de la souveraine, après la mort du duc d'Albe, survenue en 1796. Cette liaison est attestée par le témoignage de Pepita Tudo[1], maîtresse et seconde épouse de Godoy, et par le fait que la duchesse avait offert à ce dernier, grand collectionneur, la *Vénus au miroir* de Velázquez (Londres, National Gallery). La duchesse d'Albe fut donc éloignée un temps en Andalousie, où Goya la rencontra en 1796-1797 à Sanlucar[2]. On a beaucoup glosé sur une éventuelle liaison entre María Cayetana et Francisco Goya, mais aucune preuve décisive ne l'atteste.

Le portrait de *la Duchesse en blanc,* daté de 1795 (Madrid, palais Liria, collection d'Albe), nous montre une inscription tracée sur le sable aux pieds du modèle : *A la duquesa de Alba, Francisco de Goya, 1795 ;* il est le pendant du portrait du duc d'Albe conservé au Museo del Prado, d'une facture délicate. Nous ignorons encore le motif de la commande de ces deux portraits. Toutefois, en 1797, le portrait de *la duchesse d'Albe en mantille* (New York, Hispanic Society) a beaucoup alimenté l'argumentation favorable aux amours de María Cayetana et de Goya en raison de l'inscription, *Solo Goya 1797,* apposée devant la duchesse et de l'anneau qu'elle porte, où on lit : *Alba Goya.* Or, il était courant à l'époque d'échanger des bagues où se trouvaient inscrits les noms d'amis chers.

Toujours est-il qu'entre le portrait de 1795 et celui de 1797, nous constatons, chez l'impérieuse jeune femme, une nette évolution : le regard est empreint d'une légère tristesse, signe des malheurs successifs qu'a subis la duchesse.

L'œuvre présentée ici a été qualifiée tour à tour de copie ou de réplique. Mayer pensait que le peintre Agustín Esteve en était l'auteur, alors que Sánchez Cantón penchait pour une réplique de l'original. Les spécialistes reconnaissent maintenant dans cette œuvre une excellente copie due au peintre valencien Agustín Esteve. Elle est très proche d'une autre copie du même original par le même artiste[3]. Notre tableau est toujours accompagné de son pendant, copie par Esteve du portrait du duc d'Albe par Goya[4] (fig. 2).

Nous demeurons frappé par la sobriété d'une telle image; la duchesse ne porte aucun bijou vraiment ostentatoire hormis un collier de perles de corail servant à rehausser la blancheur de sa peau, des boucles d'oreilles et deux bracelets, l'un au-dessus du coude gauche, l'autre au poignet gauche, où l'on distingue les initiales ST pour Teresa Silva. Ainsi doivent paraître les grands d'Espagne.

1. Voir Bordeaux-Paris-Madrid, 1979-1980, n° 25.
2. Baticle, 1987, p. 60-71.
3. Dans The Wernher Collection; voir Soria, 1957, n° 74, et Londres, 1963-1964, n° 41.
4. Bordeaux-Paris-Madrid, 1979-1980, n° 26.

EUGENIO LUCAS VELÁZQUEZ (1817-1870)

59 ✳ *Le Garroté*

Vers 1850 – Huile sur bois – 53 x 41
Lille, palais des Beaux-Arts (1912 : 31 ; 1867)
Arnáiz, 1981, n° 80

Avec sa touche fluide et son sujet dramatiquement «goyesque», cette peinture sur bois est un exemple parfait de ces œuvres de Lucas Velázquez longtemps automatiquement attribuées à Goya. Il a fallu attendre 1981 et la monumentale monographie accompagnée d'un catalogue de José María Arnáiz pour que soient rassemblées les données concernant «Lucas père», connu jusque récemment sous le nom de Lucas y Padilla, et que soit réalisé un premier survol de sa production. Au début de ce siècle, sa bibliographie était uniquement fondée sur les témoignages erronés de son fils Eugenio Lucas Villaamil, également peintre. En 1972, le travail de détective que mena Jeannine Baticle permettait la découverte de son acte de décès, dans une paroisse madrilène, en 1870[1]. Enrique Pardo Canalis a trouvé ensuite l'acte de baptême d'Eugenio, fils de Julián Lucas et de Juana Velázquez, en 1817, son acte de mariage et les dates de naissance de ses enfants[2], autant de bases pour l'étude plus complète de sa vie et de son œuvre réalisée par Arnáiz dans sa monographie de l'artiste.

Son véritable nom, Eugenio Lucas Velázquez, explique la signature *Eugenio Vz Lucas* qui apparaît sur nombre de ses peintures. Lucas est certes connu pour ses productions originales dans des genres variés, paysages et marines, scènes *costumbristas,* portraits et décorations murales mais il l'est surtout pour ses réalisations «dans le style de Goya». Ses premières œuvres sûres remontent aux années 1842-1848, lorsqu'il travaillait déjà sur des sujets romantiques tels que les bandits, les *majos* ou les *majas*. À partir de 1950, il commença à peindre des scènes de tauromachie et

HISTORIQUE
1875, acheté 3000 francs au marchand parisien Warneck (P.V. 1/2/1875).

EXPOSITIONS
Valenciennes, 1918, n° 141 (probablement Lucas); Paris, 1938, n° 28 (probablement Lucas); Gand, 1950, n° 39; Bordeaux, 1957, n° 309; (Lucas y Villaamil) Londres, 1963-1964, n° 139 (Lucas); Berlin, 1964, n° 29.

BIBLIOGRAPHIE
Loga, 1903, n° 436 (Goya); Calvert, 1908, n° 19 (Goya); Cassou, 1926-1927, p. 62; Paris, 1928, repr. p. 48 (Goya); Sánchez Cantón, 1930, pl. 54 (Goya); Terrasse, 1931, p. 50-51, pl. 6 (Goya); Mayer, 1935, p. 178 (Lucas); Du Gué-Trapier, 1940, p. 9; Arnáiz, 1981, p. 131-133.

d'inquisition et à s'inspirer de Goya. Une *Scène d'inquisition,* signée et datée de 1852 (Arnáiz 78) offre une date approximative pour la peinture de Lille et pour un sujet très semblable conservé au musée d'Agen.

La scène se fonde sur l'une des plus célèbres gravures de Goya, *le Garroté,* qu'il réalisa probablement vers 1778, au moment où il gravait les portraits de Velázquez du palais royal de Madrid (fig. 1). La peinture d'Agen reprend certes le dépouillement de la composition gravée mais le condamné de Lille est beaucoup plus proche de l'original, si émouvant, de Goya. Cependant, alors que Goya a concentré toute l'attention sur la figure éclairée par une chandelle, Lucas invente un cadre extérieur riche en détails anecdotiques. Tirant son inspiration en partie des scènes d'inquisition de Goya dans les *Caprices* (pl. 23 et 24) et en partie, comme on l'a suggéré[3], d'une vue gravée contemporaine de la Plaza de la Cebada, à Madrid, l'artiste a combiné la description topographique et les figures, dont les regards et les gestes soulignent toute la signification dramatique de cette exécution publique.

Lucas fit partie, en 1855, des artistes conduits à la Quinta del Sordo pour évaluer les *Peintures noires;* il connaissait bien le travail de Goya et possédait les plaques de cuivre de quatre de ses gravures tardives les plus fortes[4]; il profita sans aucun doute de l'énorme vogue du milieu du XIXe siècle pour l'œuvre de Goya, à tel point d'ailleurs que bon nombre des tableaux remis en question dans le *corpus* de Goya lui ont peut-être été trop rapidement attribués[5]. Cette peinture presque exubérante offre un bon exemple de l'adoption flagrante et inventive par Lucas d'un thème célèbre de Goya.

1. Baticle, 1972, p. 1-13. Le nom de la mère de Lucas avait été mal retranscrit dans le registre paroissial (Juana Vela).
2. Pardo Canalis, 1973.
3. Du Gué-Trapier, 1940.
4. Harris, 1964, II, n° 266-269; Gassier-Wilson 1601-1604.
5. Arnáiz attribue à Lucas Velázquez les peintures X 28 et plusieurs autres, dont *la Ville sur le rocher* (New York, Metropolitan Museum of Art) et *le Ballon* (Agen, musée des Beaux-Arts), dont l'attribution à Goya a été remise en question (Arnáiz, 1981, p. 97-141).

Fig. 1
Francisco de Goya y Lucientes
Le Garroté
eau-forte
vers 1778-1780
Madrid, Biblioteca Nacional

60   ✳   *Enfants jouant à saute-mouton*

Vers 1777-1785 – Huile sur toile – 30,9 x 43,9
Valence, Museo de Bellas Artes San Pío V – Inv. : 759
G-W 158 ; Gud. 202 / 214 ; DeA. 138

Ce charmant petit tableau faisait partie d'un ensemble de six toiles de dimensions semblables représentant des jeux d'enfants peintes par Goya au début des années 1770. En l'absence de tout document, cette datation ne repose pour le moment que sur des critères stylistiques. La manière est très proche de l'esquisse de *la Rixe à l'auberge* (collection particulière) datée de 1777. Par ailleurs, il peignit ses premiers cartons de jeux d'enfants (voir cat. 3) en 1778-1779, ce qui put lui donner l'idée de ces scènes de genre qui s'inspiraient à la fois de la tradition picaresque espagnole et des thèmes populaires des écoles du Nord[1]. Cantonné à l'époque dans la réalisation de cartons pour la cour, Goya devait chercher à se former une clientèle madrilène alors qu'il n'avait guère abordé le portrait. Pour la première fois de sa vie, il rassemble ses œuvres en une série, procédé qu'il réitérera (voir cat. 25). Le succès de cette entreprise entraîna la réalisation de répliques, dont celle qui est conservée aujourd'hui par la fondation Santamarca (Madrid) et qui réunit six sujets.

    La série originale et les autres répliques ont été dispersées. En mars 1842, William Sterling acheta à Séville quatre rapides esquisses d'«enfants en train de jouer» ; deux d'entre elles sont toujours à Glasgow, Pollok House. *Enfants jouant à saute-mouton,* dont l'excellente qualité laisse penser que le tableau appartint à la série originale, a été donné à l'académie des beaux-arts de Valence en 1926. Sa composition, très claire et faisant une grande place à un paysage assez détaillé, rappelle davantage les cartons sur lesquels Goya travaillait à cette époque que les autres toiles de la série. Le linge étendu à l'arrière suit la ligne de la frise que forment les bambins, tout en faisant ressortir par ces grandes tâches de blanc les silhouettes aux teintes plus sourdes. Tout le goût de vivre de Goya, son attachement aux petits plaisirs quotidiens se révèle dans le fait qu'il est capable de rendre à la fois la règle et l'esprit de ce jeu enfantin. Les trois petits corps penchés, placés de façons sensiblement différentes, avec les mains fermement posées sur les genoux, attendent les joueurs qui enchaîneront les sauts. En nous présentant le derrière, fort peu couvert, de celui qui est au centre, Goya peut mieux mettre en valeur la manière dont il s'arc-boute sous le poids de son compagnon en laissant deviner ses petits muscles tendus. Les attitudes des autres bambins, qui s'inscrivent dans un triangle, décomposent le geste même du saut : l'élan, le saut, la chute. Celui qui est tombé dès le départ et qui tourne vers nous sa peine empêche cet enchaînement de devenir trop rigoureux. La touche rapide, épaisse et qui suggère les vêtements par un mélange de tons se fait beaucoup plus légère à l'arrière pour esquisser les architectures grises et rosées des faubourgs de Madrid, sous un ciel beaucoup plus nuancé que dans les autres scènes enfantines. Depuis Murillo, personne n'avait su rendre avec un tel naturel les joies et les petits drames du monde enfantin.

1. Son travail à la manufacture de Santa Barbara lui permettait de connaître l'œuvre de Teniers, dont on avait tiré de nombreuses tapisseries.

HISTORIQUE
Fait partie d'un ensemble de six petites scènes enfantines, de dimensions semblables, peint entre 1777 et 1785 – 1926, donné par María de la Encarnación Marqués, veuve d'Ignacio Tarazona, à la Real Academia de Bellas Artes de Valencia – coll. de la Real Academia San Carlos, Museo de Bellas Artes San Pío V.

EXPOSITIONS
Madrid, 1939, p. 41-42 ; Japon, 1991, n° 28 ; Valence, 1993, n° 66.

BIBLIOGRAPHIE
Beruete, 1917, n° 108 ; González Martí, 1928 ; Garín Ortiz de Tarranco, 1955, p. 179-180 ; García de Garay, 1971, p. 22 ; Catalá, 1978, p. 52 ; Mestre et Blasco, 1990, p. 108 ; Morales, 1994 (1997), n° 117 (copie).

Index

Bibliographie

Agapito García A.
«Algo sobre Goya y su tiempo. Apén-
dice. Los lienzos de Goya, de Valladolid», *Boletín del Museo Provincial de Bellas
Artes,* Valladolid, 1928, p. 187-214.

Agapito y Revilla Juan
«Los cuadros de Goya en Santa Ana»,
Arte en Valladolid, 1914, p. 32-35.

Agueda Mercedes
«Novedades en torno a una serie de cartones de Goya», *Boletín del Museo
del Prado,* V, 13, 1984, p. 41-46.

Agueda Mercedes et Salas Xavier de, éd.
Francisco Goya. Cartas a Martín Zapater,
Madrid, 1982.

Alcalá Flecha Roberto
Matrimonio y prostitución en el arte de Goya,
Cáceres, 1984.

Alía Plana Jesus María
*Iconografia de los uniformes de ejercito
español, 1700-1814,* Madrid, 1996.

Alvarez de Cienfuegos Nicasio
Poesias, Madrid, 1968.

Ansón Navarro Arturo
*El pintor y profesor José Luzán Martínez,
(1710-1785),* Saragosse, 1986.
Goya y Aragón, Saragosse, 1995.
Aragón
Voir Vallabriga.

Araujo Sánchez Ceferino
Goya, Madrid, 1896.

Arnáez Rocio
*Museo del Prado. Catálogo de Dibujos II.
Dibujos españoles del siglo XVIII. A-B,*
Madrid, 1975.

Arnaiz José Manuel
– *Francisco de Goya, cartones y tapices,*
Madrid, 1987.
– *Eugenio Lucas,* Madrid, 1980.

Augé, Jean-Louis
«Goya, la liberté permanente»,
Dossiers de l'art, L'Estampille, nº 34,
décembre 1996.

Barrio-Garay José Luis
«Antropofagia y hematofagia en
la iconografia de Goya», *Goya. Nuevas
visiones. Homenaje a Enrique Lafuente
errari,* Madrid, 1987, p. 73-89.

Baticle Jeannine
– «Eugenio Lucas et les satellites de
Goya», *Revue du Louvre,* 3, 1972,
p. 1-13.
– «Goya y la duquesa de Alba : Qué
tal ?», *Goya. Nuevas visiones. Homenaje a*

Enrique Lafuente Ferrari, Madrid, 1987,
p. 60-71.
– *Goya,* Paris, 1992 ; éd. esp. mise à jour,
Goya, Barcelone, 1995.
– «L'œuvre peint de Goya à Paris
et à Bordeaux, 1824-1828», *Goya,*
Bordeaux, 1998.

Baticle Jeannine et Marinas Cristina
*La Galerie espagnole de Louis-Philippe
au Louvre 1838-1848,* Paris,
1981.

Beruete y Moret Aureliano de
– *Goya, pintor de retratos,* I, Madrid, 1916.
– *Goya, composiciones y figuras,* II, Madrid,
1917.
– *Goya grabador,* III, Madrid, 1918.

Boix Felix
«Un discipulo e imitador de Goya,
Asensí Juliá (El Pescadoret)»,
Arte Español, X, 1931, p. 138-141.

Bosarte Isidro de
«Viaje a Segovia, Valladolid y Burgos»,
Viage artístico a varios pueblos de España, I,
Madrid, 1804, éd. A. E. Pérez Sánchez,
Madrid, 1978.

Bottineau Yves
*L'art de cour dans l'Espagne de Philippe V
1700-1746,* Bordeaux, 1962,
réimp. mise à jour, conseil général
des Hauts-de-Seine, (Sceaux),
1993.

Bozal Valeriano
– *Imagen de Goya,* Madrid, 1983.
– *Goya y el gusto moderno,* Madrid,
1994.

Braham Allan
Voir MacLaren.

Brigstocke Hugh
*Italian and Spanish Paintings in the National
Gallery of Scotland,* National Galleries of
Scotland, Édimbourg, 1978, 2e éd. 1993.

Brown C.
«The Beit Collection», *Irish Arts Review,*
I, 1984.

Brown Jonathan et Mann Richard
*Spanish Paintings of the Fifteenth
through Nineteenth Centuries,* The collections of the National Gallery of Art
systematic catalogue, National Gallery of
Art, Washington, Cambridge University
Press, 1990.

Calleja Saturnino, éd.
*Colección de cuatrocientas cuarenta y
nueve reproducciones de Cuadros, Dibujos*

*y aguafuertes de Don Francisco de Goya,
Precedidos de un Epistolario del gran pintor y
de las Noticias Biográficas publicadas por
Don Francisco Zapater y Gómez en 186(8),*
Madrid, 1928.

Calvert Albert F.
*Goya. An account of his life and works, with
612 reproductions from his pictures, etchings,
and lithographs,* Londres, 1908.

Camón Aznar José
– «Cuadros de Goya en el museo Lázaro
Galdiano», *Seminario de Arte Aragonés,* IV,
1952, p. 5-14.
– *Francisco de Goya,* 4 vol., Saragosse,
1980-1982.

Canellas López Angel, éd.
Diplomatario de Francisco de Goya,
Saragosse, 1981.
Cartas a Martín Zapater
Voir Agueda.

Cassou J.
L'Art et les artistes, Paris, 1926-1927.

Catalá Gorgues Miguel Angel
«La vida y el arte de Goya en su relación
con Valencia», *Archivo de Arte Valenciano,*
1978, p. 49-53.
*Catálogo de los cuadros que existen en el Museo
de Pinturas de esta capital,* Valence, 1863.
*Catalogo de los cuadros y esculturas pertene
cientes a la galeria de SS. AA. RR. los Sere-
nissimos Señores Infantes de España, duques
de Montpensier,* Séville, 1866.

Chan Victor
«Goya's Tapestry Cartoon of the Straw
Manikin : a Life of Games and a Game
of Life», *Arts Magazine,* LX-2, 1985,
p. 50-58.

Cherry Peter
Voir cat. exp. Londres, 1995.

Colta Ives et Stein Susan Alyson
Goya in the Metropolitan Museum,
New York, 1995.

Croisset père Jean
L'année chrétienne, Lyon, 1712, trad. esp.
Padre J. F. de la Isla, *El año cristiano
(1748),* Madrid, 1852.

Crombie Theodore
«Goya and the Stage», *Apollo,* 98, 1973,
p. 22-27.

Crossling B.
European Paintings from the Bowes Museum,
Londres, 1993.

Cruz Valdovinos José Manuel
«La partición de bienes entre Francisco
y Javier Goya a la muerte de Josefa Bayeu

y otras cuestiones», *Goya. Nuevas visiones. Homenaje a Enrique Lafuente Ferrari*, Madrid, 1987, p. 133-153.

Cruzada Villaamil Gregorio
Los Tapices de Goya, Madrid, 1870.

Delgado Bedmar José Domingo
«Algunas notas sobre la vida y la obra de Asensio Juliá, el discipulo de Goya», *Archivo español de Arte*, n° 263, 1993, p. 299-303.

Desparmet Fitz-Gerald Xavier
L'œuvre peint de Goya. Catalogue raisonné, Paris, 1928-1950.

Diario Pinciano, Valladolid, I, 24 octobre 1787.

Dowling John
«Capricho as Style and Life Literature and Art from Zamora to Goya», *Eighteenth-Century Studies*, 4, 1977, p. 413-433.

Dubosc Sophie
La peinture espagnole dans la collection du comte de Quinto, mémoire de maîtrise, 2 vols., Paris-IV Sorbonne, 1997.

El Pilar de Zaragossa (divers auteurs), Saragosse, 1984.

Estignard P.
Jean Gigoux, Besançon, 1895.

Ezquerra del Bayo Joaquín
La duquesa de Alba y Goya, Madrid, 1928.

Fredericksen Burton B.
— «Goya's Portraits of the Marqueses de Santiago and de San Adrián», *J. Paul Getty Museum Journal*, vol. 13, 1985, p. 135-140
— «Goya's *Portrait of the Marquesa de Santiago* : a Correction», *J. Paul Getty Museum. Journal*, vol. 14, 1986, p. 151.

Gállego Julián
Autorretratos de Goya, Saragosse, 1978.

Garas K.
The Budapest Museum of Fine Arts, Budapest, 1988.

García de Garay María Julia
«Goya y Valencia», *Anales de la Universidad de Valencia*, 1971, p. 7-31.

García de Paso Alfonso et Rincón Wilfredo
«Datos biográficos de Francisco Goya y su familia en Zaragoza», *Boletín del Museo e Instituto «Camón Aznar»*, V, 1981.

Garín Ortiz de Taranco Felipe María
Catálogo-Guía del Museo Provincial de Bellas Artes de San Carlos, Valence, 1955.

Garrido Carmen
«Algunas consideraciones sobre la técnica de las Pinturas Negras de Goya», *Boletín del Museo del Prado*, V, n° 13, 1984, p. 4-39.

Gassier Pierre et Wilson Juliet
Vie et œuvre de Francisco de Goya, Fribourg, 1970 (éd. anglaise, Londres-New York, 1971, réimpr. New York, 1981, éd. esp., Barcelone, 1974).

Gaya Nuño Juan Antonio
La pintura española fuera de España, Madrid, 1958.

Gil Salinas Rafael
— «Asensio Juliá y Goya», *Goya*, n° 192, 1986, p. 348-352.
— «Asensio Juliá (1748-1832)», *Archivo de Arte Valenciano*, LXVII, 1986, p. 78-82.
— «Nuevas aportaciones sobre el pintor Asensio Juliá Alvarrachi», *Archivo de Arte Valenciano*, LXXII, 1991, p. 59-61.
— *Asensí Juliá, el deixible de Goya*, Valence, 1990.

Giménez Ruiz *et alii*
La iglesia de San Fernando, de Torrero, Monumentos de Aragón, 8, Saragosse, 1983.

Glendinning Nigel
— «Variations on a theme by Goa : Majas on a balcony», *Apollo*, CIII, n° 167, 1976.
— «Goya's Patrons», *Apollo*, CXIV, 1981, p. 236-247.
— *Goya and his Critics*, New Haven et Londres, 1977, trad. esp. *Goya y sus críticos*, Madrid, 1982.
— «Goya's *Portrait of the Marquesa de Santiago*», *J. Paul Getty Museum. Journal*, vol. 13, 1985, p. 141-146.
— «A Footnote to Goya's *Portrait of the Marquesa de Santiago*», *J. Paul Getty Museum. Journal*, vol. 14, 1986, p. 151.
— «El retrato en la obra de Goya. Aristócratas y burgues de signo variado», *Goya. Nuevas visiones. Homenaje a Enrique Lafuente Ferrari*, Madrid, 1987, p. 307-322.
— «Arte e Ilustración en el círculo de Goya», cat. exp. 1988-1989, Madrid-Boston-Chicago, p. 73-88 (éd. esp.).
— *Goya, La década de los Caprichos, Retratos 1792-1804*, Madrid, Real Academia de Bellas Artes de San Fernando, 1992.
— «Spanish inventory references to paintings by Goya, 1800-1850 : originals, copies and valuations», *The Burlington Magazine*, 136, 1994, p. 100-110.

Gómez de la Serna Ramón
Goya, Madrid, 1928.

González Martí Manuel
«Goya y Valencia», *Forma*, vol. 3, n° 25, 1908, p. 3-31.

Gracián Baltasar
El Criticón, éd. Clásicos castellanos, Madrid, 1971.

Gué Elizabeth du
Voir Trapier.

Gudiol José
Goya 1746-1828. Biographie, Analyse critique et catalogue des Peintures, 4 vol., Paris, 1970 (éd. esp. Barcelone, 1970, réimp. Barcelone, 1984).

Guinard Paul
Les peintres espagnols, Paris, 1967.

Haraszti-Takács Mariana
— «Scènes de genre de Goya à la vente de la collection Kaunitz en 1820», *Bulletin du Musée Hongrois des Beaux-Arts*, 44, 1975, p. 107-121.
— *Les Maîtres espagnols de Zurbarán à Goya*, musée des Beaux-Arts de Budapest, Budapest, 1984.

Harris Enriquetta
— *Goya*, Londres, 1969.
— «Spanish Paintings from The Bowes Museum», *The Burlington Magazine*, XCV, 1953, p. 22-24.

Harris Tómas
Goya. Engravings and Lithographs, 2 vols, Oxford, 1964.

Havemeyer W.
Sixteen to Sixty, New York, 1961.

Heckes Frank Irving
— «Goya´s "les Jeunes" and "les Vieilles"», *Gazette des Beaux-Arts*, 1991.

Held Jutta
— *Die Genrebilder der Madrider Teppich-manufaktur und die Anfänge Goyas*, Berlin, 1971.
— «Between Bourgeois Enlightenment and Popular Culture : Goya's festicals, old women, monsters and blind men», *History Workshop Journal*, 23, 1987, p. 39-58.

Helman Edith
Trasmundo de Goya, Madrid, 1963.

Hempel-Lipschutz Ilse
Spanish Painting and the French Romantics, Cambridge (Mass.), 1972.

Herrero Concha et Sancho José Luis (Herrero-Sancho)
Tapices y Cartones de Goya, Madrid, Patrimonio Nacional, 1996.

Hours Madeleine
Analyse scientifique des peintures. Essai de méthodologie, Annales, Laboratoire de recherche des Musées de France, 1971, p. 2-18.

Jordan William B.
— *The Meadows Museum. A Visitor's Guide to the Collections*, Dallas, 1974.
— voir cat. exp. Londres, 1995.

Jovellanos Gaspar Melchor de
«Decimo diario ; Itinerario XVIII», *Obras publicadas e inéditas de D. Gaspar Melchor de Jovellanos*, (vol. IV, p. 57), Biblioteca de Autores Españoles, vol. 86, 1956.

Klingender F. D.
  Goya in the democratic tradition, Londres,
  1948, New York, 1968.
La Coste-Messelière Marie-Geneviève de
  «Deux tableaux "canadiens" de Goya»,
  L'Œil, 1967, p. 29-31.
Lafond Paul
  Goya, Paris, 1903.
Lafora J.
  «Goya. Estudio biográfico-crítico», *Arte
  Español*, 1928-1929, p. 359-372.
Lafuente Ferrari Enrique
  – «Sobre el cuadro de San Francisco
  El Grande y las ideas estéticas de Goya»,
  Revista de Ideas Estéticas, IV, 1946, p. 307-
  337.
  – *Exposición Goya*, Palacio de Carlos V,
  Grenade, 1955.
  – «Goya. L'évolution de son génie»,
  dans j. Chastenet, *Goya*, Paris, 1964.
Laurent Jean
  *Catalogue illustré des tableaux du musée
  du Prado à Madrid*, vol. II, Madrid, 1889.
Lazarillo de Tormes, ed. Francisco Rico,
  La novela picaresca española, I, Clásicos
  Planeta, Barcelone, 1967.
Licht Fred
  Goya. The Origins of Modern Temper in Art,
  Londres, 1979, 1981, New York, 1983.
Loga Valerian von
  Francisco de Goya, Berlin, 1903, 2ᵉ éd.,
  Berlin, 1921.
López González Juan Jaime
  Zaragoza al final del XVIII, (1782-1792),
  Saragosse, 1977.
López Rey José
  «Goya Still Lifes», *The Art Quaterly*, 11,
  1948, p. 251-260.
Lozoya Marques de
  «Dos Goyas inéditos de tema religioso»,
  Archivo Español de Arte, XXIX, 1951,
  p. 5-10.

MacLaren Neil
  The Spanish School, National Gallery
  Catalogues, 2ᵉ éd. révisée par Allan
  Braham, Londres, 1970.
Mansbach S. A.
  «Goya's liberal iconography : two images
  of Goya», *Journal of the Warburg and
  Courtauld Institute*, 41, 1978, p. 341-344.
Martín González Juan José
  *Catálogo monumental. Monumentos religiosos
  de la ciudad de Valladolid*, Valladolid, 1987.
Matheron Laurent
  Goya, Paris, 1858.
Mayer August L.
  – *Francisco de Goya*, Munich, 1923,
  Londres, 1924, Madrid, 1925.
  – «Notes sur quelques tableaux du
  musée de Grenoble», *Gazette des Beaux-
  Arts*, XIII, 1935, p. 16.

Mestre Sancho Juan Antonio
et Blasco Carrascosa Juan Angel
  Juego y Deporte en la pintura de Goya,
  Valence, 1990.
Miñano Sebastián de
  *Diccionario geográfico-estadístico de España y
  Portugal*, X, Madrid, 1928.
Morales y Marín José Luis
  – *Goya, pintor religioso*, Saragosse, 1990.
  – *Goya. Catálogo de la pintura*, Saragosse,
  1994, éd. anglaise, *Goya. A Catalogue
  of his Paintings*, Saragosse, 1997.
  – *Los Bayeu*, Saragosse, 1995.
Moreno de las Heras Margarita
  Goya Pinturas del museo del Prado, Museo
  del Prado, Madrid, 1997.
Mulcahy Rosemarie
  *Spanish Paintings in the National Gallery
  of Ireland*, Dublin, 1988.

Neue Pinakothek München, Bayerische Staats-
  gemäldesammlungen, Munich, 1989.
Nordenfalk C.
  Nationalmusei arsbok, Stockholm, 1949-
  1950.
Nordström Folke
  *Goya, Saturn and Melancholy. Studies in the
  Art of Goya*, Stockholm, Uppsala, 1962,
  (trad. esp. Madrid, 1989).
*Noticia del Museo Romantico y su Archivo
  Militar. Antecedentes e Inventario provisional
  de las colecciones*, Madrid, 1925.
Núñez de Arenas Manuel
  «Manojo de noticias. La suerte de Goya
  en Francia», *Bulletin hispanique*, 1950,
  p. 229-273.

Ona González José Luis
  Goya y su familia en Zaragoza, Saragosse,
  1997.

Pardo Canalis Enrique
  «El mundo ignorado de Eugenio Lucas»,
  Goya, 116, 1973.
Paris Pierre
  Goya, Paris, 1928.
Pérez Sánchez Alfonso Emilio
  «Goya en el Prado. Historia de una
  colección singular», *Goya. Nuevas visiones.
  Homenaje a Enrique Lafuente Ferrari*,
  Madrid, 1987, p. 307-322.
Pigler A.
  Katalog der Galerie Alter Meister, Budapest,
  1967.
Pinette M. et Soulier-François F.
  *De Bellini à Bonnard. Chefs-d'œuvre
  de la peinture du musée des Beaux-Arts de
  Besançon*, Paris, 1992.
Pita Andrade José Manuel
  – «Observaciones en torno a los car-
  tones para tapices», *Goya*, 148-150,
  1979, p. 232-239.

  – «Una miniatura de Goya», *Boletín
  del Museo del Prado*, I, 1980, p. 12-16.
  – *Goya. Obra, vida y sueños...*, Madrid,
  1989.
Ponz Antonio
  Viage de España, Madrid, 1792-1794,
  18 tomes, éd. Casto María del Rivero,
  Aguilar, Madrid, 1947, rééd. fac-similé
  2ᵉ éd. (1794-1797), Madrid, 1972.
Rico Francisco
  «Las primeras celestinas de Picasso»,
  *Hommage à Maxime Chevalier, Bulletin
  Hispanique*, 1990, p. 609-627.
Rincón García Wilfredo
  «El pintor Felipe Abás, discipulo
  de Goya», *Archivo Español de Arte*, LXXI,
  nº 282, 1998, p. 99-112.
Rose de Viejo Isadora
  – «Goya's still lifes», *The Burlington
  Magazine*, 139, 1997, p. 405.
  – «Jean-Louis Gintrac and Goya's
  La Boda», *The Burlington Magazine*, 139,
  1997, p. 529-535.
Rosenthal Donald A.
  «Children's Games in a Tapestry Cartoon
  by Goya», *Bulletin*, Philadelphia Museum
  of Art, vol. 78, nº 335, p. 13-24.

Salas Xavier de
  – «Sur les tableaux de Goya qui appartin-
  rent à son fils», *Gazette des Beaux Arts*,
  1964, LXXXI, p. 99-110.
  – «Dos notas, a dos pinturas de Goya
  de tema religioso», *Archivo Español
  de Arte*, XLVII, 88, 1974, p. 383-396.
  – *Goya*, Milan, 1978.
  – *Goya en Madrid*, Madrid, 1979.
  – Voir Agueda.
Saltillo Marques del
  *Miscelánea madrileña, histórica y artística.
  Goya en Madrid, su familia y allegados
  (1746-1856)*, Madrid, 1952.
Sambricio Valentín de
  – *Tapices de Goya*, Madrid, 1946.
  – *Exposición de Francisco Goya*, Madrid,
  Casón del Buen Retiro, 1961.
Sánchez Cantón Francisco Javier
  – «Goya en la Academia», *Discursos.
  Primer Centenario de Goya*, Madrid, 1928,
  p. 11-23.
  – *Goya*, Paris, 1930.
  – «Goya, Pintor religioso : Precedentes
  italianos y franceses», *Revista de Ideas
  Estéticas*, IV, 1946a, p. 277-318.
  – «Como vivía Goya. I - El inventario de
  sus bienes. II- Leyenda e historia de
  la Quinta del Sordo», *Archivo Español
  de Arte*, XIX, 1946b, p. 73-109.
  – *Vida y obras de Goya*, Madrid, 1951.
  – «Un cuadro de Goya en el "equipaje
  del rey José"», *Archivo Español de Arte*,
  97, 1952, p. 85-87.

Sánchez Cantón Francisco Javier
et Lozoya Marques de
Guia del Museo Romantico y Legado Vega-Inclán, Madrid, 1945.
Sánchez Cantón Francisco Javier
et Salas Xavier de
Le pitture nere di Goya alla Quinta del Sordo, Milan, 1963.
Sancho José Luis
Voir Herrero.
Sayre Eleanor
« The *Portrait of the Marquesa de Santiago* and Ceán's Criticism of Goya », *J. Paul Getty Museum. Journal,* vol. 13, 1985, p. 147-150.
Sentenach Narciso
— « Nuevos datos sobre Goya y sus obras », Historia y Arte, 8, 1895, p. 196-199.
— *Catálogo de los cuadros, esculturas, grabados y otros objetos artísticos de la colección de la antigua Casa Ducal de Osuna,* Madrid, 1896.
— « Notas sobre la exposición de Goya », *La España Moderna,* 138, 1900, p. 34-53.
Soehner Halldor
Gemäldekataloge. Herausgegeben von den Bayerischen Staatsgemäldesammlungen. Bd. I, Spanische Meister, Munich, 1963.
Soria Martin S.
« Spanish Paintings in the Bowes Museum », *The Connoisseur,* 1961, p. 30-37.
Stein Susan Alyson
« A History of the Collection » *Goya in the Metropolitan Museum of Art,* New York, 1995, p. 34-64.
Sterling Charles
La nature morte de l'Antiquité à nos jours, Paris, 1952, rééd. 1959 et 1981.
Strömbom S.
Nationalmusei mästerverk, Stockholm, 1949.
Symmons Sarah
Goya, Londres, 1977.

Tárraga Baldó María Luisa
« La "Casa de Rebeque" o casa-taller de escultura », *Anales del Instituto de Estudios madrileños,* 1992, p. 41-52.

Terrasse Charles
Goya, Paris, 1931.
Tomlinson Janis A.
— *Francisco Goya : The Tapestry Cartoons and Early Career at the Court of Madrid,* New York et Cambridge, 1989, trad. esp. *Francisco de Goya. Los cartones para tapices y los comienzos de su carrera en la corte de Madrid,* Madrid, 1993.
— *Goya in the Twilight of Enlightenment,* New Haven et Londres, 1992, trad. esp. *Goya en el crepúsculo del siglo de las luces,* Madrid, 1993.
— *Francisco Goya y Lucientes, 1746-1828,* Londres, 1994, trad. fr., Londres, 1994.
Tormo y Monzo Elias
— « Las pinturas de Goya y su Clasificación cronológica », *Revista de la Asociaciòn Artistico-Arqueológico Barcelonesa,* 1900, rééd. dans *Varios Estudios de Arte y Letras,* Madrid, 1902.
— *Boletín de la Sociedad Castellana de Excursiones,* 1911-1912, p. 525-526.
Torra Eduardo *et alii*
Regina Martirum-Goya, Saragosse, 1982.
Tovar Martín Virginia
« Arquitecturas singulares de Madrid : las casas del Duende, rebeque, Capones, tesoro, carracas, pages y otras más », *Academia. Boletín de la Real Academia de Bellas Artes de San Fernando,* 74, 1992, p. 70-82.
Trapier Elizabeth du Gué
— *Eugenio Lucas Padilla,* New York, 1940.
— *Goya and his sitters. A Study of his Style as a Portraitist,* New York, 1964.
Tzeutschler Lurie Ann
« Goya. St. Ambrose », *The Bulletin of The Cleveland Museum of Art,* May 1970, p. 130-140.

Vallabriga Abizanda
« Aportación para la veridica biografia de Don Francisco de Goya », *Aragón,* 1928
Valverde Madrid
— « La librera de la calle de Carretas », *Goya,* 148-150, 1979, p. 278.

Vernant Jean-Pierre
La mort dans les yeux : figure de l'autre en Grèce ancienne ; Artemis, Gorgô, Paris, 1986.
Viñaza Conde de la
Goya. Su tiempo, su vida, sus obras, Madrid, 1887.
Vischer Bodo
« Goya's still lifes in the Yumuri inventory », *The Burlington Magazine,* 139, 1997, p. 121-123.

Ward-Jackson Peter
Italian Drawings, Victoria and Albert Museum, vol. II, Londres, 1980.
Wilson-Bareau Juliet
— voir Gassier, 1970.
— « Goya and the X-Numbers : The 1812 Inventory and Early Acquisitions of "Goya" Pictures », *Metropolitan Museum Journal,* n° 31, février 1996 (1996a), p. 159-174.
— « Goya and the X Numbers : The 1812 Inventory and Early Acquisitions of "Goya" Pictures », *Metropolitan Museum Journal,* 31, 1996 (1996b), p. 159-174.

Young Eric
Catalogue of Spanish paintings in The Bowes Museum, 1970, 2e éd. révisée, Barnard Castle, 1988.
Yriarte Charles
Goya, sa biographie, les fresques, les toiles, les tapisseries, les eaux-fortes et le catalogue de l'œuvre avec cinquante planche inédites, Paris, 1867.

Zapater y Gómez Francisco
Goya, Noticias biográficas, Saragosse, 1868 ; réimp. dans *Colección…,* Madrid, 1924, p. 17-49.

Expositions

1838-1848
La Galerie espagnole de Louis-Philippe, palais
du Louvre, Paris.

1846, Madrid
*Catálogo de las obras de pintura, escultura
y arquitectura presentadas a exposición en
junio de 1846, y ejecutadas por los profesores
existentes y los que han fallecido en este siglo,*
Liceo Artístico y Literario, Madrid,
réimp. dans Lafuente Ferrari, 1947,
p. 339-346.

1896, Madrid
*Catálogo de los cuadros, esculturas,
grabados y otros objetos artísticos de la
colección de la antigua Casa Ducal de Osuna*
(exposition et vente aux enchères),
Palacio de la Industria y de las Artes,
Madrid.

1900, Madrid
Catálogo de las obras de Goya, Ministerio
de Instrucción Pública y Bellas Artes,
Madrid.

1901, Londres
*Descriptive and biographical Catalogue of the
Exhibition of Works by Spanish Painters,* Art
Gallery of the Corporation of London.

1902, Madrid
Exposicón Nacional de Retratos, Ministerio
de Instrucción Pública, Madrid.

1908, Berlin
X. Ausstellung : Francisco de Goya, galerie
Paul Cassirer, Berlin.

1908, Vienne
*Francisco José de Goya y Lucientes 1746-
1828,* galerie Miethke, Vienne.

1911, Londres
Old Masters, Grafton Galleries, Londres.

1913, Madrid
*Exposición de pinturas de la primera mitad
del siglo XIX,* Sociedad española de
Amigos del Arte, Madrid.

1913-1914, Londres
*Exhibition of Spanish Old Masters in support
of the National Gallery Funds and for the
benefit of the Sociedad de Amigos de Arte
Española,* Grafton Galleries, Londres.

1915, New York
*Loan Exhibition of Paintings by El Greco
and Goya,* M. Knoedler & Co, New York.

1918, Madrid
*Exposición de retratos de mugeres españolas
por artistas españoles anteriores a 1850,*
Sociedad española de Amigos del Arte,
Madrid.

1918, Valenciennes
*Geborgene Kunstwerke aus dem besetzten
Nordfrankreich,* musée des Beaux-Arts,
Valenciennes.

1919, Paris
Exposition de peinture espagnole moderne,
Paris.

1920-1921, Londres
*Exhibition of Spanish Paintings at the Royal
Academy,* Royal Academy of Arts,
Londres.

1928, Londres
*Exhibition of Spanish Art, Including Pictures,
Drawings and Engravings by Goya,*
Burlington Fine Arts Club, Londres.

1928, Madrid
Centenario de Goya. Exposición de pinturas
et *Catálogo ilustrado de la exposición de
pinturas de Goya,* Museo del Prado,
Madrid.

1928, New York
Spanish Paintings from Greco to Goya,
Metropolitan Museum of Art,
New York.

1930, Rome
*Gli antichi pittori spagnoli della collezione
Contini-Bonacossi,* Galleria Nazionale
d'Arte moderna a Valle Giulia, Rome.

1931, Londres
*An Exhibition of Old Masters by Spanish
Artists,* Tomás Harris Gallery, Londres.

1935, Paris
*Goya. Exposition de l'œuvre gravé de
peintures, de tapisseries et de cent dix dessins
du Prado,* Bibliothèque nationale.

1936, Leeds
*Paintings from Yorkshire and Durham
Collections,* City Art Gallery.

1938, Paris
Peintures de Goya des collections de France,
Orangerie, Paris.

1939, Genève
Les chefs-d'œuvre du musée du Prado, musée
d'Art et d'Histoire, Genève.

1939, Madrid
*De Barnaba de Modena a Francisco de Goya :
exposición de pinturas de los siglos XIV
al XIX recuperadas por España,* Museo
del Prado, Madrid.

1941, Chicago
Paintings, Drawings, Prints. The Art of Goya,
The art Institute of Chicago.

1941, Toledo
Spanish Paintings, Toledo (Ohio).

1942, Montauban
*Chefs-d'œuvre espagnols du musée
du Louvre,* chambre de Commerce, Montauban.

1946, Bordeaux
Goya, musée de Peinture, Bordeaux.

1946, Madrid
*Exposición conmemorativa del centenario
de Goya,* Palacio de Oriente (auj. palais
royal), Madrid.

1947, Bâle
Kunstschätze aus den Strassburger Museen,
Kunsthalle, Bâle.

1947, Londres
An Exhibition of Spanish Paintings,
(The Arts Council), National Gallery,
Londres.

1948, Le Cap
An Exhibition of Spanish Paintings, South
Africa National Gallery, Le Cap.

1948-1949, Bruxelles-Paris, Amsterdam-
Londres
*Les chefs-d'œuvre de la Pinacothèque de
Munich.*

1949, Madrid
Bocetos y estudios para pinturas y esculturas,
Asociación de Amigos del Arte, Madrid.

1950, Gand
Quarante chefs-d'œuvre du musée de Lille,
musée des Beaux-Arts, Gand.

1950, New York
*A Loan Exhibition of Goya, for the benefit
of the Institute of Fina Arts, New York
University,* Wildenstein and Co.,
New York.

1951, Bordeaux
Goya, 1746-1828, galerie des Beaux-Arts,
Bordeaux.

1951, Madrid
Goya, Museo del Prado, Madrid.

1952, Houston
*Masterpieces of Painting through Six Centu-
ries,* Allied Art Association, Houston.

1952, Paris
La nature morte de l'Antiquité à nos jours,
Orangerie, Paris.

1952, Venise
Exposición del Pabellón Español, Biennale,
Venise.

1953, Bâle
Goya, Kunsthalle.

1955, Grenade
Exposición Goya, Palacio de Carlos V,
Grenade.

1955, New York
Goya: Drawings and Prints, Metropolitan Museum, New York.

1956, Bordeaux
De Tiepolo à Goya, galerie des Beaux-Arts, Bordeaux.

1956, New Haven
Pictures collected by Yale Alumni, Yale University Art Gallery, New Haven (Conn.).

1957, Bordeaux
Bosch, Goya et le fantastique, galerie des Beaux-Arts, Bordeaux.

1957, Dublin
Paintings from Irish Collections, Municipal Gallery of Modern Art, Dublin.

1957, La Havane
Obras clásicas de la pintura europea siglos XV-XIX, Museos Nacionales, La Havane.

1959, Londres
— *The Romantic Movement,* Tate Gallery, Londres.
— *Paintings by Rembrandt… Gauguin and others,* Gallery Wildenstein & Co, Londres.

1959-1960, Stockholm
Stora Spanska Mästare, Nationalmuseum, Stockholm.

1960, Londres
Exp. Gallery Wildenstein, Londres.

1960, UCLA-San Diego
Spanish Masters, UCLA Art Galleries, Dickson Art Center, Fine Art Gallery, San Diego.

1961, Madrid
Exposición de Francisco Goya, Casón del Buen Retiro, Madrid.

1961-1962, Paris
Francisco Goya y Lucientes. 1746-1826, musée Jacquemart-André, Paris.

1962, Londres
Paintings from the Bowes Museum, The Arts Council, Londres.

1962, Rennes
Aspects insolites et tragiques de l'art moderne, musée des Beaux-Arts, Rennes.

1963, Indianapolis-Providence
El Greco to Goya, John Herron Museum of Art, Indianapolis, Rhode Island School of Design, Providence.

1963, Paris
Trésors de la peinture espagnole. Églises et musées de France, musée des Arts décoratifs, Paris.

1963-1964, Londres
Goya and his Times, Royal Academy of Arts, Londres.

1964, Berlin
Meisterwerke aus dem Museum in Lille, Schloss Charlottenburg, Berlin, 1964.

1964, Newark
The Golden Age of Spanish Still Life Painting, The Newark Museum.

1965, Budapest
Les Maîtres espagnols, musée des Beaux-Arts, Budapest.

1965, Moscou-Leningrad
Tableaux d'artistes de l'Europe de l'Ouest, du musée du Louvre, de Bordeaux et d'autres musées français.

1967, Barnard Castle
Four Centuries of Spanish Paintings, The Bowes Museum, Barnard Castle.

1969-1974, États-Unis
The Armand Hammer Exhibition (exposition itinérante).

1970, La Haye-Paris
Goya, Mauritshuis, La Haye, Orangerie, Paris.

1971-1972, Tokyo-Kyoto
El arte de Goya. Exposición extraordinaria de Goya en Japón, musée national d'Art occidental, Tokyo, Musée municipal, Kyoto.

1972, Londres
The Age of Neo-Classicism, Royal Academy of Arts et Victoria and Albert Museum, Londres.

1972, Madrid
San José en el arte español, Museo de Arte Contemporaneo, Madrid.

1974, Lisbonne
Pintura espanhola do século XIX, Fundaçao Calouste Gulbenkian, Lisbonne.

1975, Moscou
Chefs-d'œuvre des musées hongrois, académie des Beaux-Arts, Moscou.

1975, Washington-Cleveland-Paris
The European Vision of America, National Gallery of Art, Washington, The Cleveland Museum of Art, Ohio, *L'Amérique vue par l'Europe,* Grand Palais, Paris.

1976, Japon
Exposición de pintura española desde el Renacimiento hasta nuestros días, musée provincial d'Art moderne, Hiogo, musée municipal d'Art, Kitayuschu, musée métropolitain d'Art, Tokyo.

1977, Barcelone
Goya, Palacio de Pedralbes, Barcelone.

1977, Mexico
La Colección de Armand Hammer, Palacio de Bellas Artes, Mexico.

1978, Bordeaux
La nature morte de Brueghel à Soutine, Galerie des Beaux-Arts, Bordeaux.

1978, Mexico
Del Greco a Goya, Museo de Bellas Artes, Mexico.

1979, Paris
Goya 1746-1828. Peintures-Dessins-Gravures, centre culturel du Marais, Paris.

1979-1980, Bordeaux-Paris-Madrid
L'art européen à la Cour d'Espagne au XVIIIᵉ siècle, galerie des Beaux-Arts, Bordeaux, Grand-Palais, Paris, *El arte europeo en la Corte de España durante el siglo XVIII,* Museo del Prado, Madrid.

1979-1981, États-Unis
Old Master Paintings from the Collection of Baron Thyssen-Bornemisza, National Gallery of Art, Washington et autres villes.

1980, Leningrad-Moscou
Chefs-d'œuvre de la peinture espagnole du XVIᵉ-XIXᵉ siècles, musée de l'Ermitage, Leningrad, musée Pouchkine, Moscou.

1980-1981, Hambourg
Goya: Das Zeitalter der Revolutionen, 1789-1830, Kunsthalle, Hambourg.

1981, Belgrade
Exposición de arte español, Gradski Istoriceski Musej.

1981, Londres
El Greco to Goya: The Taste for Spanish Paintings in Britain and Ireland, National Gallery, Londres.

1981, Madrid-Munich-Vienne
Pintura española de los siglos XVI al XVIII en colecciones centroeuropeas, Museo del Prado, Madrid.

1982, Paris
— *Le portrait en Italie au siècle de Tiepolo,* Petit Palais, Paris.
— *Collection Thyssen-Bornemisza: Maîtres Anciens,* Petit Palais, Paris.

1982-1983, Dallas
Goya and the Art of his Time, Meadows Museum, Southern Methodist University, Dallas.

1983, Madrid
Goya en las colecciones madrileñas, Museo del Prado, Madrid.

1983-1984, Madrid
Pintura española de Bodegones y Floreros de 1600 a Goya, Prado, Madrid.

1985, Bruxelles
Goya (Europalia 85 / Espagne), musées royaux des Beaux-Arts de Belgique, Bruxelles.

1986, Florence
Da El Greco a Goya: i secoli d'oro della pittura spagnola, Sala d'Arme di Palazzo Vecchio, Florence.

1986, Hambourg
Eva und die Zukunft: Das Bild der Frau seit der Französischen Revolution, Kunsthalle, Hambourg.

1986, Lugano
Goya nelle collezione private di Spagna, Fondation Thyssen-Bornemisza, Villa Favorita, Lugano.

1986-1987, Washington
Goya: The Condesa de Chinchon and Other Paintings, Drawings and Prints from Spanish and American Private Collections and The National Gallery of Art, National Gallery of Art, Washington.

1987, Madrid
Tesoros de las colecciones madrileñas. Pinturas desde el siglo XV a Goya, Real Academia de Bellas Artes de San Fernando, Madrid.

1987, Paris-Rome
Subleyras, 1699-1749, musée du Luxembourg, Paris, villa Médicis, Rome.

1987, Tokyo
Spanish painting of 18th-19th Century. Goya and his Time, The Seibu Museum of Art, Tokyo.

1987-1988, Paris
Cinq siècles d'art espagnol, De Greco à Picasso, Petit Palais, 1987-1988.

1988, Londres
Old Master Paintings from the Thyssen-Bornemisza Collection, Royal Academy of Arts, Londres.

1988, Madrid
Los pintores de la Ilustración, Centro Cultural del Conde Duque, Madrid.

1988-1989, Leningrad-Moscou
Chefs-d'œuvre de la peinture espagnole des XVIᵉ-XIXᵉ siècles, musée de l'Ermitage, Leningrad, musée Pouchkine, Moscou.

1988-1989, Madrid-Boston-Chicago
Goya y el Espíritu de la Ilustración, Palacio de Villahermosa (Museo del Prado), Madrid, *Goya and the Spirit of Enlightenment,* Museum of Fine Arts, Boston, Metropolitan Museum of Art, New York.

1989, Genève
Du Greco à Goya. Chefs-d'œuvre du Prado et de collections espagnoles. 50ᵉ anniversaire de la sauvegarde du patrimoine artistique espagnol 1939-1989, musée d'Art et d'Histoire, Genève.

1989, Paris
Les donateurs du Louvre, musée du Louvre, Paris.

1989, Venise
Goya, 1746-1828, Galleria Internazionale d'Arte Moderna de Ca'Pesaro, Venise.

1991, Madrid
El autorretrato en la Pintura Española. De Goya a Picasso, Fundación Cultural Mapfre Vida, Madrid.

1991, Sapporo
Peinture espagnole du XVIᵉ au XIXᵉ siècle. Peinture espagnole du Museo San Pio V de Valence, Sapporo Hokkaido Museum of Modern Art.

1991-1992, Vatican
Il lavoro dell'uomo nella pittura di Goya a Kandinski, Cité du Vatican, 1991.

1992, Tokyo-Nagoya
Pintura Española de Bodegones y Floreros, The National Museum of Western Art, Tokyo, Nagoya City Art Museum, Nagoya.

1992-1993, Madrid
Goya, La década de los Caprichos, Retratos 1792-1804, Real Academia de Bellas Artes de San Fernando, Madrid.

1992, Saragosse
Goya, La Lonja, Saragosse.

1992, Séville
Goya, Exposición Universal, Pabellón de Aragón.

1993, Alicante
El món de Goya i López en el museu Sant Pius V, Llotja del Peix, Alicante.

1993, Kobe-Yokohama
Chefs-d'œuvre du musée du Louvre.

1993, Japon
De Véronèse à Goya. Tableaux et Dessins du Palais des Beaux-Arts de Lille, Tobu Museum of Art, Tokyo et autres villes.

1993, Santander
Obras maestras de arte antiguo en la colección Juan Abelló, Museo Municipal, Santander.

1993-1994, Madrid-Londres-Chicago
Goya : El Capricho y la Invención. Cuadros de gabinete, bocetos y miniaturas, Museo del Prado, Madrid, *Goya Truth and Fantasy, The Small Paintings,* Royal Academy of Arts, Londres, The Art Institute, Chicago.

1994, Japon
Human Figure in the West 1850-1950 (exposition itinérante).

1994, Stockholm
Goya, Nationalmuseum, Stockholm.

1995, Londres
Spanish Still Life from Velázquez to Goya, National Gallery of Art, Londres.

1995, Madrid
La Belleza de lo Real, Floreros y Bodegones españoles en el Museo del Prado, Museo del Prado, Madrid.

1995, New York
Goya in the Metropolitan Museum, Metropolitan Museum of Art, New York.

1995-1996, Madrid
Goya en las colecciones españolas, Banco Bilbao Viscaya, Madrid.

1996, Madrid
– *Goya, 250 aniversario,* Museo del Prado, Madrid (1996a).
– *Ydioma universal, Goya en la Biblioteca nacional,* Biblioteca Nacional, Madrid, (1996 b).
– *Tapices y Cartones de Goya,* Palacio Real, Madrid (1996c).

1996, Oslo
Maleri-Tegning Grafikk, Nasjonal Galleriet, Oslo.

1996, Saragosse
– *Realidad e imagen, Goya 1746-1828,* Lonja, Saragosse, 1996a.
– *Goya y el infante don Luis de Borbón (Homenaje a la «infanta» María Teresa de Vallabriga),* Saragosse, 1996b.

1996-1997, Cologne-Zurich-Vienne
Das Capriccio als Kunstprinzip : zur Vorgeschichte der Moderne von Arcimboldo und Callot bis Tiepolo und Goya, Wallraf-Richartz-Museum, Cologne, Kunsthaus, Zurich, Kunsthistorisches Museum, Vienne.

1996-1997, Indianapolis-New York
Painting in Spain in the Age of Enlightenment : Goya and his contemporaries, Museum of Art, Indianapolis, The Spanish Institute, New York.

1997, Londres
An Eye on Nature, Spanish Still-Life paintings from Sánchez Cotán to Goya, Matthiesen Fine Art Ltd, Londres.

Crédits photographiques

Barnard Castle
The Bowes Museum : cat. 25

Besançon
Musée des Beaux-Arts : cat. 38, 39

Boston
1998, The Museum of Fine Arts : cat. 10

Budapest
Szépmüvészeti Múzeum : cat. 48, 49

Castres
Musée Goya : cat. 55

Chicago
The Art Institute of Chicago : cat. 14

Cleveland
The Cleveland Museum of Art : cat. 26

Dallas
Algur H. Meadows Collection, Meadows
Museum, Southern Methodist : cat. 42

Dublin
The National Gallery of Ireland : cat. 36

Édimbourg
The National Gallery of Scotland,
Fly-Weight : cat. 5

Flint
The Flint Institute of Art : cat. 17

Lille
Palais des Beaux-Arts : cat. 52, 53

Londres
The National Gallery, Fly-Weight : cat. 21

Los Angeles
Ucla Hammer Museum of Art : cat. 23
The J. Paul Getty Museum : cat. 34

Luzarches
© Martine Beck-Coppola : cat. 58

Madrid
Museo Lázaro Galdiano, photographies
Toma Antelo Sanchez : cat. 11, 28
Photographie Gonzalo de la Serna : cat. 50
Fundación Colección Thyssen-Bornemisza :
cat. 30
Museo Romantico : cat. 27
Museo del Prado : cat. 2, 4, 13, 20, 32, 43,
44, 56

Munich
Kunstdia-Archiv Artothek, D. Peissenberg :
cat. 45

New York
The Metropolitan Museum of Art, 1998 :
cat. 57
Photographe © 1994, cat. 19

Paris
Réunion des musées nationaux : cat. 31
(photographie R. G. Ojéda)
cat. 35 (photographie Hervé Lewadowski),
cat. 46

Philadelphie
The Philadelphia Museum of Art,
Graydon Wood, 1993 : cat. 24

Stockholm
Fotograf, Hans Thorwid. Statens Konst-
museer : cat. 9

Strasbourg
Musée des Beaux-Arts : cat. 29

Toledo (États-Unis)
The Toledo Museum of Art, Image Source
Inc : cat. 3

Valence
Photographie Francisco Alcantara
Benavent : cat. 54

Washington
The National Gallery of Art : cat. 37

Williamstown (Massachusetts)
Sterling and Francine Clark Art Institute :
cat. 12

Collections particulières
Fotografo, Rosa Fernandez Fernandez :
cat. 40, 41
Photographie Arturo Piera : cat. 8
Jaume Blassi : cat. 6
Photographie Gonzalo de la Serna : cat. 50
Oronoz Archivo Fotográfico documen-
tación edición y Fotografia : cat. 15, 51

Tous droits réservés pour les photographies
fournies par l'auteur et les collectionneurs
particuliers, ainsi que pour les illustrations
non citées dans cette liste.

Publication du département de l'édition
dirigé par Anne de Margerie

Coordination éditoriale
Marie-Dominique de Teneuille

Relecture des textes
Katia Lièvre

Fabrication
Jacques Venelli

Documentation photographique
Katia Touitou

Conception graphique
Bruno Pfäffli

Photogravure
GEGM, Gentilly

Les textes ont été composés en Perpetua

Cet ouvrage a été achevé d'imprimer
en décembre 1998 sur les presses
de l'imprimerie Snoeck-Ducaju & Zoon,
Gand (Belgique)
qui a également réalisé le façonnage

Dépôt légal : décembre 1998
ISBN : 2-7118-3762-9
EK 39 3762